Hanes Rhuthun

Golygyddion Gareth Evans a Arnold Hughes

Argraffwyd gan Ashford Colour Press

Gwaith dylunio a llun gan William Smuts

Data Catalogio Cyhoeddi'r Llyfrgell Brydeinig.

Mae cofnod catalogio'r gyfrol hon ar gael gan y Llyfrgell Brydeinig.

ISBN 978-1-905865-72-7

Cyhoeddwyd gan Cymdeithas Hanes Rhuthun

Elidan, Ffordd Llanfair, Rhuthun, LL151DA

Cynnwys

Cyflwyniad 8

Trigolion Cynharaf Rhuthun 10

'Tref' Gymreig Gynnar 14

Bwrdeistref Newydd de Grey 19

Rhuthun yn yr Oesoedd Canol 26

Rhuthun yn Oes y Tuduriaid: Canrif o Newid 42

Rhuthun yn y Cyfnod Modern Cynnar 50

Rhuthun yn yr Oes Sioraidd 74

O 'Fwrdeistref Boced' i Fwrdeistref Fodern: Rhuthun yn y Bedwaredd Ganrif ar Bymtheg 106

Rhuthun yn y Cyfnod Modern 147

YR AWDURON

Roger Edwards a fagwyd yn Rhuthun ac a dderbyniodd ei addysg ym mhrifysgolion Sussex, Aberystwyth a Sheffield Hallam yn arbenigo mewn hanes. Bu'n athro hanes a phrifathro yn Ysgol Brynhyfryd, Rhuthun ac y mae wedi ysgrifennu a darlithio am hanes Rhuthun.

Gareth Evans, Cyn brif swyddog Cyngor Sir Ddinbych. Graddiodd mewn hanes ym mhrifysgol Bangor ac ysgrifennodd ei draethawd hir ar gyfer ei radd feistr ar "Drefi Sir Ddinbych [Dinbych, Rhuthun a Wrecsam] yn yr ail ganrif ar bymtheg'. Ers iddo ymddeol y mae wedi gwneud gwaith ymchwil ac wedi cyhoeddi llawer o waith am hanes lleol Rhuthun.

Arnold Hughes Derbyniodd ei addysg yn Ysgol Brynhyfryd, Rhuthun ac ym Mhrifysgol Aberystwyth. Ar ôl ymddeol yn Athro Emeritws Gwleidyddiaeth Affricanaidd o Brifysgol Birmingham, datblygodd ddiddordeb mawr mewn hanes lleol; mae wedi bod yn gadeirydd ac ysgrifennydd i Grŵp Hanes Lleol Rhuthun ac mae'n gwneud gwaith ymchwil ac yn darlithio am lawer o destunau hanes lleol.

Gwynne Morris. Yn enedigol o Ruthun, graddiodd ym Mhrifysgol Bangor (Coleg Prifysgol Gogledd Cymru) yna bu'n athro a phrifathro cynorthwyol yn Ysgol Brynhyfryd, Rhuthun. Mae ganddo ddiddordeb yn hanes lleol Rhuthun ers blynyddoedd maith ac mae'n gyn drysorydd ac yn gadeirydd presennol Grŵp Hanes Lleol Rhuthun. Mae wedi darlithio ac ysgrifennu am nifer o destunau hanes lleol.

Cyflwyniad

Mae tref Rhuthun yn destun gwych ar gyfer astudiaeth hanesyddol fanwl. Yn edrych i lawr dros y dref mae un o'r casgliadau mwyaf cynhwysfawr o fryngaerau'r Oes Haearn yn Ewrop, gan roi ymdeimlad arbennig o le. Tref gywasgedig ydyw, a godwyd ar fryn; nid yw canol y dref wedi newid rhyw lawer ers y 13eg ganrif ac mae'n cynnwys adeiladau o bob canrif ers hynny. Yn ffodus iawn, mae ganddi hefyd un o'r casgliadau o gofnodion hanesyddol mwyaf cynhwysfawr a llawn gwybodaeth – adroddiadau llysoedd, ewyllysiau, trafodion tir ac ati – testun gwaith ymchwil i sawl cenhedlaeth o haneswyr lleol.

O safbwynt topograffeg, roedd Rhuthun a Dyffryn Clwyd yn perthyn yn y lle cyntaf i'r 'berfeddwlad', sef y tir hwnnw rhwng hen deyrnas Gwynedd a'r teyrnasoedd Eingl-Sacsonaidd i'r dwyrain. Roedd Rhuthun hefyd yn eiddo i'r Gororau, ffin annelwig a mandyllog yn aml, rhwng Cymru a Lloegr. Rheolid yr ardal am sawl canrif gan deuluoedd bonedd o Loegr a'u daliedyddion – ac mae bellach yn gartref i nifer o newydd-ddyfodiaid o'r ochr draw i'r ffin. Eto i gyd, mae Rhuthun yn ddiamau yn dref Gymreig a Chymraeg; siaredir yr iaith yn eang yn y dref; mae'r gymuned yn cynhyrchu beirdd a cherddorion o'r radd flaenaf; ac mae hanes a diwylliant Cymru yn parhau yn destun dathliadau, sgyrsiau ac ymchwil lleol.

Daeth yr amser i gyhoeddi Hanes Rhuthun, a braenarwyd y tir eisoes. Mae nifer o haneswyr lleol, yn gweithio'n bennaf drwy Grŵp Hanes Lleol Rhuthun, wedi llunio cyfoeth o waith ymchwil cyhoeddedig, ar ffurf erthyglau gan mwyaf; cyhoeddwyd llawer o'r gwaith hwn yn y cyfnodolyn gwych, *Ruthin Local History Broadsheet,* sydd wedi dod i ben yn anffodus. Mae'r rhifynnau chwarterol a gyhoeddwyd rhwng 1985 a 2004, dan olygyddiaeth fedrus (ac awduraeth) y diweddar David Williams ac Allan Fletcher, wedi rhoi gwaddol werthfawr i haneswyr lleol eraill. Yn yr un modd, mae Cymdeithas Ddinesig Rhuthun a'r Cylch wedi hybu diddordeb yn hanes y dref drwy drefnu penwythnosau Drysau Agored blynyddol, dros gyfnod o ddeng mlynedd neu ragor, gan wahodd pobl leol ac ymwelwyr i gymryd golwg newydd ar adeiladau hynafol y dref.

Rydym yn cydnabod, yn ddiolchgar, gwaith nifer o ragflaenwyr eraill. Cyfrol Richard Newcome, *An Account of the Castle and Town of Ruthin* (Ruthin: Taliesin Press, 1829), oedd y cyntaf i ddisgrifio ei hun fel hanes Rhuthun, ond yn ogystal â'r ffaith ei bod wedi dyddio cryn dipyn, canolbwyntia'n bennaf ar hanes Castell Rhuthun a'r teulu de Grey a phrin iawn yw'r wybodaeth am y dref a'i phobl. Mae cyfrolau diweddarach, megis y rheini gan William Davies, *Handbook for the Vale of Clwyd*

(Ruthin: Isaac Clarke, 1856); Lewis Jones, *Jones' Handbook to Ruthin in the Vale of Clwyd* (Ruthin: L. Jones, 1884); a ailgyhoeddwyd ym 1916 fel *Rhuddenfab's Handbook...*; a T. Rouw, *Rouw's Guide to Ruthin* (Ruthin: Lewis Jones, dd) yn deithlyfrau am Ruthun a'r cyffiniau yn anad dim, ac er eu bod yn cynnwys deunydd hanesyddol diddorol am y dref, ni ellir eu disgrifio fel llyfrau sy'n adrodd 'hanes' Rhuthun mewn gwirionedd. Hefyd, cawsant eu hysgrifennu ganrif neu ragor yn ôl. Canllaw byr yn unig yw cyfrol/arweinlyfr mwy diweddar Keith Kenyon-Thompson, *Croeso – Rhuthun – Welcome* (Ruthin: Spread Eagle Press, 1991). Yn yr un modd, mae gwaith Dr. Trevor Hughes, *Ruthin: A Town with a Past* (Ruthin: T. Hughes, 1967) yn gyfuniad o ddeunydd hanesyddol ac atgofion personol. Mae'r dref yn barod felly ar gyfer cofnod llawnach a mwy ysgolheigaidd o'i gorffennol hir. Gobeithir y bydd y gwaith presennol o gymorth i fodloni'r anghenion hyn o fewn y cyfyngiadau lle.

Y nod yw cyhoeddi cyfrol ysgolheigaidd boblogaidd sy'n ymdrin â nifer o agweddau ar fywyd Rhuthun o'r cyfnod cynhanesyddol hyd heddiw: amaethyddiaeth, pensaernïaeth, economi, addysg, trosedd a chosb, iechyd, diwydiant, hamdden, gwleidyddiaeth a llywodraeth leol, crefydd, bywyd cymdeithasol, cludiant, gwaith. Hanes lleol ydyw yn bendifaddau, ond nid yw'n blwyfol: nid ydym yn esgeuluso effaith y byd ehangach. Mae llawer mwy o waith i'w wneud ac i'r rheini sydd wedi'u hysbrydoli gan y llyfr hwn, darperir awgrymiadau ar gyfer darllen pellach.

Rydym yn arbennig o ddyledus i'r cymorth ymarferol a dderbyniwyd gan staff Archifau Sir Ddinbych yn Rhuthun a Llyfrgell Tref Rhuthun, sydd wedi mynd y tu hwnt i'w dyletswyddau arferol i gynnig cymorth â ffynonellau; ac i staff archifdai yn Aberystwyth, Caernarfon, Dolgellau a Kew; i Fiona Gale, Pennaeth Gwasanaeth Archaeolegol Sir Ddinbych a Phillip Ebbrell, Pensaer Cadwraeth Sir Ddinbych; ac i'n cyd-haneswyr lleol a chydweithwyr yn y dref am eu hamynedd wrth ateb ein cwestiynau. Yn olaf, mae'r gyfrol hon yn ddyledus i nawdd hael Cadwyn Clwyd a Helen Roberts, a lywiodd y cais grant drwy'r wahanol gamau. Dygwyd y baich o brosesu'r gwaith ar gyfer ei gyhoeddi gan William Smuts ac rydym yn ddiolchgar iawn iddo, yn ogystal â Mari E. Williams, Cyfiethu Cymynedol Conwy am gyfieithu'r testun i'r Gymraeg a Manon Edwards, Eirian Evans, Ceinwen Hughes a Vernon Hughes am eu cyngor a'u gwelliannau. Heb gymorth proffesiynol ac ymroddedig yr uchod, ni fyddai Hanes Rhuthun wedi gweld golau dydd. Afraid dweud, mai'r awduron eu hunain sy'n gyfrifol am unrhyw gamgymeriadau yn y gyfrol.

Yn olaf, dymunwn ddiolchi'r Archifau y Sir am ganiatáu inni atgynhyrchu nifer o ddelweddau o'u casgliad o hen ffotograffau o Rhuthun; Dr. Gwyn Thomas am y ffotograff o Dic Dunn (t67) a Brian W. Williams am y ffotograff o boster Gwaith Dŵr Ffynnon Ellis (t.188).

ROGER EDWARDS, GARETH EVANS, ARNOLD HUGHES, GWYNNE MORRIS

Trigolion Cynharaf Rhuthun

Arnold Hughes

Ar sail y dystiolaeth sylweddol o anheddiad cynhanesyddol yn Nyffryn Clwyd a Bryniau Clwyd gerllaw, ar ffurf bryngaerau, safleoedd claddu, sylfeini aneddleoedd ac amryw o arteffactau a gweddillion dynol, gwyddys fod pobl yn byw yn yr ardal ehangach o amgylch Rhuthun mor gynnar â 225,000 o flynyddoedd yn ôl, yn ystod Hen Oes y Cerrig (y cyfnod Palaeolithig). Darganfuwyd gweddillion grŵp bychan o Neanderthaliaid a oedd yn dyddio o'r cyfnod hwnnw, perthnasau agos i bobl yr oes fodern sydd bellach yn ddiflanedig, yn ogof Bont Newydd ger Llanelwy; ac mae'n gwbl bosibl y byddai grwpiau bychain o'r cyfryw helwyr-gasglwyr wedi teithio ar draws yr ardal lle saif Rhuthun heddiw.

Hefyd, yn ôl gweddillion a ddarganfuwyd yn fferm Tan y Dderwen ger Dinbych roedd yno grwpiau bychain o helwyr-gasglwyr yn ystod Canol Oes y Cerrig (y cyfnod Mesolithig: c8,500-c4,300C).Yn ogystal, awgryma darganfyddiadau ar Foel Arthur ac Eryrys gerllaw fod pobl wedi byw yno yn ystod Canol Oes y Cerrig.

Yn sgil ymchwiliadau archaeolegol o'r 1980au ymlaen yn ardal Rhuthun ei hun, datgelwyd y dystiolaeth gynharaf o anheddiadau dynol yn ardal Parc Brynhyfryd (rhwng ysbyty Rhuthun ac Ysgol Brynhyfryd ger Ffordd yr Wyddgrug).Yno, darganfuwyd offer fflint a chornfaen yn dyddio o ddiwedd Canol Oes y Cerrig. Hefyd, darganfuwyd pen bwyell garreg heb ei chaboli yn dyddio o'r un cyfnod ar ran-dir ger Wern Isaf ar ochr ogleddol tref Rhuthun yn y 1980au.

Ar yr un safle ym Mharc Brynhyfryd, darganfuwyd tystiolaeth o anheddiad parhaus hyd at Oes y Cerrig Newydd (y cyfnod Neolithig: c.4500-c.1700CC yng ngogledd-orllewin Ewrop).Yn ogystal, darganfuwyd pen bwyell gaboledig, o'r cyfnod Neolithig yn ôl pob tebyg, yn Stryd Mwrog yn y 1980au.

Darganfuwyd arteffactau o'r Oes Efydd (c.2100-700CC: roedd y cyfnod hwn yn gor-gyffwrdd â'r cyfnod blaenorol) yn y llecyn dethol hwn ar un o ddwy grib dywodfaen gyfagos, y llall yw safle tref Rhuthun ei hun, a leolir uwchlaw corstir a choetir dyffryn yr afon. Yn ogystal, ceir cryn dystiolaeth am anheddiad yn dyddio o'r Oes Efydd ar Fryniau Clwyd gerllaw, yn enwedig ar Fwlch Pen Barras, Coed Moel Famau a Moel Fenlli, ar ffurf carnedd-gladdiadau a gwrthrychau metel a chrochenwaith.

Pwy oedd y bobl a adawodd y gwrthrychau hyn? Roeddynt yn byw mewn grwpiau o berthnasau bychain heb unrhyw ffurf o lywodraeth hierarchaidd nac arweinwyr milwrol a chrefyddol arbenigol. Byddai credoau crefyddol wedi dylanwadu'n fawr ar eu bywydau a byddent yn ffermio'n gymysg – gan dyfu grawnfwydydd a magu gwartheg a da byw eraill, ar adeg pan oedd hinsawdd Dyffryn Clwyd yn fwynach. Hanai 'Pobl y Biceri' yr Oes Efydd (a gawsant eu henwi ar ôl eu crochenwaith nodweddiadol) o ogledd-orllewin Ewrop a daethant â nifer o ddulliau ffermio arloesol gyda hwy, gwehyddu brethyn a sgiliau gwaith metel, megis gweithio ag efydd. Hefyd, aethant ati i ddatblygu awdurdod pennaeth a brenin a dechrau'r broses o adeiladu bryngaerau.

Esblygodd y cymdeithasau cynnar hyn ymhellach yn ystod yr oes hanesyddol nesaf, yr Oes Haearn (o tua 700CC i ddyfodiad y Rhufeiniaid yn y Ganrif Gyntaf OC).Yn sgil datblygiadau yn y dechnoleg haearn, roedd yn bosibl ffermio'n fwy dwys, a pharhawyd â'r gwaith o glirio coetiroedd trwchus yr ardal a llunio arfau gwell. Nid yn annisgwyl, disgrifiwyd y cyfnod hwn fel un o ansefydlogrwydd gwleidyddol a rhyfela, ac mae'n debyg mai dyma pryd y codwyd neu yr ehangwyd y chwe fryngaer sydd i'w gweld hyd heddiw ar gopaon Bryniau Clwyd.

Er eu bod yn parhau'n drawiadol iawn, nid yw gweddillion presennol y bryngaerau yn cyfleu camp eu hadeiladwyr, a gododd nifer o gloddiau pridd crwn uchel, a'u hamddiffyn ymhellach trwy gloddio ffosydd dwfn a mynedfeydd cymhleth. Byddent i'w gweld am filltiroedd. Roeddynt hefyd yn fannau a oedd yn cynnig lloches ac yn ddatganiad o rym arweinwyr newydd yr ardal, a aethant ati i ddatblygu'r cymdeithasau teuluol cynharach i greu grwpiau 'llwythol' mwy, a grybwyllwyd (neu a enwyd) yn ddiweddarach gan y goresgynwyr Rhufeinig.

Mae angen ymchwilio ymhellach i union natur y berthynas rhwng y caerau hyn a'r aneddleoedd amaethyddol ar y tiroedd isel gerllaw. Darganfuwyd gweddillion nifer o lwyfannau cytiau ar Foel Fenlli, ond mae'n ddigon posibl fod y cymunedau a drigai yno hefyd yn ffermio'r llethrau is. Saif tref presennol Rhuthun 3 milltir yn unig o Foel y Gaer a Foel Fenlli, felly efallai bod ei thrigolion cynnar yn perthyn i'r cymunedau a oedd yn byw yn y bryngaerau. Yn ystod y gwaith o adeiladu'r rheilffordd o Ruthun i Gorwen, darganfuwyd 'llwyau' efydd a wnaed yn ystod yr Oes Haearn yn fferm Ffynnogion, milltir i'r de o Ruthun.

Dyma oes 'arwrol' rhamantiaeth Geltaidd a bortreadwyd yn chwedlau Iwerddon a Chymru yn ddiweddarach a barddoniaeth epig – hanes brenhinoedd, rhyfelwyr, derwyddon a beirdd a dosbarthiadau gwasaidd o ffermwyr rhydd, taeogion rhannol-rydd a chaethweision a fyddai'n brwydro, dwyn gwartheg a gwledda. Caiff y term 'Celtiaid' ei ystyried yn ddadleuol yn nhermau hiliol, ac fe'i ddefnyddir gan ysgolheigion cyfoes i ddisgrifio grwpiau diffinedig sy'n rhannu gwreiddiau cyffredin â chymdeithasau Hallstadt a La Tene, a leolir yn yr Almaen a Ffrainc heddiw. Heb ddiystyru unrhyw wrthdaro gwleidyddol, byddai gan yr ardal lle saif tref Rhuthun heddiw gysylltiadau ag Iwerddon a chyfandir Ewrop, cyn iddynt gael eu cryfhau dan awdurdod Rhufeinig. Mae darganfyddiadau archaeolegol – aur a gwaith metel arall o darddiad neu ddyluniad Gwyddelig neu gyfandirol – yn brawf o'r cysylltiadau masnachol a diwylliannol hyn, er gwaethaf lleoliad cymharol anghysbell Dyffryn Clwyd.

Y Rhufeiniaid yn Rhuthun

Er bod gogledd Cymru wedi aros yn leoliad ymylol o dan awdurdod milwrol parhaol yn seiliedig ar y lleng-gaer yn Deva (Caer), ac a gysylltid gan rwydwaith o ffyrdd milwrol, derbyniodd 'llwyth' gogledd-ddwyrain Cymru, a elwid yn Deceangli gan y Rhufeiniaid, awdurdod y goresgynwyr ar ôl i'w gwrthsafiad milwrol gael ei drechu yng nghanol y ganrif cyntaf OC. Disgrifiwyd y cyfnod dilynol yn Geltaidd-Rufeinig neu Frythonig-Rufeinig, a gwelwyd newidiadau sylweddol ym mywydau a gwerthoedd y boblogaeth frodorol, er nad oeddynt ar yr un raddfa â'r gwareiddiad Rhufeinig a welwyd yn ne Prydain.

Yn ystod y blynyddoedd diweddar, daeth mwy o dystiolaeth i'r amlwg o bresenoldeb Rhufeinig yn Rhuthun, er bod hyn yn bur gyfyngedig ac yn destun trafodaeth. Fel yn achos trigolion cynharaf Rhuthun yn ystod y cyfnod cyn-hanesyddol, ymgartrefodd y Rhufeiniaid ar safle Parc Brynhyfryd gan adael gweddillion dynol ac olion eraill, yn dyddio o'r ganrif gyntaf i'r bedwaredd ganrif OC. Dengys y darnau o grochenwaith Brythonig-Rufeinig, llestri Samiaidd a fewnforiwyd a llestri a gynhyrchwyd yn fwy lleol, fod y rhwydwaith ffyrdd Rhufeinig newydd yn ei gwneud yn bosibl i ardaloedd anghysbell yng ngogledd Cymru gymryd rhan yn y rhwydweithiau masnachol imperialaidd. Dengys gwaith ymchwil y teulu Waddelove (y tad a'r mab) i leoliad ffyrdd Rhufeinig yn ardal Rhuthun fod y dref wedi'i lleoli ar rwydwaith ffyrdd pwysig a oedd yn cysylltu priffyrdd y dwyrain-gorllewin â phriffyrdd y gogledd a'r de. Darganfuwyd tystiolaeth (olion ffos) o ffordd Rufeinig yn rhedeg yn gyfochrog â Lon Fawr heddiw.

Mae presenoldeb caer Rufeinig ar safle Brynhyfryd yn parhau yn ansicr: honodd Waddelove a Jones fod eu cloddiadau yn awgrymu caer o'r fath ond heriwyd yr honiad hwn yn ddiweddarach a'i briodoli i'r cyfnod canoloesol. Credai Edmund Waddelove, archaeolegydd amatur cyntaf y cyfnod Rhufeinig yn Rhuthun, ei fod wedi darganfod gweddillion milwr Rhufeinig, a gwnaeth drefniadau i'w claddu ym mynwent Llanrhudd.

Damcaniaeth arall fwy diweddar, gan Ian Brown ac eraill, yw bod y gaer Rufeinig o dan y castell canoloesol. Mae'r gwaith cloddio ar dir y tu ôl i rhif 9 Stryd y Castell, sy'n ffinio â Stryd y Llys, a gardd y Royal Oak, Stryd Clwyd, wedi datgelu tystiolaeth ddi-ddadl o anheddiad Rhufeinig yn dyddio o'r ail i'r bedwaredd ganrif OC – sylfeini adeiladau, darnau o grochenwaith a malurion gwaith metel. Mae archaeolegwyr bellach o'r farn 'ar sail y lleoliad hwn [Stryd y Llys] a chronoleg y casgliad o arteffactau bod posibilrwydd cryf y lleolid caer Atodol yng nghanol y dref hon, ac mae'n fwyaf tebyg mai'r safle hwnnw a ddewiswyd yn ddiweddarach gan adeiladwyr y castell canoloesol. Mae'r deunydd i'r dwyrain o'r dref felly yn cynrychioli ymyl eithaf ficus a mynwent, ynghyd â datblygiad amaethyddol diweddarach.' (CPAT, Adroddiad Blynyddol 2008-09) Roedd ficus yn anheddiad preswyl a masnachol y tu allan i gaer Rufeinig.

Roedd y cloddiadau yn Stryd Clwyd yn awgrymu'r un peth. Dywed Brown fod hyn yn '... dystiolaeth o'r hyn a allai fod yn anheddiad Rhufeinig sylweddol o dan gynllun canol y dref fodern ... nad oeddem yn ymwybodol ohono yn flaenorol'. Mae'n debyg y bydd yn amhosibl gwneud unrhyw waith cloddio pellach i gefnogi'r honiad hwn oherwydd natur adeiledig yr ardal.

Ceir tystiolaeth ychwanegol o bresenoldeb Rhufeinig yn ardal Rhuthun ar fferm Ty'n y Wern ar Lôn Corwen, lle datgelwyd amlinelliad gwersyll cyrch (dros dro) Rhufeinig posibl ar safle na bu cloddio arno, gan ffotograffau awyr a dynnwyd yn ystod haf sych. Mae safle arall na bu cloddio arno ar y ffordd o Lanfair Dyffryn Clwyd i Graigfechan bellach wedi'i warchod fel teml Rufeinig posibl.

Ar ôl bodoli am dros tair canrif (cyfnod a oedd bron iawn mor hir â'r cyfnod o ddiwedd oes Stiwartaidd Rhuthun i'r presennol), cafodd anheddiad Rhufeinig Rhuthun ei adael fel rhan o'r symudiad ehangach allan o Brydain a ysgogwyd gan ryfeloedd cartref a lansiwyd gan gadfridogion uchelgeisiol a bygythiadau cynyddol i'r ymerodraeth Rufeinig mewn mannau eraill. Mae'n bur debyg fod y XX Lleng yn Deva (Caer) yn cael ei lleihau yn ystod y bedwaredd ganrif OC, ac ni cheir unrhyw gyfeiriad ati mewn dogfen swyddogol o'r flwyddyn c.400OC. Yn yr un modd, cafodd y gaer atodol yn Segontium (Caernarfon) hefyd ei gadael yn ystod y cyfnod hwn. Darganfuwyd darnau arian Rhufeinig yn dyddio mor ddiweddar â 361OC mewn dau gelc ar Fwlch Pen Barras, gan awgrymu i'r Rhufeiniaid adael yr ardal yn raddol yn hytrach nag yn ddramatig o sydyn.

Erbyn 410OC, roedd Rhufain ei hun dan ymosodiad gan y Gothiaid a gadawyd y rhanbarthau i ymladd drostynt eu hunain. Byddai swyddogion yn ogystal â milwyr yn cael eu tynnu allan neu'u bwrw allan a byddai'r gymdeithas Frythonig-Rufeinig wedi rhannu'n gymunedau a reolid yn lleol gan gadw agweddau o ddiwylliant y Rhufeiniaid ymadawedig. Felly, mae'n ddigon posibl y byddai Rhuthun wedi parhau am gyfnod yn anheddiad Brythonig-Rufeinig, yn siarad yr iaith Frythoneg, y tarddodd y Gymraeg ohoni, er y byddai ei strwythur ffisegol a bywyd economaidd wedi dirywio yn y cyfnod anodd dilynol. Ni cheir unrhyw gofnod o anheddu parhaus o'r fath ac aeth 800 mlynedd heibio cyn y daeth anheddiad newydd, o'r enw Rhuthun i fodolaeth.

'Tref' Gymreig Gynnar

Gareth Evans

Yn dilyn ymadawiad y Rhufeiniaid, cafwyd 500 mlynedd o anhrefn mewn rhanbarth y cyfeirid ato fel y 'Berfeddwlad' (a leolid yn bennaf o fewn ffiniau cyfoes Siroedd Dinbych a'r Fflint) wrth i'r Brythoniaid ffoi rhag goresgynwyr Eingl-Sacsonaidd, y Daniaid a'r Llychlynwyr. Ymsefydlodd nifer ohonynt yn yr ardal gan greu cymunedau Cymreig sefydlog a oedd yn esblygu. Mae'r bennod hon yn ystyried datblygiad y lle hwnnw a ddaeth, yn ystod y drydedd ganrif ar ddeg, yn Rhuthun. Ni ddaethpwyd o hyd i unrhyw dystiolaeth hyd yma o fodolaeth anheddiad trefol yn y cyfnod yn dilyn ymadawiad y Rhufeiniaid ond byddai wedi bod yn safle da: tir uchel wedi'i amgylchynu â dyffryndir gwlyb, ynghyd â dŵr ffynnon glân o'r basn artesiaidd a lle addas i groesi'r afon gerllaw.

Mae'n bur debyg fod rhwydwaith ffyrdd Rhufeinig yn bodoli yn Nyffryn Clwyd ac awgryma'r gwaith archaeolegol hyd yma fod ffyrdd ar y naill ochr i'r Dyffryn yn rhedeg o'r gogledd i'r de gan gysylltu â ffyrdd o'r gorllewin i'r dwyrain ger Llanelwy ac yn Nyffryn Dyfrdwy. Roedd ffyrdd Dyffryn Clwyd yn cyfarfod yn 'Rhuthun' ac roedd ffordd arall dros Fryniau Clwyd yn arwain i ardal Rhuthun o'r dwyrain. Wrth i'r eglwys Gristnogol sefydlu ei hun yn y Dyffryn o'r chweched ganrif ymlaen, roedd y ffyrdd hyn, lonydd erbyn hyn, yn cysylltu'r gwahanol eglwysi a sefydlwyd o amgylch Rhuthun – Llanynys, Llandyrnog, Llanychan, Llanbedr a Llanrhudd ar ochor dwyreiniol y dyffryn a Derwen, Efenechtyd, Llanfwrog a Llanrhaeadr i'r gorllewin. Dros hanner mileniwm, teithiodd offeiriaid, gweision yr esgob, casglwyr rhenti ac asiantwyr y goron a'r llys, ar hyd y lonydd hyn. Datblygodd pentrefi bychain ar y groesffyrdd lle'r oedd y lonydd yn cyfarfod. Roedd pedair lôn yn cyfarfod ym mhen dwyreiniol Rhuthun a thair i gyfeiriad y gorllewin yn Llanfwrog.

Heddiw, mae datblygiad y groesffordd yn Llanfwrog i'w weld ar ffurf eglwys Sant Mwrog a'r dafarn, a saif ar ochr y ffordd gyferbyn â'i gilydd. Efallai bod lôn gul yn arwain oddi yno at y rhyd dros afon Clwyd, gerllaw'r fan a elwir heddiw yn Pont Howkyn, gan fynd drwy'r dref fodern at groesffordd arall ger Cornel yr Angor heddiw ym mhen dwyreiniol Stryd y Ffynnon. Mae'n bosibl fod y ddau bentref bychan, sydd bellach wedi'u hymgorffori'n llwyr yn nhref Rhuthun, yn haeddu sylw archaeolegol, gan eu bod yn anheddiadau allweddol yn esblygiad y dref. Roedd y lôn hon a oedd yn croesi Pont Howkyn yn galluogi eglwysi ar ochr orllewinol y Dyffryn i gyfathrebu â Llanynys, canolfan grefyddol ardal ynysig o esgobaeth Bangor a fyddai'n goroesi hyd 1859.

Yn ogystal â gwasanaethu'r gymuned gynnar hon, roedd eglwysi Llanfwrog a Llanrhudd hefyd yn gwasanaethu ardaloedd gwledig eang nad oedd ganddynt anheddiad cnewyllol. Mae'n bosibl fod pobl wedi byw yn y lle a elwir yn Rhuthun heddiw yn ystod yr oesoedd tywyll cynnar ond nad oedd digon ohonynt o ran niferoedd a chrynhoad i warantu eu haddoldy eu hunain. Mae safle eglwys Llanrhudd yn haeddu ystyriaeth bellach. Saif yr eglwys ar grib uwchlaw nant Dŵr Iâl, sy'n ei chyflenwi â dŵr ffres, ger y gyffordd lle'r ymuna ffordd gangen o Ruthun â'r llwybr o'r gogledd i'r de ar ochr ddwyreiniol y Dyffryn. Mae'n safle atyniadol sy'n rhoi ymdeimlad aruchel i'r eglwys a leolir uwchben y dyffryn bychan lle ceir olion hen faddondy neu deml Rufeinig rai milltiroedd i'r de ac olion Rhufeinig ger Brynhyfryd tua milltir i'r gorllewin.

Yn ystod y ddeuddegfed ganrif, gelwid pob un o'r pentrefi bychain hyn yn 'dref' neu 'drefgordd'. Roedd cant ohonynt yn ffurfio 'cantref', haen lywodraethol ranbarthol a fyddai dan awdurdod teulu o dywysogion fel arfer. Rhennid y 'cantref' yn ei dro yn nifer o 'gymydau', prif ganolfannau gweinyddu'r gyfraith frodorol, a reolid gan etifedd iau y teulu a oedd yn teyrnasu. Roedd 'Rhuthun' a'r pentrefi bychain a enwyd eisoes yn eiddo i Gantref Dyffryn Clwyd. Gallai tiriogaeth y 'cantref' a'r 'cwmwd' newid, ynghyd â'r cymydau o fewn pob cantref. Yn ôl Llyfr Coch Hergest mae cymydau Colian, Llannerch ac Ystrad o fewn Cantref Dyffryn Clwyd ond erbyn y drydedd ganrif ar ddeg roedd Cantref Dyffryn Clwyd yn cynnwys cymydau Coelion, Llannerch a Dogfeiling ac roeddynt oll dan awdurdod un arglwydd.

Cyn y Goncwest Edwardaidd, roedd patrymau anheddu Cymru yn gyfuniad o diroedd llwythol a chymunedau caeth a elwid yn daeogdrefi. Roedd y taeogion yn rhwym wrth y tir a than orfodaeth i wasanaethu'r arglwydd. Trigai rhai o'r taeogion mewn aneddiadau cnewyllol bychain ac yn gyfnewid am y gwasanaethau a gyflenwid ganddynt, roedd ganddynt hawl i ardaloedd bychain o dir âr a chaniatawyd iddynt bori da byw ar dir diffaith yr arglwydd. O fewn pob cwmwd ceid nifer o aneddiadau o'r fath lle byddai maer y tir yn goruchwylio'n ofalus arferion ffermio'r taeogion. Yr ardal bwysicaf ymhob cwmwd oedd y 'faerdref', lle trigai'r maer. Ychydig bellter i ffwrdd roedd llys arglwydd y cwmwd. Cynhwysai'r faerdref ardaloedd gweddol fawr o 'dir bwrdd' (demesne) – tir a ddefnyddid i gynnal y llys. Mae'n debyg mai dyma oedd sail cymuned Rhuthun.

Maerdref Rhuthun

Ceid tair maerdref yng nghantref Dyffryn Clwyd, un i bob cwmwd, ac roedd llys gerllaw pob un ohonynt. Disgrifiwyd Rhuthun yn y cyfnod cyn 1282 gan un awdur fel 'canolfan weinyddol cwmwd Dyffryn Clwyd'. Fodd bynnag, mae'n debyg y daeth maerdref Rhuthun yn ganolfan Cantref Dyffryn Clwyd yn ogystal â chwmwd Coelion yn ystod y drydedd ganrif ar ddeg. O ystyried ei lleoliad da a chanolog, roedd sail da iawn i ddatblygu maerdref Rhuthun ymhellach. Gwelwyd twf ym mhoblogaeth Cymru yn ystod y ddeuddegfed a'r trydedd ganrif ar ddeg, amaethwyd llawer mwy o dir ymylol, adenillwyd coedwigoedd a daeth tyfu grawnfwydydd yn fwy amlwg. Cyflymodd y newid economaidd yn niwedd y drydedd ganrif ar ddeg ac roedd trefi bychain Cymru a oedd yn cyfuno anheddiad cnewyllol â gofynion llys brenhinol yn cynnig cyd-destun ffafriol ar gyfer datblygu.

Roedd gan y faerdref hon enw clir ac adnabyddus mor gynnar â 1210-12, pan aeth coron Lloegr ati i godi adeilad, o bridd a choed mae'n debyg, mewn lle a elwid yn 'Rufin'. Dyma'r cofnod ysgrifenedig cyntaf o'r amrywiad Saesneg ar yr enw Cymraeg Rhuthun/Ruthin. Ym 1939 awgrymodd Syr Ifor Williams fod yr enw yn tarddu o'r cyfuniad 'rhudd', gair Cymraeg am coch, a 'hin', sef ymyl neu ochr, ac mae ysgolheigion wedi derbyn yr esboniad hwn ers hynny. Wrth i'r ymsefydlwyr dyllu i'r grib o dywodfaen coch lle saif Rhuthun, byddent wedi datgelu'r tywodfaen coch a oedd hefyd yn amlwg ar hyd glannau afon Clwyd.

Lleolid y faerdref mewn ardal o densiwn ar y gororau a byddai'n newid dwylo lawer gwaith. Roedd yn nwylo'r Cymry cyn 1210, yn nwylo'r Saeson tua 1210-12, ac yn ôl yn nwylo'r Cymry erbyn 1213. Ym 1247 aeth Dyffryn Clwyd i ddwylo'r Saeson ac fe'i hadenillwyd gan Llywelyn ap Gruffudd ym 1256 a roddodd diroedd yno i'w frawd, Dafydd ap Gruffudd. Cefnodd Dafydd ar ei frawd ym 1263 a chafodd addewid o gantrefi, yn cynnwys Dyffryn Clwyd gan Edward I. Roedd y faerdref yn ôl yn nwylo'r Saeson ym 1277 ac fe'i rhoddwyd i Dafydd ap Gruffudd gan y brenin cyn i Edward I ei chipio eto ym 1282. Nid oedd yn gyfnod hawdd i'r trigolion a oedd yn ymdopi â'r posibilrwydd o golli gwaed a hefyd yn ceisio cael dau pen llinyn ynghyd, masnachu a chadw ewyllys da y sawl a oedd mewn awdurdod.

Cipiwyd yr ardal gan Edward I ym 1277 a dechreuodd adeiladu castell gan ddefnyddio'r tywodfaen coch lleol – 'Castell Coch yng Ngwernfor'. Ceir cofnod am daliad i glerc y brenin, William o Blyborough, am waith adeiladu yn Rhuthun ym 1277 a cheir tystiolaeth bod tyllwyr a fu'n gweithio yn Rhuthun wedi symud ymlaen i Ruddlan. Gwyddys fod saer maen, Thomas o Grantham, yng ngogledd Cymru ym 1277 ac mae enw Master Thomas y Saer Maen yn ymddangos yn rholiau llys cynharaf Rhuthun. Erbyn Cytundeb Aberconwy 1277, yr olaf o'r cytundebau rhwng Cymru a Lloegr, roedd Rhuthun, ynghyd â'i chastell anorffenedig, yn nwylo Dafydd, brawd Llywelyn. O hynny ymlaen, hyd 1282, talwyd am unrhyw waith adeiladu ar y castell gan Dafydd ac nid yw ei diroedd newydd yn Nyffryn Clwyd yn ymddangos yn y cofnodion brenhinol.

Gellir canfod rhywfaint o hanes y faerdref yn ystod teyrnasiad Dafydd ap Gruffudd, arweinydd brodorol olaf Cantref Dyffryn Clwyd, drwy astudio'r rholiau llys Seisnig cynharaf. Ym marn R. I. Jack, un o'r cyntaf i astudio'r rholiau llys, ceid anheddiad cnewyllol a 'maenol' dywysogaidd yn Rhuthun yn y cyfnod cyn y goncwest ac arhosodd yr hen denantiaid brodorol ar eu tiroedd, a newidiwyd y rhan fwyaf ohonynt yn diroedd bwrdais (uned eiddo fwrdeistrefol ganoloesol). Yn Ninbych, achoswyd newidiadau sosio-economaidd aflonyddgar yn sgil penderfyniad de Lacy i sefydlu saesonaethau a brodoraethau (tiroedd at ddefnydd y ddwy hil wahanol), gan esgor ar gasineb oesol ymhlith y difreintiedig. Fodd bynnag, ni weithredodd Reginald de Grey, arglwydd Seisnig cyntaf Rhuthun, yn yr un modd a datblygodd Rhuthun yn fuan iawn yn gymuned gymysg lewyrchus. Cafodd tyddynnod rhai o'r Cymry eu meddiannu'n orfodol ond llwyddodd nifer o'r brodorion hefyd i oroesi a ffynnu.

Lleolid maerdref Rhuthun rhwng y ddwy groesffordd yn Llanfwrog a Chornel yr Angor heddiw. Roedd aneddiadau bychain ger y ddwy groesffordd ac fe'u cysylltid gan ffordd a arweiniai dros fryn Rhuthun a'r afon ger Pont Howkyn heddiw. (gweler y map). Dengys dogfen rent yr arglwyddiaeth ym 1324 fod cymuned frodorol y fwrdeistref wedi'i chanolbwyntio ar Welsh Street neu Vicus Cambrensis, a arweiniai o Gornel yr Angor i ben y bryn, lle trigai'r nifer mwyaf o fwrdeisiaid Cymreig a'u teuluoedd mewn cartrefi a adeiladwyd yn agos iawn at ei gilydd. Datblygodd y faerdref ym mhen uchaf Welsh Street, dafliad carreg o'r fan lle'r oedd castell y tywysog yn cael ei adeiladu.

Roedd y tenementau bychain, niferus a godwyd ar y tiroedd bwrdais hanner maint neu lai ac a gofnodir yn y cofnodion Seisnig, yn nodweddiadol o denementau trefol Cymreig y cyfnod hwn. Eto i gyd, mae'n bosibl cafodd llawer o drigolion yr ardaloedd gorboblog hyn eu gorfodi i fyw dan amodau o'r fath yn sgil eu bwrw allan o'u cartrefi mewn mannau eraill. Dengys dogfen rent 1324 fod Cymry hefyd yn byw ar wasgar mewn mannau eraill yn y fwrdeistref newydd ar hyd y strydoedd a oedd yn arwain o ben y bryn. Wrth i nwyddau a chyflenwadau gael eu cario i mewn i fodloni anghenion yr anheddiad a'r Tywysog Dafydd, ac anfonwyd nwyddau gorffenedig allan, prysurodd y lonydd a oedd eisoes yn bodoli a gwelwyd datblygu gwasgaredig ar eu hyd – gan ragflaenu patrwm strydoedd y fwrdeistref o bosibl. Ar sail y dystiolaeth sydd ar gael, gellir casglu felly mai dyma oedd ffurf gynharaf 'tref' Rhuthun: datblygodd fel anheddiad cywasgedig Cymreig ym mhen uchaf Stryd y Ffynnon heddiw, o Dŷ'r Goron i ben y bryn, ynghyd â rhai tai rhwng y copa a'r castell newydd o bosibl a dyrnaid ar hyd y lonydd a oedd yn arwain oddi yno, ac aneddiadau bychain yn Llanfwrog a Chornel yr Angor.

Cymuned y Faerdref

Roedd fframwaith cymdeithasol a galwedigaethol y faerdref yn fwy cymhleth na'r hyn a awgrymir gan y cofnodion Cymreig yn nogfen rent 1324. Byddai'r faerdref wedi cynnwys daliedyddion y tywysog, stiwardiaid, cyfreithwyr, gwŷr llys, caplaniaid a gwahanol gynghorwyr a ddiflannodd gyda'r tywysog. Gwyddys fod mewnfudwyr wedi bod yn gysylltiedig â'r gwaith o adeiladu'r castell ond byddai'r rhain a'r rheini a fu'n gweithio ar gastell de Grey hefyd wedi gadael erbyn dyddiad y ddogfen rent ym 1324. Byddai'r faerdref yn cynnwys cartref ar gyfer y maer (pennaeth y faerdref) a neuadd o bosibl i gynnal llysoedd, ond ni cheir unrhyw dystiolaeth o hyn.

Defnyddiodd Matthew Stevens y rholiau llys i roi rhyw ffurf ar economi'r gymuned gynharaf hon. Mae'n debyg fod y crefftau a oedd yn nwylo'r Cymry ym 1324 yr un fath â'r rheini cyn 1282; sef gwaith saer, gwehydda, cryddiaeth a melino. Ar y cyfan, roedd y crefftau hynny a oedd yn nwylo'r bwrdeisiaid Seisnig ym 1324 yn deillio o ddatblygiad trefol y gymuned, megis cynhyrchu bwyd yn fasnachol (pobi a chigyddiaeth), crefftau llathru neu orffennu (teilwriaeth a barcio) a gwaith metel.

Rhoddwyd lle anrhydeddus i'r gof yn y gymdeithas frodorol Gymreig, ond nid oedd llawer o haearn ar gael iddynt ei weithio ac mae'n debyg nad oedd ganddynt yr arbenigedd angenrheidiol i gyflenwi garsiwn de Grey. Fel y gwelwyd mewn ardaloedd eraill, gwthiwyd crefftwyr brodorol i'r naill ochr a rhoddwyd ffafriaeth i weithwyr o'r tu allan.

Amrywiai cyfoeth trigolion y faerdref ac mae'n bosibl fod y gwahaniaethau hyn wedi parhau hyd at 1324 pan luniwyd y ddogfen rent. Erbyn hynny, roedd pedwar Cymro yn prysur adeiladu eu hystadau trefol bychain ac roedd dau yn cynnig credyd i'w cymdogion. Roedd Cymry megis William saer a Dafydd ap Bleddyn ymhlith y chwe bwrdeisiad cyfoethocaf ym 1324. Roeddynt hefyd ymhlith rhai o fwrdeisiaid amlycaf y fwrdeisdref a wasanaethai'n rheolaidd fel rheithwyr, gan gynnwys Ednyfed ap Bleddyn, ceisbwl neu feili, Llywelyn Llwyd a oedd, ynghyd â'i frawd Madog, yn berchen ar dir yn Llannerch a thir bwrdais yn Welsh Street, ac Ieuan potel a Dafydd Goch, blaswyr cwrw. Daeth yn bosibl i rai Cymry ffynnu yn dilyn methiant y gwrthsafiad Cymreig ac roedd yr arglwyddiaeth yn ymddiried mewn rhai unigolion gan awgrymu iddynt ddod i ddealltwriaeth â de Grey ym 1282.

Bwrdeistref Newydd De Grey

Gareth Evans

Sefydlwyd bwrdeistref Rhuthun yn sgil buddugoliaeth Edward I dros y tywysogion Cymreig a oedd oll wedi marw erbyn diwedd 1282 a'u tiroedd wedi mynd yn fforffed. Rhoddwyd cantref Dafydd, sef Dyffryn Clwyd, i Reginald de Grey fel arglwyddiaeth newydd 'Ruthin als (fel arall) Dyffryn Clwyd', a dalfyrrwyd yn aml i Ruthin, ac arhosodd ym meddiant y teulu de Grey hyd 1507. Roedd hon yn un o arglwyddiaethau'r fers y tu allan i awdurdod coron Lloegr lle'r oedd gan yr arglwydd bwerau sofran. Sefydlodd De Grey fwrdeistref newydd Rhuthun gan roi siarter i Ruthun ym mis Hydref / Tachwedd 1282 ac annog Saeson i ymfudo i'r dref. Lleolid y dref yng nghanol arglwyddiaeth gryno ac fe'i hamgylchynid gan rai o'r tiroedd gorau yng ngogledd Cymru. Mae'r bennod hon yn olrhain blynyddoedd cynnar y dref.

Llywodraethwyd yr arglwyddiaeth drwy lysoedd y tri chwmwd sef Coelion, Llannerch a Dogfeiling a'r fwrdeistref. Roedd barwn llys a phentreflys ym mhob un ohonynt. Yng nghyfarfod misol pentreflys y fwrdeistref, byddai rheithgor o fwrdeisiaid yn adrodd ar achosion o niwsans a throseddau, penodwyd swyddogion y fwrdeistref, cofnodwyd gwerthiannau eiddo a chlywyd troseddau sifil a throseddol. Codwyd dirwyon – ffynhonnell incwm i'r arglwydd. Roedd y llys hefyd yn pennu pris cwrw a chig. Byddai uwch lys, sef llys Sesiwn Fawr Dyffryn Clwyd yn cyfarfod ddwywaith y flwyddyn ac roedd yn aml yn cynnwys Cymry ymhlith aelodau'r rheithgor.

Roedd siarter y fwrdeistref yn rhoi breintiau pwysig i fwrdeisiaid. Gallai newydd-ddyfodiaid brynu a gwerthu nwyddau heb dalu tollau, talu tâl mynediad is (12d fel arfer), cael brentiau yng nghoed yr Arglwydd, a mwynhau diogelwch a statws gan eu bod yn berchen ar eiddo yn y dref.

I'r gogledd a'r gorllewin o Ruthun roedd yr ardal a adwenid yn 'Town' neu 'Little Park', rhan o dir bwrdd (demesne) yr arglwyddiaeth a oedd o gymorth i gyflenwi bwyd i'r gwartheg a'r trigolion. Mae'r tir hwn yn parhau yn barcdir hyd heddiw, ac fe'i amgylchynir gan fasn o dir uwch lle'r adeiladodd de Grey 'glawdd a ffos â ffens olau ar ben y clawdd'. Datblygodd Stryd Mwrog ar draws y parc ac fe'i gyfyngid ar ffurf coridor cul gan derfynau'r parc. Mae'n debyg bod mynedfa i'r parc o ffordd newydd Dinbych ger Borthyn, gan esbonio tarddiad yr enw 'Borthyn' (porth=giât). Amgylchynid tref Rhuthun gan ffiniau uchel ac anhreiddiadwy gan ei hynysu oddi wrth yr ardal wledig amgylchynol.

Ymhellach i ffwrdd, lleolid coedwigoedd yr arglwyddiaeth yng Nghoedmarchan a Garthlegfa (Galltegfa). Roedd gan fwrdeisiaid Rhuthun hawl i gymryd coed ar gyfer adeiladu tai a rhoddwyd iddynt hawliau pori yng Ngalltegfa, gan gynnwys yr hawl i bori moch ar y mês yn gyfnewid am ddegwm o'r stoc moch.

Adeiladu'r gymuned

Gwobrwywyd rhai o'r ymsefydlwyr Seisnig cynnar â rhoddion o dir ac eiddo am eu cefnogaeth yn ystod y goncwest. Y prif fuddiolwr oedd Almary de Marreys, perchennog un llain tir bwrdais yn Rhuthun a ddaeth yn fuan iawn yn berchen ar diroedd yn y wlad. Symudodd mwyafrif yr ymsefydlwyr o ystadau de Grey a mannau eraill yn ddiweddarach, wedi iddynt gael eu denu gan addewidion o delerau ffafriol a chyfleoedd da.

Cafodd nifer o swyddi swyddogol yr arglwyddiaeth eu llenwi gan ymsefydlwyr a chawsant eu henwi ar ôl y swydd a ddaliwyd gan aelod cyntaf y teulu i gyrraedd Rhuthun: William parcarius, Richard forestarius, Henry le messager a William le serjeant. Aeth rhai ohonynt yn eu blaenau i sefydlu teuluoedd hynaf Rhuthun. Goroesodd un teulu a oedd yn ddisgynnydd i borthor yr arglwydd, Stephen janitor, hyd ddechrau'r bymthegfed ganrif a pharhaodd y teulu Serjeant am ymron i ddwy ganrif wrth iddynt grynhoi ystad drefol bwysig drwy ymelwa ar farchnad Rhuthun.

Yn ôl R. I. Jack: 'Roedd Rhuthun yn amgylchedd trefol ifanc iawn a oedd yn newid yn gyflym' lle trigai 'cymuned frodorol weddol sefydlog a sefydledig ochr yn ochr â phoblogaeth o fewnfudwyr Seisnig ansefydlog'. Byddai wedi bod yn anodd i boblogaeth a oedd yn tyfu mor gyflym i adeiladu digon o gartrefi i fodloni ei hanghenion, felly roedd dwysedd y boblogaeth ym mhob tir bwrdais yn uchel. Mae'n debyg bod ymfudo o Loegr yn gyfrifol am ddyblu maint y dref rhwng 1282 ac 1324 ac mae dogfen rent 1324 yn dangos poblogaeth eithaf cytbwys o ran tarddiad ethnig, roedd tua 500 o bobl yn byw mewn 100 o diroedd bwrdais, nifer mwy nag yng Nghaernarfon.

Arweiniodd y twf hwn yn y boblogaeth at greu strydoedd newydd. Ychwanegwyd Sgwâr y Farchnad, ein Sgwâr Sant Pedr heddiw, a Stryd y Castell, stryd ddethol yn cynnwys nifer bychan o diroedd bwrdais, i'r anheddiad Cymreig gwreiddiol ym mhen uchaf Welsh Street. Erbyn 1324 cofnodir Stryd y Felin, a ddaeth yn Stryd Clwyd yn ddiweddarach, stryd Seisnig yn bennaf a oedd yn cynnwys clwstwr o ymsefydlwyr o amgylch melin y dref, a Stryd Mwrog a Stryd Newydd, y ffordd i Ddinbych, lle trigai ymsefydlwyr o Loegr yn bennaf. Roedd llond llaw o Saeson hefyd yn Dog Lane, Lôn y Castell, Stryd y Llys erbyn heddiw, a Town End (Cornel yr Angor heddiw) ac roedd dyrnaid hefyd wedi ymsefydlu yn New Borough. Po agosaf at y Castell, po leiaf o fwrdeisiaid Cymreig a oedd yn byw yno.

Trigai mwyafrif y Cymry a'r Saeson wrth ymyl ei gilydd mewn rhannau eraill o'r dref. Ceid enghreifftiau o ryng-briodi a rhoddodd rhai ymsefydlwyr o Loegr enwau Cymraeg ar eu plant; yn enwedig wrth i'r bedwaredd ganrif ar ddeg fynd yn ei blaen. Eto i gyd, roedd awyrgylch o anghyfartaledd ethnig yn bodoli yn y dref gynnar hon. Trigai élite Seisnig y fwrdeistref yn Stryd y Castell yn bennaf, roeddynt yn eu hystyried eu hunain yn 'Saeson y bwrdeistrefi Seisnig yng Nghymru' ac roeddynt yn ymwybodol iawn o'r peryglon a oedd yn eu hwynebu fel carfan fechan yng nghanol poblogaeth frodorol pur anfoddog a llawer iawn mwy niferus. Yn anarferol, daeth y Cymry a'r Saeson yn fwrdeisiaid rhydd yn Rhuthun gan werthu tir i'w gilydd. Datblygodd Cymry Rhuthun fuddiannau personol yn y dref a oedd yn cydfynd â buddiannau'r Saeson a bu hyn o gymorth iddynt ymdoddi yn y gymdeithas.

Adeiladu'r dref

Yn ystod blynyddoedd cyntaf y fwrdeistref newydd dechreuwyd ar gynllun adeiladu nas gwelwyd ei debyg o'r blaen. Heidiodd ymfudwyr dros dro i'r dref i godi adeiladau newydd de Grey. Anodd dychmygu'r fath brysurdeb wrth i goed gael eu torri yng nghoedwigoedd yr arglwydd a thywodfaen a chalchfaen gael eu cloddio a'u cludo i safle'r castell. Cludwyd deunyddiau eraill o fannau pellach ac roedd angen lletya a bwydo'r holl weithwyr. Sefydlwyd y fwrdeistref ar adeg pan oedd galw mawr am nwyddau a gwasanaethau a denodd hyn ymfudwyr newydd o diroedd de Grey yn Lloegr.

Y castell

Gerllaw Rhuthun safai'r llys Cymreig; ond gan na chafwyd hyd iddo erioed, rhagdybir bod y castell diweddarach wedi esblygu o'r adeilad gwreiddiol hwnnw. Daeth Edward I ar ymweliad â'r castell anghyflawn rhwng 31 Awst ac 8 Medi 1282 a chysylltir ei adeiladwr cestyll, Master James of St George, yr athrylith milwrol a adeiladodd gestyll gogledd Cymru, â Rhuthun ar yr adeg hwn. Gweithredodd de Grey ar ran y Brenin hyd nes y trosglwyddwyd yr arglwyddiaeth iddo ar 23 Hydref 1282 pan ddaeth yn gwbl gyfrifol am y gwaith ar y castell.

Aeth y gwaith adeiladu yn ei flaen yn y castell am nifer o flynyddoedd a chofnodwyd bod saer maen a goruchwyliwr gwaith yno dri deg mlynedd yn ddiweddarach. Roedd y castell gorffenedig yn adeilad sylweddol iawn, ac mae'r mur gogleddol i'w weld hyd heddiw. Roedd gan y castell gward uchaf ac isaf; roedd y llenfuriau, a oedd 100 troedfedd o uchder mewn mannau a rhwng saith a naw troedfedd o drwch, yn cynnwys chwe thŵr â dau dŵr ychwanegol o bobtu'r cyrchborth ac fe'i hamgylchynid gan ffosydd dwfn amddiffynnol. Ymhlith ei nodweddion roedd neuadd fawr 100 troedfedd o hyd a 40 troedfedd o led yn ochr orllewinol y castell yn edrych dros

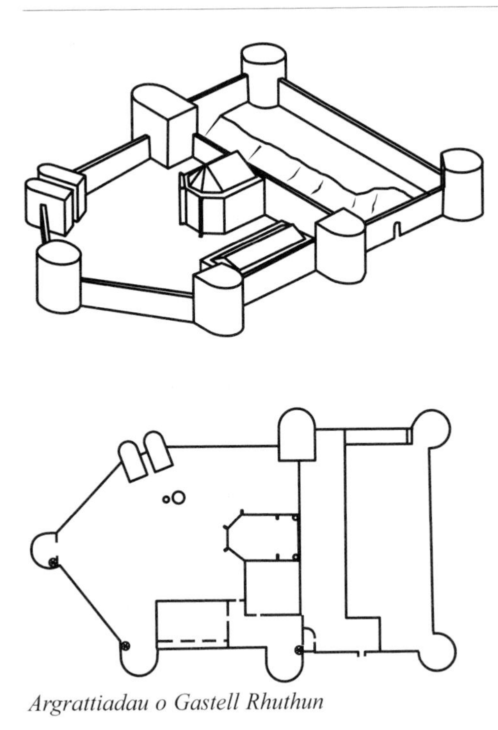

Argrattiadau o Gastell Rhuthun

ddyffryn Clwyd. Roedd y castell yn gartref i'r arglwydd hyd 1507 ac yn ganolfan weinyddol i'r arglwyddiaeth hyd nes yr adeiladwyd y llys yn Sgwâr y Farchnad yn y 1420au.

Roedd cynlluniau adeiladu eraill hefyd ar waith gan fod de Grey yn bwriadu darparu cyfleusterau eraill yn ei fwrdeistref newydd a fyddai'n gymesur â'r statws yr oedd yn ei ddymuno i Ruthun. Yn agos at y castell a gerllaw'r tiroedd bwrdais newydd yn Stryd y Castell lleolid gardd yr arglwydd, sef gardd gegin y castell i bob pwrpas, ac ar y llethrau i'r de o Dog Lane, plannwyd perllan yr arglwydd ac islaw honno roedd pwll yr arglwydd a oedd yn cyflenwi bwrdd yr arglwydd â physgod. Llifai'r dŵr o nant Fulbrook a ddraeniai ar draws Welsh Street i gyfeiriad y gogledd drwy bwll pysgod y prior ac ymlaen i afon Clwyd. Nid oes unrhyw gofnod o'r adeiladweithiau hyn ond o ystyried y gweithlu sylweddol a oedd ar gael yn y dref, tybir iddynt gael eu llunio ar yr un adeg â'r castell.

Coleg Sant Pedr

Sefydlodd Reginald de Grey gapel a gysegrwyd i Sant Pedr ar safle'r eglwys bresennol ym 1286. Adeilad bychan iawn oedd y capel o'i gymharu â'r tir o'i gwmpas, sef 'llecyn a chowrt' amgaeëdig i'r gogledd o farchnad y dref. Roedd yn cynnwys tua 7½ acer ar ochr ddwyreiniol yr eglwys hyd at Fulbrook.

Roedd y capel o dan awdurdod rheithor Llanrhudd, ond ym 1310 llwyddodd yr ail arglwydd, John de Grey, i ddwyn perswâd ar Anian, esgob Bangor, a chael caniatâd i sefydlu eglwys golegaidd ar gyfer saith offeiriad cyffredin, a fyddai'n 'rhydd rhag awdurdodaeth Llanrhudd ac yn eglwys tref a Chastell Rhuthun'.

Roedd yr eglwys yng ngofal uwch offeiriad, a adwaenid fel rheithor, prior neu warden; mae'r teitl gardiani yn ymddangos yn aml mewn dogfennau sy'n ymwneud â'r coleg, gan awgrymu mai 'gwarcheidwad' neu 'warden' oedd y teitl ffurfiol. Yn lleol, gelwid y sefydliad yn briordy. Gwasanaethai'r offeiriaid yng nghapel y castell ac roedd disgwyl iddynt oll ymddwyn mewn dull colegaidd.

O ran ei statws, ystyrid y coleg yn gydradd ag arglwyddiaeth Rhuthun, penderfyniad a gadarnhawyd gan Edward II ym 1315. Arglwydd Rhuthun oedd noddwr y coleg ac ef oedd yn gyfrifol am benodi'r warden, ond ar wahân i hynny nid oedd gan lysoedd arglwyddiaeth Rhuthun unrhyw awdurdod dros y coleg a'i diroedd. Perthynai'r y coleg i ddeoniaeth ynysig Dyffryn Clwyd yn esgobaeth Bangor. Mewn materion eglwysig roedd y coleg yn atebol i'r esgob; mewn materion seciwlar nid oedd y coleg yn atebol i neb, ond dros gyfnod o amser, daeth coron Lloegr i fwrw cysgod dros yr annibyniaeth hwn.

Rhoddwyd eiddo a thiroedd helaeth i'r coleg, yn bennaf gerllaw neu yn Rhuthun a Llanrhudd. Roedd yn cynnwys 205 acer ac roedd rhywfaint o'r tiroedd hynny yn Rhoslefyrion gerllaw Cae Groes heddiw, a rhywfaint ymhellach i'r dwyrain ar ffin ddeheuol Llanbedr a Llanrhudd, ger Llwynedd a Rhisgog. Hefyd, rhoddwyd tiroedd i'r coleg ar hyd afon Clywedog, ym mhlwyfi Llandyrnog a Llanhychan. Yn ogystal, rhoddwyd melin a thiroedd i'r de o Rydonnen, a daliadau a hawliau mewn mannau eraill yn yr arglwyddiaeth. Roedd gan y coleg ei lys ei hun i reoli'r asedau hyn.

Gadawodd bwrdeistref Rhuthun a'i thrigolion swmp o gofnodion ar eu hôl, ond diflannodd y coleg, ei offeiriaid a phawb arall a oedd yn byw o fewn amgae'r coleg o'r cofnodion hanesyddol i bob pwrpas. I'r gogledd o Sgwâr y Farchnad deuai bwrdeistref Rhuthun i ben yn sydyn gerllaw ffin a arweiniai o Stryd y Prior, a oedd yn eiddo i'r prior a'i goleg, gan egluro'r enw, y tu ôl i'r swyddfa bost bresennol ac ymlaen i Mount Street.

Tai unigol

Rhoddai siarter de Grey yr hawl i fwrdeisiaid gasglu pren ar gyfer gwaith adeiladu a choed i godi cloddiau: 'I have … granted to my … burgesses that they may have and take without the supervision of our foresters houseboote and haybote in my wood called Garthlegfa'. Trigai taeogion y cyfnod hwn mewn tyddynnod cyntefig, dros dro, a adeiladwyd ar gynllun amrwd hirsgwar, gan gynnig lloches i anifeiliaid a phobl o dan yr un to.

Fel y trafodwyd ym mhennod 1, roedd digonedd o dywodfaen a chalchfaen yn yr ardal, ond yn ystod y cyfnod hwn, byddai tai trwch y bobl yn cynnwys muriau o glwydi coed â brigau (a elwid weithiau yn bangorwaith) wedi'u plethu rhwng y pyst; fe'u gorchuddiwyd â dwbiadau o glai neu blaster calch, a'u cryfhau fel arfer â gwellt, blew a thail gwartheg. Defnyddid pridd ar y lloriau fel arfer, a gwellt neu gerrig ar y toeau; gallai'r to gwellt gynnwys pob math o ddeunyddiau – tyweirch, rhedyn, grug, grugog, brwyn, gwellt. Uwchben yr aelwyd roedd twll syml yn y to i ollwng mwg y tân.

Adeiladu'r economi

Y felin

Cyflenwid anghenion bwyd sylfaenol maerdref Rhuthun gan y felin, ond nid ar chwarae bach y llwyddwyd i gynhyrchu ynni yn llif araf afon Clwyd. Roedd gan de Grey ateb radical: er mwyn darparu cyflenwad da o ddŵr, hyd yn oed yn ystod hafau sych, tynnwyd y dŵr o afon Clwyd i'r de o'r dref, a thyllwyd ffrwd melin neu sianel a arweiniai at bwll ar waelod Stryd y Felin. Dyddiwyd y gwaith cerrig a oroesodd ar safle'r felin i ddiwedd y drydedd ganrif ar ddeg, a cheir cyfeiriad at felinydd ym 1296. Erbyn 1324 roedd cymuned waith fechan wedi ymsefydlu gerllaw. Yn ystod blynyddoedd cynnar y fwrdeistref, roedd mwyafrif y melinwyr yn Gymry, gan awgrymu parhad yn nhrefn melinau'r arglwyddiaeth.

Marchnadoedd

Canolbwynt economaidd y dref oedd y marchnadoedd a gynhelid bob dydd Llun a'r ffeiriau a gynhelid ar y Pentecost, 20 Medi a 31 Hydref. Cyflenwid anghenion bwyd y bwrdeisiaid gan y marchnadoedd ac, yn eu tro, deuai'r gwerthwyr bwyd â busnes i'r bwrdeisiaid wrth brynu nwyddau yn y dref. Gwaharddwyd stondinau yn y strydoedd ac adeiladwyd marchnad bwrpasol ym 1295-6 a oedd yn cynnwys tiroedd bwrdais â siopau yn wynebu'r farchnad, ynghyd ag ardal benodol i werthu cig. Efallai mai yn ystod y cyfnod hwn y crëwyd yr ardal wastad ar gopa bryn Rhuthun, gan greu ardal farchnad eang Sgwâr y Farchnad.

Amddiffyn y dref

O'r dyddiau cynharaf, amddiffynnwyd trefi Cymru gan wrthgloddiau, palisadau, ffosydd a chloddiau a ddisodlwyd mewn rhai achosion gan furiau cerrig a phyrth amddiffynedig. Credai Newcome fod amddiffynfeydd yn Rhuthun a bod de Grey un ai wedi ychwanegu at 'the Town immediately contiguous to the Castle, which he surrounded with a wall or threw a fence around the ancient one for the protection of his followers'. Awgryma terfynau'r eiddo sydd wedi goroesi, yn enwedig y rheini a ddangosir ar fap Arolwg Ordnans 1874, fod amddiffynfeydd wedi'u codi yn y fwrdeistref Edwardaidd o amgylch Stryd y Castell a Sgwâr y Farchnad gan amgáu Sant Pedr. Amddiffynfeydd mwnt a ffos oeddynt yn ôl pob tebyg, ac mae'r olion yn dangos gwahaniaethau mawr o ran uchder ar hyd y terfynau eiddo cydlynol sydd wedi tarfu ar ddatblygu lle gwelir tiroedd bwrdais cynnar oddi mewn iddynt a datblygiadau hwyrach llai rheolaidd y tu allan.

Sefydlwyd y fwrdeistref yng nghysgod y castell ond codwyd yr amddiffynfeydd i warchod ardal gymharol fechan: yr ardal élite yn Stryd y Castell, ardal bwysig

Sgwâr y Farchnad a'r capel. Roedd gwir angen yr amddiffynfeydd hyn: cipiwyd castell Rhuthun gan Madog ap Llywelyn ym 1295. Ymosodwyd ar y castell ym mis Mai 1321 gan 125 o Gymry pan laddwyd dau Sais a llosgwyd tŷ Ieuan Potel. Pa ryfedd felly y cynhelid busnes arferol y llysoedd yn siambr trysorlys y castell. Gwarchodwyd yr amddiffynfeydd cynnar hyn ac ym 1295-6 cerddai pedwar dyn, yr oedd gan dri ohonynt enwau Cymraeg, ar eu hyd gyda'r nos ('watchers of the watchers who kept watch by night').

Seiliau cadarn

I grynhoi, erbyn 1324 roedd gan Rhuthun gastell gorffenedig, eglwys golegaidd fawr, marchnadle a melin. Sefydlwyd trefn weinyddol gadarn a marchnad ffyniannus. Credir bod y boblogaeth wedi dyblu rhwng 1282 a 1324, gan roi cyfanswm o 500, ac er bod tensiynau yn bodoli rhynddynt, trigai'r gymuned frodorol ochr yn ochr â'r gymuned Seisnig yn gymharol heddychlon – ' not without tension, but with no excessive tension'. Gosodwyd seiliau cadarn i'r dyfodol.

Rhuthun yn yr Oesoedd Canol

Gareth Evans

Fel nifer o drefi canoloesol Cymreig eraill, nid oedd Rhuthun yn 'fawr mwy na chlwstwr o dai ar hyd pedair stryd, dan gysgod eglwys leol' ('little more than a huddle of houses aligned along four streets, and dominated by a local church'). Ar hyd copa bryn Rhuthun arweiniai stryd hir o'r gogledd i'r de gan gysylltu'r eglwys, Sgwâr y Farchnad, Stryd y Castell a'r castell. Rhedai stryd hir arall o'r dwyrain i'r gorllewin gan gyfarfod y stryd a arweiniai o'r gogledd i'r de yn Sgwâr y Farchnad. Man cychwyn y stryd a redai o'r dwyrain i'r gorllewin oedd cyffordd Cornel yr Angor heddiw, lleoliad anheddiad bychan o'r enw Town End. Croesai'r stryd gorsydd Fulbrook gan gyrraedd Sgwâr y Farchnad trwy'r hen faerdref a elwid bellach yn Welsh Street neu Vicus Cambrensis. O Sgwâr y Farchnad arweiniai'r stryd i'r gorllewin at Stryd y Felin, sef Stryd Clwyd yn ddiweddarach, heibio melin y dref gan groesi rhyd ar afon Clwyd i drefgordd Street. Ym mhen pellaf Street safai eglwys y plwyf Llanfwrog ar y groesffordd orllewinol. Datblygodd strydoedd ychwanegol gan lenwi bylchau yng nghanol y fwrdeistref: Dog Lane, Lôn y Castell, Stryd Clwyd Uchaf a Stryd y Prior.

Roedd y ddwy groesffordd yn bwysig iawn i'r fwrdeistref gan eu bod yn ei chysylltu ag ardal wledig eang. O safbwynt strategol, roedd y gyffordd ddwyreiniol yn bwysig iawn gan ei bod yn cysylltu'r arglwydd â Lloegr a'i diriogaethau Seisnig. Roedd y ffordd o rostir Wernfechan yn rhan o lwybr y pererinion o Dreffynnon i Dŷ Ddewi. Erbyn 1324 roedd naw o diroedd bwrdais yn Town End gerllaw dwy faenor a thiroedd agored eraill. Erbyn 1465 gelwid y darn o'r stryd a oedd yn cysylltu Town End â Welsh Street yn Tal y Sarn; roedd adeiladwaith o waith dyn wedi codi'r stryd uwchben corsydd Fulbrook.

Yn fuan wedi 1282 roedd ffordd newydd yn cysylltu Rhuthun â Dinbych. Am ganrifoedd, fe'i gelwid yn Stryd Newydd, roedd y ffordd yn dechrau'n union o'r rhyd dros afon Clwyd a denwyd tiroedd bwrdais ac ymsefydlwyr ati yn fuan. Trwy gydol yr Oesoedd Canol diffiniwyd terfynau'r bwrdeisdref yn agos o gwmpas y dref ei hun a daethant i ben yn sydyn yn y gogledd lle'r oedd tiriogaeth Sant Pedr.

Mae ysgolonon negis R.I. Jack a Matthew Stevenson wedi ymchilio Rhuthun Canoloesol yn helaeth. Tyfodd bwrdeistref llwyddiannus Rhuthun yn gyflym iawn. Ym 1306-7 roedd yno chwe chigydd ac erbyn 1325 roedd yno 11, pob un ohonynt yn Gymry. Dyblodd nifer y trwyddedau cigyddiaeth a phobi. Fel nifer o drefi eraill, tyfodd Rhuthun y tu hwnt i'r cloddiau amddiffynnol gwreiddiol yn fuan iawn. Ceir cipolwg tameidiog ar unigolion y dref a'u gweithgareddau yn y rholiau llys a rhenti. Ffynnodd teuluoedd, llwyddodd unigolion i gasglu eiddo a thyfodd y fwrdeistref yn araf wrth i Gymry a Saeson ddechrau cyd-fyw a datblygu cysylltiadau agosach trwy rhyngbriodi. Nid oedd y gymuned yn gwbl ynysig o ddigwyddiadau ehangach; gwasanaethai rhai unigolion y tu hwnt i Ruthun ar ran yr arglwydd neu'r goron ac anfonodd cymuned Dyffryn Clwyd lif araf o daeogion cyffredin iawn ar y daith beryglus i'r Tir Sanctaidd.

Poblogaeth

Ym 1324, roedd 100 o diroedd bwrdais yn Rhuthun yn nwylo 71 o unigolion gwahanol ond erbyn 1484 er bod nifer y tiroedd bwrdais wedi dyblu, dim ond deg o fwrdeisiad ychwanegol a oedd yno. Tyfodd poblogaeth Rhuthun o tua 500 o bobl ym 1324 i tua 1000 erbyn 1484 a ffurfiwyd élite bychan a oedd yn berchen eiddo, Saeson yn bennaf. Yn eu plith roedd y teuluoedd Hagley, Verdon, Samon, Stalworthman a Thelwall.

Tyfodd poblogaeth y fwrdeistref er gwaethaf y trychinebau naturiol a drawodd yr ardal yn y bedwaredd ganrif ar ddeg. Achoswyd 'newyn mawr' 1315-22 gan gyfuniad o hafau byr a gwlyb a gaeafau eithriadol o oer a hir. Ym 1348-50 a 1360-61, ymledodd y Farwolaeth Fawr neu'r Pla Du, a gariwyd gan chwain llygod mawr, ar draws y rhanbarth. Erbyn mis Mawrth 1349, roedd wedi taro tref Rhuthun ei hun ac anrheithiwyd yr ardal am naw mis. Cyrhaeddodd ei anterth ym mis Mehefin pan fu farw 70 o bobl; lladdwyd cyfanswm o 158, a hynny o blith poblogaeth a oedd yn llai na 600. Yn Nyffryn Clwyd cododd cyfraddau marwolaeth tenantiaid yr arglwyddiaeth bedair ar ddeg gwaith ym 1349 ac mae'n bur debygol fod tenantiaid eraill wedi ffoi o'r ardal. Troswyd tir âr yn borfa, dros dro yn unig yn wreiddiol, ond daeth yn amlwg fod newid hirdymor yn nefnydd tir ar droed a rhoddodd hyn hwb i'r diwydiant brethyn. Yn y fwrdeistref, bu farw rhai o'r ymsefydlwyr Seisnig cynnar gan adael llawer o eiddo gwag ac mae'n bosibl i hyn hwyluso datblygiad dosbarth newydd élite o berchnogion eiddo.

Un teulu a ffynnodd yn ystod dwy ganrif gyntaf tref Rhuthun oedd y teulu Sergeant. Daeth aelodau'r teulu i'r ardal gyda de Grey, neu'n fuan ar ei ôl, gan gyfnewid eu swyddi fel mân swyddogion yr arglwyddiaeth i ddod yn fasnachwyr pwysig. Erbyn 1312 roeddynt ymhlith prif fenthycwyr y dref. Ym 1324 roedd William le Sergeant yn berchen ar dir bwrdais a chanrif yn ddiweddarach roedd y teulu, neu gwahanol ganghennau'r teulu, yn berchen ar ddau dir bwrdais ar Stryd y Felin, chwe thir bwrdais yn Stryd y Castell a Sgwâr y Farchnad, canolbwynt economaidd Rhuthun, lle'r oedd y teulu yn berchen ar ddau adeilad i'r gogledd o Westy'r Castell heddiw, ac eiddo arall lle saif Tŷ Gayla heddiw; felly roedd y teulu wedi crynhoi'n agos o amgylch marchnad Rhuthun a'i holl gyfleoedd. Priododd aelodau'r teulu â theuluoedd Exmewe a Moyle gan gyrraedd haen uchaf y gymdeithas drefol. Roedd yr olaf ohonynt, John Sergeant, yn berchen ar eiddo sylweddol yng nghanol y dref, dau dir bwrdais a gerddi ar Stryd y Castell, sawl tir bwrdais ar Dog Lane, dau dir bwrdais a gardd yn Welsh Street a thir y drws nesaf i wahanfuriau'r dref.

Swyddogaethau'r fwrdeistref

Ar ôl sefydlu'r fwrdeistref, rhoddodd de Grey dri siarter ychwanegol iddi gan roi breintiau a hawliau newydd i'r bwrdeisiaid. Ym 1394 diddymwyd yr ardoll ar fragu cwrw a medd yn ogystal â'r doll ar nwyddau a gynhyrchwyd yn Rhuthun ac a werthwyd yn yr arglwyddiaeth; ym 1442 cadarnhawyd yr holl hawliau ac ym 1496 rhoddwyd hawl i dramwyo'n rhydd ar bob ffordd sefydledig yn yr arglwyddiaeth. Sicrhawyd cydymffurfiaeth â'r rheolau hyn gan nifer o swyddogion y fwrdeistref ond ni sefydlwyd unrhyw strwythurau cynrychioliadol ac roedd cyfiawnder a gweinyddiaeth yng ngofal llysoedd yr arglwyddiaeth lle gwasanaethai'r bwrdeisiaid ar reithgorau gan adrodd am faterion yn y dref.

Y castell oedd un o gartrefi'r teulu de Grey a bu rhywun yn preswylio ynddo drwy gydol yr Oesoedd Canol er nad oedd y teulu de Grey yn ymwelwyr cyson. Rhoddodd eu hymweliadau â Rhuthun hwb i fasnachwyr a chrefftwyr y dref wrth iddynt fodloni anghenion yr arglwydd a'i lys. Yn yr un modd, prynai coleg Sant Pedr nwyddau yn y dref nas cyflenwid gan ei diroedd ei hun. Dibynnai ffyniant a dyfodol y fwrdeistref ar lwyddiant y farchnad a'r ffeiriau a oedd yn gwerthu unrhyw gynnyrch dros ben o'r cyffiniau ac a gysylltai Rhuthun â marchnadoedd ehangach.

Sgwâr Sant Pedr yw Sgwâr y Farchnad erbyn heddiw ac am ymron i 600 mlynedd, dyma ganolbwynt bywyd economaidd Rhuthun a'r cymunedau gwledig amgylchynol. Ceid yno farchnad bwrpasol, stondinau adwerthu a chrefft o'i hamgylch, ynghyd â selerydd storio a thai masnachwyr ac, wrth gwrs, tafarndai. Cynhelid marchnad bob dydd Llun ac ychwanegwyd marchnad ddydd Gwener yn yr unfed ganrif ar bymtheg. Yr eitemau mwyaf cyffredin a werthwyd yn y farchnad oedd menyn, wyau, caws a grawn ond ni cheid yno unrhyw eitemau bwyd parod megis bara, pasteiod a chwrw. Gwnaeth rhai o deuluoedd amlycaf y dref eu ffortiwn yn y marchnadoedd.

Cyflogid mwyafrif y bwrdeisiaid un ai fel cyflenwyr bwyd (cigyddion, bragwyr, pobyddion a gwerthwyr pysgod) neu fel crefftwyr (masnachwyr lledr, metel neu decstilau). Roeddynt yn gyfuniad o gynhyrchwyr, crefftwyr, cyfanwerthwyr ac adwerthwyr. Er eu bod yn garfan fechan o ran nifer, roedd eu harwyddocâd i'r gymdeithas leol ac annatblygedig hon yn sylweddol iawn. Dyma'r unigolion a fyddai'n iro'r fasnach leol ac yn ffurfioli cyfleoedd i werthu a chyfnewid cynnyrch. Roedd gan y bwrdeisiaid fwy o asedion hylifol nag unrhyw aelodau eraill o'r gymuned ac roeddynt yn gwau rhwydweithiau benthyciadau a chredyd gwledig. Ym 1324 nifer bychan iawn o fwrdeisiad a oedd yn berchen ar diroedd yn y cymydau gwledig, ond erbyn 1465 roedd gan fwy na thraean ohonynt diroedd o'r fath.

Ymgnawdolir y broses hon gan un masnachwr arbennig. Roedd Ieuan Kery wedi ymsefydlu yn yr arglwyddiaeth erbyn y 1330au a thrigai mewn tŷ ar Welsh Street lle'r aeth ati i ychwanegu llawr uchaf. Roedd yn bragu cwrw, gwerthu gwartheg, ceffylau ac ychain ac yn berchennog moch a defaid. Symiau bychain yn unig a fenthycai, 3d, 12d a 20d, ond roeddynt yn ddigon i'w gynorthwyo i iro'r farchnad nwyddau a thir. Fe'i gyhuddwyd o usuriaeth ddwywaith, ar un achlysur rhoddodd fenthyciad o 6s 9d ar log o 6d yr wythnos – tystiolaeth o fenthyciadau tymor byr ar gyfraddau rhyfeddol o uchel. Ffynnodd busnes Ieuan a phrynodd dir y tu allan i'r fwrdeistref a rhannau o diroedd bwrdais y tu mewn iddi.

Yr economi

Ar sail astudiaeth o gofnodion y llysoedd, nododd Matthew Stevens yr amrywiaeth o fuddiannau economaidd a geid yn y fwrdeistref ar ddechrau'r bedwaredd ganrif ar ddeg. Ymhlith rhengoedd y crefftwyr roedd 6 pobydd, 11 cigydd, 6 saer coed, 16 crydd, 2 calciwr, 5 cogydd, 3 cowper, 3 meddyg, 3 gof arfau, 3 menigwr, 2 gof aur, 2 gwerthwr cyffredinol (mercer), 3 saer saethau, 3 pannwr, 13 melinydd, gwneuthurwr pasteiod, 6 blingwr, 10 gof, 12 teiliwr, 2 stondinwr, 4 cyweiriwr crwyn, 3 barcer, 2 tincer, 5 gwehydd, 2 saer olwynion, bragwr, saer troliau, trafaeliwr, glöwr, dilledydd, lliwydd, peiriannydd, pysgotwr, telynwr, saer maen, hoeliwr, paentiwr, plymer, crochenydd, töwr, halenwr, cneifiwr, canwr, töwr (to gwellt) a gwerthwr gwin.

Yn is i lawr na'r rhain, ceid y gweithwyr di-grefft megis labrwyr a gweision a oedd yn llai tebygol o ymddangos yng nghofnodion y llysoedd: 6 certmon, 8 tyllwr neu balwr ffosydd, 4 gwas neu was personol, 25 gwas neu lanciau/weision, adeiladwr, trwsiwr landeri, ogedwr, pladurwr, nyddwr, meichiad, dyrnwr a gweithiwr. Er bod y niferoedd a gofnodwyd yn fychan maent yn dangos yr amrywiaeth o swyddi di-grefft o amgylch Rhuthun.

Roedd menywod hefyd yn amlwg fel gwneuthurwyr blawd, bragwyr, panwyr, gweithwyr siarcol, lliwyddion, pysgotwyr a seiri olwynion yn ogystal â gwewragedd, cribwyr, dignapwyr brethyn ac fel morwynion a nyrsys. Ceir sawl cyfeiriad at fenywod a dorrodd rheolau'r farchnad neu a gyhuddwyd o fod yn buteiniaid.

Prif allforion Cymru yn y cyfnod cyn y Chwyldro Diwydiannol oedd gwartheg a defaid. Prif ddiwydiannau Rhuthun oedd y diwydiant lledr a chryddiaeth ac erbyn y 1320au, roedd mwyafrif crefftwyr y dref yn gweithio yn y diwydiant cryddiaeth. Yn sgil sefydlu maerdref yn Rhuthun a'r angen i fwydo gosgorddion a staff gweinyddol, roedd yn rhaid lladd anifeiliaid ac mae'n debyg mai hyn a esgorodd ar y fasnach ledr. Erbyn y 1320au roedd gweithwyr lledr Rhuthun wedi troi eu golygon at gryddiaeth ac ymddengys mai mewnfudwyr Seisnig a oedd yn gyfrifol am y gwaith barcio. Efallai bod y cysylltiadau Seisnig hyn wedi arwain at gysylltiadau masnach newydd a fu'n fanteisiol i bawb.

Yn Rhuthun, canolwyd y diwydiant o amgylch pen gorllewinol y dref ac ar y naill ochr i Ffrwd Arfon a lifai ar hyd Stryd Mwrog. Ymddiddorodd teuluoedd amlycaf y dref yn niwydiant lledr Llanfwrog o'r cychwyn cyntaf. Gwyddys fod gan y teulu Exmewe gysylltiad â'r diwydiant o'r flwyddyn 1378 o leiaf ac roedd ganddynt eiddo yn stryd, melin, tref a chaeau Mwrog ('the street, mill, vill and fields of Murrocke') ym 1434. Trwy gydol y bymthegfed ganrif aethant ati i ychwanegu at eu heiddo i gyfeiriad y rhyd dros afon Clwyd a arweiniai i Ruthun a'r farchnad. Erbyn diwedd y bymthegfed ganrif, hwn oedd teulu amlycaf Rhuthun. Lleolid cartref y teulu, Tŷ Exmewe, mewn safle amlwg iawn yn Sgwâr y Farchnad a datblygodd y teulu gysylltiadau masnachol agos â Llundain, a fu'n ddigonol i ddyrchafu'r olaf ohonynt, Syr Thomas Exmewe, yn ofaint aur blaenllaw ac Arglwydd Faer Llundain.

Sector arall a oedd yn prysur ehangu oedd y diwydiant gweithio metel, a gynhyrchai digon o gyfoeth i ddyrchafu'r rheini a oedd yn gysylltiedig â'r grefft i haen gymdeithasol uchaf y fwrdeistref. Yn sgil y gwaith adeiladu a'r angen am waith amddiffynnol brys, crëwyd galw am offer metel a nwyddau haearn yn y fwrdeistref newydd. Roedd gan de Grey gysylltiadau er mwyn sicrhau cyflenwad o haearn, yn enwedig o Gaer lle mewnforid haearn o Sbaen a Lloegr i Gymru. Y ffynhonnell haearn agosaf at Ruthun yn ystod y cyfnod hwn oedd y gwaith haearn yn Rhuddlan, y cyfeirir ato yn Llyfr Domesday. Ffynnodd y gweithwyr ymfudol a ddaeth i'r ardal, ond nid oedd gofaint brodorol yn gwbl absennol o'r cofnodion.

Ar ddechrau'r bedwaredd ganrif ar ddeg, cynhyrchid gwenith a grawnfwyd yn bennaf yn Nyffryn Clwyd ond arhosodd yr ucheldiroedd amgylchynol yn ardaloedd bugeiliol. Yn dilyn y Pla Du, roedd llafur yn brin a gwelwyd mwy o ffermio bugeiliol. Rhoddodd hyn hwb i ddatblygiad y diwydiant brethyn. Ystyrid gwlân o ddwyrain Cymru yn safonol iawn gan arwain at ymyrraeth arglwyddiaethol a phreiddiau mawrion – roedd rhwng 2000 a 3000 o ddefaid ym mhraidd yr arglwydd Grey yn Rhuthun – a chludwyd gwlân o Gymru i'r warysau enfawr yn Llundain cyn ei allforio dros y môr.

Hyrwyddwyd y broses o broffesiynoli'r diwydiant gwehyddu yn Rhuthun gan freintiau bwrdeistrefol a buddsoddiad mewn dau bandy, lle câi'r gwlân ei guro er mwyn ei lanhau a'i dewhau. Erbyn y 1460au, roedd dwy felin bannu yn yr arglwyddiaeth yn gwneud busnes da ac erbyn 1447 sefydlwyd urdd gwehyddion yn Rhuthun, a oedd yn dwyn ynghyd holl arbenigwyr y fasnach wlân – panwyr, gwehyddion a chneifwyr – ac yn cynnal hawliau'r urdd. Derbyniodd yr urdd gefnogaeth arglwydd Rhuthun a ddefnyddiodd yr urdd i uno ac ymdoddi elfennau gwasgaredig gwledig y diwydiant hwn gan ei ganoli yn nhref Rhuthun a'i ffeiriau.

Dywed R.I. Jack mai menywod yr ardaloedd gwledig a oedd yn gyfrifol am gamau cyntaf y broses cynhyrchu brethyn, ond yn y trefi ystyrid gwehyddu, yn ogystal â phannu, yn swyddi proffesiynol i ddynion. Ceid tua chwe gwehydd yn Rhuthun yn y cyfnod cyn y pla a Chymry oedd y mwyafrif ohonynt. Yn gefn iddynt, gweithiai llawer iawn mwy o ferched i chwalu a nyddu'r gwlân. Roedd angen pum nyddwr i bob gwehydd ac ar sail tystiolaeth cofnodion y llysoedd, amcangyfrifa Stevens fod cynifer â 40 o weithwyr rhagbaratoaol. Cyflogai'r diwydiant brethyn rhwng 7 ac 8 y cant o'r 500-600 a drigai yn y dref. Un arwydd o bwysigrwydd y diwydiant brethyn yw'r ffaith y cyflwynwyd aséis brethyn ym 1330, ond nid oedd yn rhaid i drigolion y fwrdeistref ei dalu.

Cynllun y dref

Ar ddechrau'r bedwaredd ganrif ar ddeg roedd y dref yn cynnwys ardal amddiffynedig ar gopa bryn Rhuthun a datblygiad gwasgaredig y tu hwnt i'r amddiffynfeydd ar hyd y strydoedd. Ni cheir unrhyw gyfeiriad at amddiffynfeydd yn unrhyw ddogfen ac mae'n debyg iddynt ddirywio'n gyflym a throi'n derfynau. Tyfodd y dref yn gyflym ar hyd strydoedd adnabyddadwy gan awgrymu mai ym mynedfeydd yr amddiffynfeydd y gwelwyd y datblygiadau.

Un o'r peryglon mwyaf a wynebai'r dref a'i thrigolion oedd tân. Ar ddiwedd gaeaf 1296 llosgwyd nifer o dai gan dân mawr. Cyflwynwyd gorchmynion tân 1343 yn dilyn tân mawr, 'combustion ville'. Ar wasgar o amgylch y dref ceid nifer o domenni gwrychoedd drain, rhedyn a brwyn a oedd yn hawdd iawn eu cynnau, ac a ddefnyddid gan y bragdai a'r poptai. Rhestrir enwau 78 o fragwyr yn y dref ym 1343 ac roedd gan bob stryd ei phopty cymunedol, heb sôn am efeiliau ac odynnau. Yn ôl y gorchmynion tân, rhaid oedd symud y tomenni o ardal adeiledig Rhuthun a chaniateid dim ond un domen i ddarparu tanwydd ar gyfer un bragdy ac un popty.

Roedd gan rai strydoedd megis Stryd Mwrog, Stryd y Felin, Stryd Newydd a Welsh Street fynediad at ddŵr afon neu nant. Yn achos y gweddill, rhoddwyd gorchymyn i adeiladu pedwar cafn mawr, un ar gyfer y bedair prif stryd, a chyflogid cariwyr dŵr proffesiynol y dref i'w llenwi.

Gwahanfuriau

Bylchwyd amddiffynfeydd y dref gan y prif strydoedd a arweiniai o'r gorllewin i'r dwyrain, sef Stryd Clwyd a Welsh Street. Erbyn diwedd yr Oesoedd Canol roedd gwahanfuriau wedi'u gosod ar y ddwy stryd. Ar Stryd Clwyd, codwyd gwahanfur allanol ar ochr y dref i'r rhyd hir dros afon Clwyd ac mae'n debyg yr adeiladwyd gwahanfur mewnol yn agosach at Sgwâr y Farchnad ger y gyffordd â Stryd Clwyd Uchaf. Ar Welsh Street codwyd gwahanfur allanol rhwng Town End a'r dref, ger y groesfan dros Fulbrook, ac roedd gwahanfur mewnol ger Crown House lle'r oedd datblygiadau'r dref yn dod i ben cyn diwedd yr unfed ganrif ar bymtheg. Ni cheir unrhyw dystiolaeth bod gwahanfur yn Stryd y Castell. Awgryma bargodiad yr adeiladau i'r stryd ger Sgwâr Sant Pedr fel y mae heddiw fod yno rwystr o fath, ac ym mhen uchaf Stryd y Prior mae'r stryd yn amlwg yn culhau gan awgrymu bod yno borth a arweiniai i gilfach Sant Pedr. Ar ôl iddi nosi, rheolid yr ardal o fewn y gwahanfuriau gan wylwyr.

Strydoedd

Welsh Street

Erbyn 1484 roedd Welsh Street wedi datblygu'n helaeth at Crown House a Manor House, lle lleolid y gwahanfuriau mewnol, a cheid rhywfaint o ddatblygu gwasgaredig y tu hwnt iddynt yn Nhal y Sarn a Town End. Gwelwyd rhywfaint o ddatblygu ar hyd Dog Lane, a elwid hefyd yn Fernell Lane, a Lôn y Castell (Stryd y Llys heddiw), sef y prif lwybr o Loegr i'r castell gan osgoi canol y dref. Ym mhen uchaf Lôn y Castell ceid piazza eang ac ar ochr y castell adeiladwyd tai yn ystod y bedwaredd ganrif ar bymtheg, gan ymgorffori darnau helaeth o waith carreg amddiffynnol cynharach o bosibl. Ym mhen isaf Welsh Street ceid ardal wlyb lle lleolid pwll yr arglwydd ar yr ochr ddeheuol, a ddraeniwyd gan y Fulbrook neu Fow(u)lbrook, a lifai ar draws Welsh Street a thrwy corsydd Wernfechan ar hyd llinell yr hen reilffordd gan gyflenwi pwll pysgod y prior, tua'r ardal lle saif Tesco heddiw. Yr adeg hwnnw, llifai i'r gogledd at afon Clwyd. Mae rheswm da pam y codwyd Tal y Sarn uwchlaw lefel y dŵr.

Stryd y Castell a Sgwâr y Farchnad

Datblygodd Stryd y Castell, ardal ar wahân i Sgwâr y Farchnad a gafodd ei chynnwys yn aml yn Stryd y Castell yn rholiau rhent y dref, yn stryd Seisnig yn bennaf, mae'n debyg oherwydd ei hagosatrwydd i'r castell a'r cloddiau amddiffynnol. Daeth y stryd adeiledig i ben yn sydyn un llain tir bwrdais y tu hwnt i Nantclwyd y Dre lle lleolid yr amddiffynfeydd Edwardaidd.

Yn ôl pob tebyg, ardal o bridd cywasgedig oedd Sgwâr y Farchnad yn wreiddiol, sef Sgwâr Sant Pedr yn ddiweddarach, ond adeiladwyd palmant yno yn ddiweddarach a oedd yn ddigon nodedig i gael ei ddefnyddio i ddynodi lleoliadau eiddo. Amgylchynwyd yr ardal gan weithdai ac, ynghyd â Stryd y Castell, hon oedd ardal eiddo flaenaf y dref lle'r oedd oligarchiaid megis y teuluoedd Serjeant a'r Exmewe yn byw a lle byddai masnachwyr yn cystadlu am safleoedd allweddol o amgylch y farchnad. Ym 1484 talai Neuadd Exmewe rent o 6s 4d ond roedd gwerth yr adeilad yn llawer mwy gan fod y teulu Exmewe wedi cael gostyngiad o hanner y rhent gan yr arglwyddiaeth.

Datblygwyd Stryd Clwyd Uchaf, neu Stryd Clwyd Fechan yn wreiddiol, ar ddiwedd y bymthegfed ganrif pan gofnodwyd gostyngiad rhent ar gyfer tir bwrdais ym 1484 a ddatgelwyd yn ddiweddaraf fel safle 'a certain road to Caye Llong'. Sefydlwyd y tir bwrdais yn y lle cyntaf ac yna rhoddwyd gostyngiad er mwyn hwyluso'r gwaith o adeiladu ffordd ar draws yr ardd.

Stryd y Felin

Roedd Stryd y Felin yn cysylltu Sgwâr y Farchnad â melin y dref a'r rhyd hir bwysig dros afon Clwyd a arweiniai at yr ardal gynhyrchu lledr yn Llanfwrog, sef Street. Roedd y ffordd yn pasio heibio blaen y felin ac at y rhyd hir a arweiniai at Stryd Mwrog. Cyn diwedd y bymthegfed ganrif, adeiladwyd tŵr gerllaw'r rhyd ar ochr y dref i afon Clwyd, a gelwid hwn yn 'tŵr y fwrdais' neu 'Turrun'. Mae'n debyg mai hwn oedd gwahanfur allanol y stryd hon ac fe'i gelwid yn Porth y Tŵr (Towergate) yn ystod y canrifoedd blaenorol yn ôl pob tebyg.

Stryd Mwrog a Ffordd Newydd

Tyfodd Rhuthun gyda'r diwydiannau tecstilau a lledr gan ehangu dros yr afon yn Stryd Mwrog, lle ceid cyflenwad o ddŵr ar gyfer y gwaith barcio ac i gynhyrchu ynni, ac ar hyd y Ffordd Newydd i Ddinbych. Roedd y strydoedd hyn yn cynnwys tiroedd bwrdais bychain a gerddi yn gymysg â lleiniau mwy o faint a oedd yn eiddo i'r barceriaid a rhai o fasnachwyr cyfoethocaf Rhuthun.

New Borough

Roedd New Borough yn ddatblygiad newydd yn y 1320au. Dyma ardal o renti uchel ac nid yw'n ymddangos iddo fod yn llwyddiannus iawn. Fe'i lleolid yng nghefn ochr orllewinol Stryd y Castell ac un eiddo i ffwrdd o felin y dref, gerllaw'r fan y tybir y lleolwyd gardd yr Arglwydd felly, rhywle o amgylch Stryd y Felin a Stryd y Castell heddiw. Yn ôl arolwg o gyfnod y Tuduriaid, roedd New Borough wedi dirywio i gynnwys llond llaw o adeiladau yn unig ac fe'i disgrifir fel 'two other burgages in (Mill) Street next to the water formerly called New Borough'. Mae'r cyfeiriad olaf y gwyddys amdano yn ymddangos mewn map degwm o'r bedwaredd ganrif ar bymtheg lle nodir yr enw 'Newbarth' ar gae gerllaw pwll y felin, ond roedd tarddiad yr enw wedi mynd yn angof. Bellach, mae'r cae yn rhan o gaeau chwarae Cae Ddôl.

Adeiladau canoloesol

Ni wyddys i sicrwydd, ond mae'n bosibl fod unedau eiddo brodorol wedi goroesi'r goncwest a'u troi'n diroedd bwrdais, math cyffredin o ddaliadaeth yn nhrefi'r Oesoedd Canol. Rhoddid hawliau arbennig i'r sawl a oedd yn berchen ar dir bwrdais, sef y bwrdeisiwr: gallai fyw a gweithio yn y fwrdeistref gan fanteisio ar siarteri'r arglwydd. Unwaith y cafodd daliadau tiroedd bwrdais eu creu roedd yn anodd newid eu ffiniau, felly roedd tuedd iddynt ddod yn nodweddion parhaol a ddiffiniodd y strydoedd cynharaf gan ffurfio unedau eiddo sydd wedi parhau i raddau helaeth hyd heddiw.

Erbyn 1465, sef dyddiad dogfen rent gyflawn gyntaf y dref, roedd cynllun y dref fel y'i diffiniwyd gan ei thiroedd bwrdais wedi'i sefydlu, ond mae'n debyg i'r broses gael ei chwblhau yn llawer cynharach. Mae dogfen rent 1465 yn cofnodi preswylwyr o ddechrau'r bymthegfed ganrif ac, ynghyd â dogfennau rhent diweddarach o gyfnod y Tuduriaid ym 1484, 1548 a 1579, gellir olrhain galwedigaethau'r trigolion a'r defnydd a wnaed o'r eiddo yng nghanol Rhuthun megis Gwesty'r Castell, Nantclwyd y Dre, Montecito a Siop Nain dros 600 mlynedd yn ôl, ond nid mor bell yn ôl â gwrthryfel Glyn Dŵr.

Yn raddol, codwyd adeiladau ar y tiroedd bwrdais mwyaf canolog gan ymuno â'r eiddo cyfagos yn y pen draw i greu strydlun di-dor â phyrth yn arwain at gefn y tiroedd bwrdais. Cododd gwerth eiddo yng nghanol y dref gan fwrw allan unrhyw ddefnydd llai proffidiol felly llenwyd Sgwâr y Farchnad a Stryd y Castell â chartrefi a gweithdai masnachwyr a oedd yn gysylltiedig â'r farchnad.

Hyd at ganol y bymthegfed ganrif, roedd strydluniau Rhuthun yn cynnwys adeiladau unllawr â waliau mwd a thoeau gwellt. Tua canol y bymthegfed ganrif gwelwyd twf sydyn yn y gwaith o adeiladu goruwchystafelloedd mewn lloriau uwch a oedd yn bargodi dros y stryd ar y coed a oedd yn eu cynnal. Rhwng 1447 a 1456 cafwyd saith cais llwyddiannus am ganiatâd i godi pyst yn y stryd.

Yn ystod y bymthegfed ganrif datblygodd adeiladwaith ar ffurf mwy parhaol. Daeth adeiladau o goed yn gyffredin yn Rhuthun â thoeau gwellt yn bennaf, ond datblygodd diwydiant llechi a theils hefyd. Er mwyn ynysu'r tai a'u gwarchod rhag y tywydd, cawsant eu gorchuddio â dwb clai. Waliau mwd a thoeau gwellt oedd gan y tai tlotaf hyd at y bedwaredd ganrif ar bymtheg. Y tai hynaf sydd wedi goroesi yw'r tai neuadd ffrâm bren sy'n syndod o gyffredin yng nghanol Rhuthun, ac a guddiwyd gan dalwynebau o'r bedwaredd ganrif ar bymtheg a'r ugeinfed ganrif. Nantclwyd y Dre a siop gemydd Lynch (nad yw'n siop Lynch nac yn siop gemydd bellach) yw'r mwyaf adnabyddus ond dymchwelwyd Tŷ Exmewe a'r Ship yn yr ugeinfed ganrif ac, yn anffodus, dim ond mewn ffotograffau y gellir eu gweld bellach.

Enghreifftiau llai amlwg yw Hafan, Tŷ Cerrig yn Llanfwrog, bwthyn-ffermdy neuadd a oedd yn gyffredin ymhlith taeogion ac a ddyddiwyd drwy ddefnyddio dendro-cronoleg i 1501, a 'Rose Cottage' ar Stryd y Rhos, tŷ neuadd ffrâm gyplau o ddiwedd yr Oesoedd Canol. Ceir darnau canoloesol yn yr hen Cross Keys ac yn Wayfarer ar Stryd y Ffynnon, y Siop Lyfrau ar Stryd Clwyd Uchaf, 20 i 21 Stryd y Castell, 65 Stryd Clwyd, y Myddelton Arms, Porth y Dŵr gyferbyn â'r carchar, lle mae'r ffrâm a'r oruwchystafell yn dyddio o'r bymthegfed ganrif, ac yn Gorphwysfa ar Stryd y Castell lle ceir croesfan ganoloesol sydd ymron yn gyflawn a lle mae rhan helaeth o'r wal ogleddol wedi goroesi. Ceir selerydd cerrig o amgylch y Sgwâr hefyd sy'n dyddio o'r Oesoedd Canol.

Mae un cyfres o ddarnau mawr yn rhifau 2, 4 a 6 Stryd y Ffynnon i'w gweld ar y ffordd a oedd yn cysylltu Sgwâr y Farchnad â Welsh Street gyferbyn â'r llys prysur, gan olygu y byddai modd i bawb a oedd yn dod i'r farchnad eu gweld. Llenwai'r tŷ y tir bwrdais o ddyddiad cynnar. Roedd yn adeilad mawr a phwysig ac yn cynnwys neuadd gwpl a dau dalcen bargodol. Goroesodd y ddau dalcen yn rhifau 2 a 6 Stryd y Ffynnon a byddent wedi ymestyn dros y briffordd â'r neuadd wedi'i gosod yn ôl i greu adeilad siâp U. Mae'r fan lle safai'r neuadd a'r gwagle o'i blaen (rhif 4) bellach wedi'u llenwi ag adeilad brics o'r bedwaredd ganrif ar bymtheg.

Yr harddaf o'r adeiladau canoloesol hyn yw llys arglwyddiaeth Rhuthun, adeilad pren hardd, y dechreuwyd ei godi yn y 1420au, ac sy'n parhau i fod mewn lle amlwg ar ochr ddeheuol sgwâr y farchnad. Yn y 1420au roedd yr adeilad hwn yn arwydd o hyder y teulu de Greys yn nyfodol y dref yn dilyn trafferthion cyfnod Glyn Dŵr. Dyma ddatganiad gweladwy o awdurdod yr arglwyddiaeth ac yno y cynhelid cyfarfodydd cyhoeddus y goron hyd at ganol yr ail ganrif ar bymtheg.

Melin y dref

Yn wreiddiol, adeilad unllawr oedd y felin a cheir mynedfeydd 'Seisnig Cynnar' y tu mewn i'r adeilad. Yn nogfennau rhent y dref disgrifir y felin yn y ffurf luosog – *les mills* – ac fe'i cysylltir â melin arall, melin y faenor a elwir heddiw yn Melin Ysguboriau, tua milltir i fyny'r afon o felin y dref. Parhaodd y disgrifiad lluosog hwn am ganrifoedd ac efallai bod yr eglurhad i'w ganfod mewn hysbyseb papur newydd o 1790 sy'n ei disgrifio fel melin dwy-olwyn. Roedd olwynion y felin yng nghanol y blaen gogleddol. Addaswyd yr adeilad pwysig a phrysur hwn sawl tro ac roedd un o felinau Rhuthun yn cael ei hatgyweirio ym 1469.

Melin rawn oedd melin Rhuthun ers dyddiau siarter sefydlu Reginald de Grey o leiaf. Mewn dogfen rent yn dyddio o 1483 nodir bod 'melinau'r dref a melinau'r Faenor' ('these mills of the town and the mills of Grange') ynghyd â sied Penticium, hobet a le pek (adeiladau allanol mae'n debyg) wedi'u gosod ar brydles am £32.

Gwrthryfel Glyn Dŵr

Dylid ystyried gwrthryfel Glyn Dŵr yng nghyd-destun tensiynau a gwrthryfeloedd eraill a welwyd ar draws Ewrop yn y bedwaredd ganrif ar ddeg. Dichon mai anghydfod ynghylch gwleidyddiaeth a thir rhwng de Grey ac Owain Glyn Dŵr a sbardunodd y gwrthdaro yn y lle cyntaf, ond ym marn R. R. Davies roedd yn weithred ragfwriadol a ddeilliodd o anfodlonrwydd hirdymor ac ymlyniad at syniadaeth genedlaetholgar i sefydlu Cymru annibynnol. Ddeuddydd wedi iddo gael ei gyhoeddi yn Dywysog Cymru, ar 18 Medi 1400, ymosododd Owain Glyn Dŵr ar Ruthun. Roedd yn ddydd Sadwrn, dridiau cyn ffair Sant Matthew, un o dair ffair fawr flynyddol Rhuthun. Yn ôl yr hanes, cuddiodd y gwrthryfelwyr yng nghoetiroedd trwchus Coedmarchan gan ymosod ar y dref yn annisgwyl pan oedd y giatiau ar agor. Roedd 270 o wrthryfelwyr, yn cynnwys saith menyw, â chanddynt enwau Cymreig cyffredin yn bennaf. Hanai ymron i draean ohonynt o arglwyddiaeth Dinbych a 28 o diroedd gerllaw arglwyddiaeth Rhuthun. Dim ond 17 o ŵyr arglwyddiaeth Rhuthun a oedd yn eu plith. Yn yr achosion llys cawsant eu cyhuddo o ddwyn celfi, da byw ac arian gwerth £700, £1,000 a £400. Cafodd rhai ohonynt eu cosbi yn fuan ac erbyn 28 Medi roedd deg wedi'u dal a'u dienyddio.

Ni cheir unrhyw awgrym yn rholiau'r llysoedd ar gyfer 1400 bod dynion Glyn Dŵr wedi cyflawni dynladdiad ac nid yw'n ymddangos eu bod yn bwriadu dinistrio'r dref yn gyfan gwbl; ymddengys hefyd mai gormodiaith fyddai dweud iddynt losgi'r dref yn ulw. Ni cheir unrhyw dystiolaeth o ludw i gyfiawnhau'r honiad hwn ac ar 9 Medi 1404 dim ond 13 eiddo a oedd yn wag a dim ond un a losgwyd gan y gwrthryfelwyr ym 1400. Daeth Glyn Dŵr ar ailymweliad â'r arglwyddiaeth ym 1402. Ceir tystiolaeth bod oedi wrth ailgodi adeiladau a ddinistriwyd ac a ddifrodwyd yn yr ardaloedd gwledig o amgylch Rhuthun ac mae bylchau yng nghofnodion y llysoedd ym 1405 sy'n awgrymu bod anawsterau yn parhau yn yr arglwyddiaeth. Eto i gyd, ni chafwyd gwrthryfel cyffredinol, ni ddaeth y drefn gyfiawnder i ben, ac aeth bywyd gwledig a diwydiannol yn ei flaen yn ddigyfnewid, ar yr wyneb beth bynnag. Fodd bynnag, cafodd y gwrthryfel effaith ddifrifol ar y berthynas rhwng y Cymry a'r Saeson yn Rhuthun.

Adeiladwyd ail amddiffynfa i amddiffyn y fwrdeistref wrth i densiynau barhau yn dilyn gwrthryfel Glyn Dŵr. Ym 1407, talwyd am y gwaith o godi 'fossus', ffos â chlawdd a phalisâd drosti o bosibl, gan dreth o'r enw 'murage'. Roedd yr amddiffynfeydd tua 3500 troedfedd o hyd, rhedai'r 'fossus' yn agos atynt neu weithiau drwy rhannau o'r ardal adeiledig er mwyn hwyluso'r gwaith o'i gwarchod mewn argyfwng. Rhedai'r amddiffynfeydd o ffosydd y castell ar draws Stryd y Castell hyd at gyffordd Stryd Prior â Lôn Ysgol ac yna yn ôl ar hyd Mount Street, gan ymgorffori'r amddiffynfeydd Edwardaidd yn nwyrain Sgwâr y Farchnad, a chroesi'r fan a ddaeth yn Stryd y Farchnad yn ddiweddarach ger Neuadd y Farchnad ac ymlaen at Stryd y Ffynnon gan ei chroesi ger Crown House cyn troi i'r gorllewin ar draws Stryd y Castell ger ei chyffordd â Stryd y Llys ac yn ôl at ffosydd y castell. O fewn y gylchdaith hon saif hen ddatblygiadau tiroedd bwrdais yr Oesoedd Canol cynnar a thu hwnt iddynt, ac eithrio ar hyd y strydoedd, ceir datblygiad ôl-ganoloesol neu ddatblygiad eithaf modern.

Ni cheir unrhyw dystiolaeth bod yr amddiffynfeydd hyn wedi'u defnyddio, ond fe wnaethant weithio'n arbennig o dda fel rhwystr. Amharodd y ffosydd ar ddatblygiadau yng ngogledd y dref hyd at yr ugeinfed ganrif, yn nwyrain y dref hyd at y bedwaredd ganrif ar bymtheg, ac yn y de hyd at y ddeunawfed ganrif, ac fe wnaethant helpu i greu tref linellol trwy sianelu datblygiad trwy fynedfeydd yn yr amddiffynfeydd. Yn y cyfnod llai cythryblus a ddilynodd, gadawyd i'r ffosydd ddirywio yn rhan o'r pridd gan adael nemor ddim tystiolaeth ddogfennol a dim tystiolaeth amlwg ar enwau strydoedd y dref, ac eithrio Mount Street.

Iaith y dref

Ers dyddiad ei sefydlu, ymsefydlodd cymuned Seisnig newydd ochr yn ochr â'r hen gymuned frodorol. Er bod gwahaniaethau amlwg yn statws cyfreithiol y Saeson a'r Cymry, yn sgil rhyngbriodi ffurfiwyd nifer o deuluoedd Eingl-Gymreig. Priododd nifer o blith y genhedlaeth gyntaf a'r ail genhedlaeth o ymsefydlwyr â merched brodorol gan roi enwau Cymraeg i rai o'u plant, y tybir eu bod yn ddwyieithog.

Wynebodd y ddwy gymuned droeon anodd wrth i densiynau ddatblygu yng Nghymru ac arweiniodd gwrthryfel Owain Glyn Dŵr at anawsterau mawr i'r Cymry. Cawsant eu gwahardd rhag prynu tir yn nhrefi Seisnig Cymru, rhag cael eu derbyn yn fwrdeisiaid, rhag dal prif swyddi yng Nghymru a chario arfau yn unrhyw dref. Roedd y cyfyngiadau hyn yn rhan o gorff cynhwysfawr o ddeddfau, a oedd hyd yn oed yn cynnwys 'men of the half-blood of the Welsh party', ac fe'u cefnogid gan orchmynion lleol a oedd efallai yn fwy effeithiol na'r ddeddfwriaeth gyffredinol. Yn llysoedd yr arglwyddiaeth, roedd manteision gweithdrefnol ar gael yn dibynnu ar ddehongliad cyfreithiol o gefndir hiliol yr unigolyn, a pha un a oedd yn hannu o'r fwrdeistref neu y tu hwnt i'w ffiniau.

Ar ôl i'r gwrthryfel gael ei drechu, daeth y cyfyngiadau hyn yn rwystrau yr oedd yn rhaid eu gorchfygu er mwyn cyd-fyw ('men and women rebuilt the bridges of co-existence'). Yn y pen draw, ni weithredwyd llawer o'r deddfau, ond fe wnaethant achosi anawsterau sylweddol am ddegawdau ac roedd perygl mawr y byddai gyrfa unigolyn addawol yn dod i ben yn ddisymwth. Yn y 1440au, dietifeddwyd etifeddion adeiladwyr Nantclwyd y Dre ar farwolaeth eu rhieni, (Gronw ap Madog, gwehydd, yr oedd ei dad yn fwrdeisiwr, a Suzanna ei wraig Seisnig), a dyna fu tynged nifer o Gymry Rhuthun yn ystod y cyfnod hwn.

Er gwaethaf y cyfreithiau a oedd yn gwahardd Cymry o'r dref, cynyddodd nifer y bwrdeisiaid Cymreig yn Rhuthun: ym 1324 roedd 40 o'r 70 bwrdeisiwr yn Gymry ac erbyn 1496 roedd 60 o Gymry ymhlith y 90 bwrdeisiwr. Un o'r Cymry hyn oedd Galfridius glerc, a ddaeth i'r fwrdeistref yn anghyfreithlon ac a ddaliwyd ac a garcharwyd yn naeargelloedd y castell cyn iddo gael ei ryddhau ar ymyrraeth etifedd yr arglwyddiaeth. Roedd yn ddyn llythrennog a ddatblygodd fusnes yn cynnig cyngor cyfreithiol a benthyciadau ariannol gan ddefnyddio'r elw i brynu eiddo. Trwy gydol y ganrif, gwelwyd tuedd ymhlith teuluoedd Seisnig i Gymreigio. Ar ben Stryd Clwyd Uchaf heddiw trigai teulu o gigyddion ac yn ystod y ganrif newidiodd y teulu ei enw yn raddol. Olynydd Thomas Bocher oedd Gerves Aymerer, a olynwyd yn ei dro gan Thomas, Henry a John ap Henry Gerves. Yn ystod y ganrif ddilynol, gwelwyd yr un broses ar waith o chwith wrth i un o wŷr y Dadeni, Edward ap Thomas Edward, newid ei enw i Edward Goodman mewn ymateb i ffasiynau a oedd ymhell tu hwnt i'r sefyllfa leol yn Rhuthun.

Lladin oedd iaith cyfraith a gweinyddiaeth y fwrdeistref yn wreiddiol ond dros y blynyddoedd fe'i disodlwyd gan y Saesneg. Er bod y fwrdeistref wedi ymgymreigio fwyfwy, Saeson oedd prioriaid Sant Pedr hyd at ddiwedd y bymthegfed ganrif bron iawn pan benodwyd Cymro yn brior, sef abad Valle Crucis.

Coleg Sant Pedr

Sefydlodd grant gwreiddiol Sant Pedr arglwyddiaeth fechan i'r gogledd o Sgwâr y Farchnad a oedd yn cynnwys Stryd y Prior, sef y fynedfa i'r eglwys, ac yno codwyd adeiladau bychain a osodwyd ar brydles i grefftwyr neu fasnachwyr. Dros y blynyddoedd datblygodd y coleg 'berllan y prior' ar y llethrau dwyreiniol islaw'r eglwys, a thu hwnt i'r berllan ceid pwll pysgod y prior. Lleolid y pwll yn y basn a ffurfiwyd gan y llethrau lle mae Wernfechan, Stryd y Farchnad, Ffordd yr Ysgol a Ffordd y Parc yn ymuno â chylchfan Briec ac ymestynnai'r pwll i'r gogledd at leoliad yr ystad ddiwydiannol heddiw. Deuai'r dŵr ar gyfer y pwll pysgod o Fulbrook a'r dŵr a lifai i lawr y llethrau, yn ogystal â'r ffynhonnau artesiaidd yn yr ardal. Gyda'i gilydd, roedd pwll pysgod y prior, pwll yr arglwydd a phwll y felin yn ffynonellau bwyd pwysig yn nhref Rhuthun yn ystod yr Oesoedd Canol ac yn cynnig bywoliaeth i'r gwerthwyr pysgod a oedd yn byw yn y dref.

Derbyniodd y coleg roddion ar ffurf eiddo hefyd, yn bennaf yn Rhuthun lle trigai mwyafrif y gynulleidfa. Roedd y coleg yn berchen ar dai yn Stryd Mwrog a Sgwâr y Farchnad. Rhoddwyd rhai o'r adeiladau hyn i'r coleg yn gyfnewid am addewidion i weddïo a chanu offeren ar ran aelodau ymadawedig teuluoedd. Roedd yr adeiladau hyn yn rhan o'r fwrdeistref ac fe'i daliwyd gan y coleg fel tenantiaid yr arglwyddiaeth. Er mwyn cadw degymau, taliadau'r felin ac unrhyw incwm arall a delid mewn nwyddau, roedd y coleg yn berchen ar 'ysgubor ddegwm' yn agos at ochr ogledd-ddwyreiniol yr eglwys.

Ychwanegwyd corff byr at ochr ddeheuol yr eglwys yn y bedwaredd ganrif ar ddeg ac fe'i ehangwyd yn ystod y ganrif ddilynol pan adferwyd yr eglwys gyfan ar gynllun unionsyth. Derbyniodd yr eglwys ei nenfwd bren drawiadol gan y goron, a oedd yn brwydro yn erbyn y teulu de Greys dros reolaeth o'r eglwys ac arglwyddiaeth Rhuthun, ymryson a enillwyd gan y Goron. Aeth yr eglwys trwy gyfnod gwael yn ystod y bymthegfed ganrif; chwalwyd y coleg a daeth dan reolaeth Augustinian Bonhommes am gyfnod byr. Aethpwyd â thrafferthion y coleg i Rufain, ond cafodd ei adfywio yn ddiweddarach gan barhau hyd nes y cafodd ei ddiddymu yn ystod y ganrif ddilynol.

Rhannwyd eglwys ganoloesol Sant Pedr yn gapeli. Cyfarfu offeiriaid y coleg yn y gangell, rhan mwyaf addurnedig y coleg yn ôl pob tebyg; o dan y tŵr lleolid capel Corff Crist lle claddwyd Edmund, yr olaf ond un o arglwyddi'r Mers yn Rhuthun. Cysegrwyd ail gapel i Sant Thomas a gelwid y llall yn Gapel y Forwyn.

Mae'r ddwy eglwys blwyf arall yn Rhuthun yn dyddio o ddechrau'r Oesoedd

Canol ac mae'n bosibl iddynt gael eu sefydlu yn y cyfnod yn dilyn ymadawiad y Rhufeiniaid. Derbyniodd Llanrhudd iawndal gan y goron am ddifrod a wnaed yn ystod y rhyfeloedd ar ddiwedd y drydedd ganrif ar ddeg ac fe'i hailgodwyd yn llwyr yn ystod y bymthegfed ganrif, pan guddiwyd pob darn o'r adeiladwaith gwreiddiol. Mae'r muriau a'r cyntedd yn dyddio o'r cyfnod hwn ac mae ffenestr unionsyth a chroglen atyniadol hefyd wedi goroesi. Er mai eglwys un-gell yw Llanrhudd, perthyn iddi nodweddion drudfawr ac mae'n amlwg iddi dderbyn gofal, un ai gan y coleg cyfoethog a oedd yn berchen arni, neu gan noddwr lleol.

Ychwanegwyd tŵr at eglwys Llanfwrog yn y bedwaredd ganrif ar ddeg a chorff ychwanegol yn y bymthegfed ganrif, a daeth yn un o eglwysi deugorff

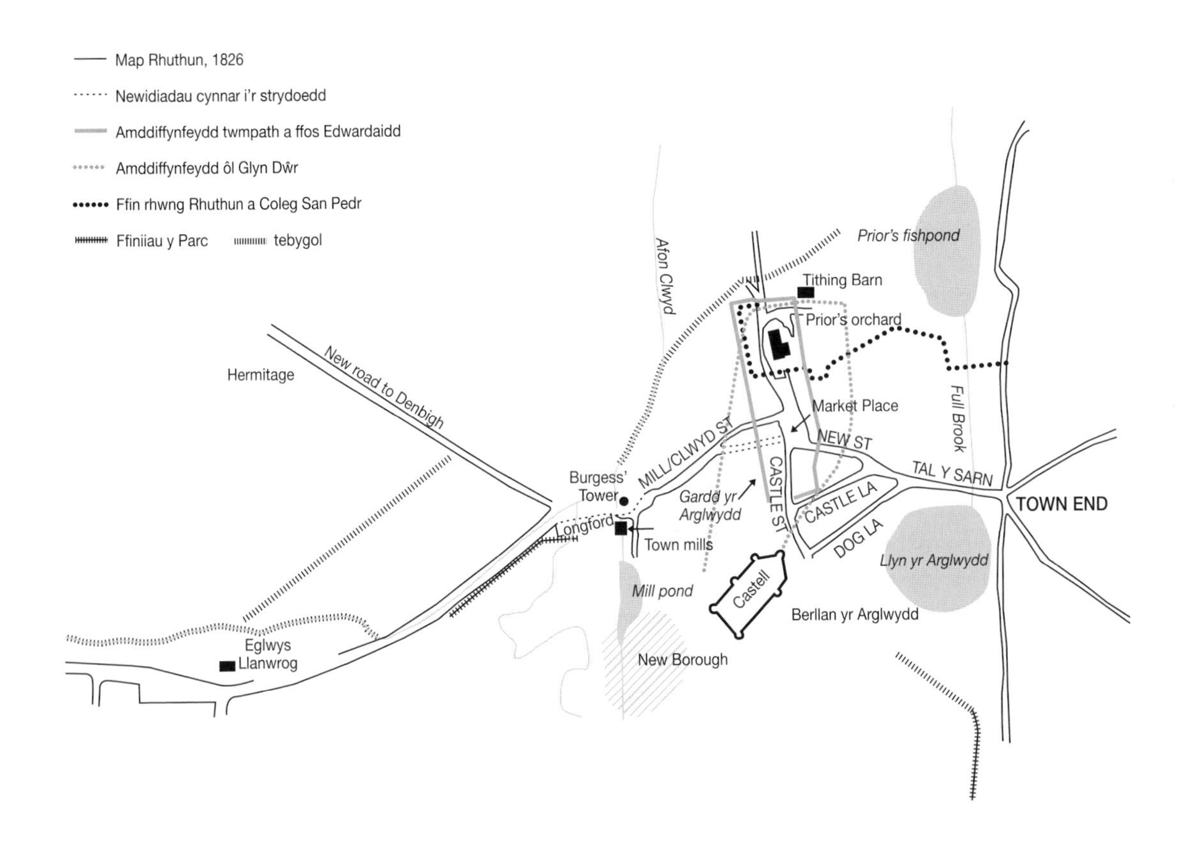

Adluniad o Ruthun ar ddiwedd yr Oesoedd Canol

adnabyddus Dyffryn Clwyd. Llwyddodd i elwa ar y cyfoeth a grewyd gan y diwydiannau gwlân a lledr gan dderbyn to newydd uwchben y ddau gorff. Hefyd, roedd gan Llanfwrog gapel côr waddoledig y Santes Fair.

Er nad oes modd i ni amgyffred bwrlwm a lliw y gorymdeithiau, urddau a chapeli côr a nodweddai bywyd crefyddol Rhuthun yn ystod yr Oesoedd Canol, dengys y cofnodion bod cell meudwy ar Ffordd Dinbych a dau bardynwr yn y dref yn y bymthegfed ganrif a cheir cyfeiriadau at ysbyty neu rodd elusennol ar Dog Lane, ac aeth un teulu ar bererindod i Rufain bell.

Rhuthun yn oes y Tuduriaid: Canrif o Newid

Gareth Evans

Roedd oes y Tuduriaid yn gyfnod o newid mawr a dinistr yn nhref Rhuthun. Sefydlwyd brenhinlin Duduraidd newydd yn sgil buddugoliaeth Harri VII ym mrwydr Bosworth ym 1485 gan greu'r amodau ar gyfer dadeni lleol. Ysgubwyd ymaith y drefn ffiwdal hynafol, creodd y llywodraeth ganolog adfywiedig gyrff newydd i weinyddu cyfiawnder a gweinyddiaeth leol a rhyddfreiniwyd y Cymry yn arglwyddiaeth Rhuthun. Yn Nyffryn Clwyd, ymelwodd y bonedd Cymreig a charfan o fasnachwyr ar y newidiadau gwleidyddol a'r amodau economaidd ffafriol hyn i ddyrchafu eu hunain i safleoedd dylanwadol a chyfoethog a daeth rhai ohonynt yn amlwg yng nghylchoedd academaidd ac eglwysig. Gweddnewidiwyd bywyd crefyddol y dref gan y Diwygiad Protestannaidd gan arwain at ddinistrio coleg Sant Pedr ym 1550.

Rhwng 1530 a 1630 cododd prisiau 600 y cant yn sgil chwyddiant gan ddod â ffyniant dros dro i gynhyrchwyr ac, yn y pen draw, i dirfeddiannwyr a derbynnwyr rhenti. Ym marn Nia Powell talodd hyn am ddadeni diwylliannol a gwnaeth Dyffryn Clwyd yn ganolbwynt y dadeni yng Nghymru. Cynigiai'r marchnadoedd rheolaidd arian yn y fan a'r lle i werthwyr bychain a chymorth iddynt ariannu gwelliannau i'w tai. Mae'r tai ffrâm bren ysblennydd sydd yn harddu tref Rhuthun hyd heddiw yn deillio o lewyrch cynyddol entrepreneuriaid y dosbarth canol a fuddsoddodd yn eu heiddo.

Disgrifiwyd Rhuthun gan un o swyddogion y Goron yn y 1540au fel '[a] towen and paryshe conteyning about five myle wherein be all sortes 700 homelynge people'. Prin iawn oedd yr adeiladau cyhoeddus yn Rhuthun yn ystod oes y Tuduriaid. Ac eithrio'r eglwysi, nid oedd ond tŵr tywodfaen coch ym mhen isaf Stryd Clwyd, llys yr arglwyddiaeth ar Sgwâr y Farchnad a melinau'r dref. Adeiladwyd tŵr y bwrdeisiaid, y tŵr coch neu'r Turrun, fel carchar ac oddi yno y dihangodd y bardd Cymraeg Robert ap Hugh. Rhoddwyd sawl enw gwahanol i adeilad y llys, gan gynnwys y 'Chequer chamber', ond o ddechrau'r unfed ganrif ar bymtheg yr enw mwyaf cyffredin arno oedd Pendist. Amgylchynwyd y llawr gwaelod â siopau ac erbyn 1579 roedd yno bymtheg siop.

Gerllaw'r farchnad ceid nifer o weithdai ac amgylchynid y farchnad gan siopau tebyg mewn adeiladau eraill. Wedi'u claddu yng Ngwesty'r Castell mae olion 'tri siop un selar ac un llofft neu oruwchystafell' ('three shops one cellar and one loft or soller'), ac roedd pob un ohonynt yn bodoli yn y cyfnod Tuduraidd. Defnyddid y lloriau gwaelod i fasnachu a'r llofftydd a'r selerydd i storio nwyddau. Mae'r tair siop yn mesur 9.4m wrth 3.9m, 9.4m wrth 2.6m a 6.2m wrth 2.5m ac yn wynebu Sgwâr y Farchnad a hwy yw'r siopau canoloesol cyntaf i gael eu hadnabod yn

Rhuthun. Ar ddiwedd teyrnasiad Elizabeth roedd yr eiddo ym meddiant masnachwr cyffredinol (mercer) a oedd yn byw gerllaw yn Stryd Clwyd ac yn eiddo i fasnachwr arall o Ruthun ynghyd â buddiannau eiddo eraill.

Erbyn canol yr unfed ganrif ar bymtheg ceid ystadau trefol mawr yn Rhuthun a oedd yn berchen i'r prif fasnachwyr a swyddogion yr arglwyddiaeth yr oedd gan eu teuluoedd draddodiad hir o wasanaeth i'r arglwyddiaeth. Yn ystod oes y Tuduriaid, cyrhaeddwyd uchafbwynt datblygiad yr ystad drefol gan fasnachwyr y dref wrth i'r bonedd, a ddenwyd gan arian hylifol y dref, brynu eiddo yno hefyd. Pennaf ddiddordeb Robert Salisbury o Bachymbyd oedd tiroedd yr arglwyddiaeth o amgylch y castell, y melinau a'r dref ond prynodd Richard dri dir bwrdais Langford yn Stryd Clwyd, Stryd y Castell a Dog Lane.

Yn ystod y 1540au roedd 130 o diroedd bwrdais yn Rhuthun a oedd ym meddiant 49 perchennog, yn eu plith, coleg Sant Pedr ac eglwys Llanfwrog. Menywod oedd pump ohonynt ac roedd 28 yn berchen ar diroedd bwrdais unigol. Ceid yno nifer o ystadau trefol mawrion. Roedd un ohonynt, a ffurfiwyd yn sgil priodas rhwng dau o oligarchiaid y dref, yn eiddo i John Mule (Moyle) a roedd gan ei deulu gysylltiad â melinau Rhuthun. Roedd John Mule yn berchen ar bum tir bwrdais a gardd yn Stryd y Felin; tri tir bwrdais a dwy ardd yn Stryd y Castell; tir bwrdais yn Dog Lane; pedwar tir bwrdais a dwy ardd yn Welsh Street; dau dir bwrdais a dwy ardd yn Stryd Mwrog a sawl darn o dir o amgylch y dref. Yn ôl gwerthoedd 2014, roedd gwerth yr ystad dros £2.5 miliwn.

Llywodraeth

Daeth y llywodraeth ganolog yn rym llawer mwy nerthol yn Rhuthun yn ystod oes y Tuduriaid a chafwyd ymyrraeth gan y Cyfrin Gyngor a Chyngor y Gororau a adfywiwyd yng nghanol y ganrif dan awdurdod yr esgob Rowland Lee i 'ffrwyno'r anghyfraith ac anhrefn' ('repress the lawlessness and discontent') a oedd yn rhemp yn ardal y Gororau. Cyflwynwyd llysoedd newydd yn sgil Deddfau Uno 1535-42. Ddydd Gŵyl yr Holl Saint 1536, ffurfiwyd sir newydd sef Sir Ddinbych, a daeth Llys Chwarter Sir Ddinbych, yn cynnwys bonedd lleol a benodwyd yn ynadon heddwch, i gymryd golwg fanylach a rheolaidd ar ddiffygion lleol. Rhoddwyd pwerau sylweddol i lysoedd newydd y Sesiwn Fawr, yn debyg i'r brawdlysoedd yn Lloegr, i roi troseddau ar brawf yn ogystal ag achosion sifil a sefydlwyd awdurdodaeth ecwiti ym 1543. Roedd y ddau lys yn clywed cwynion gan uchel-reithgorau a swyddogion plwyf.

Ysgubodd y dadeni i Ruthun pan aeth arglwydd olaf teulu de Grey yn fethdalwr a phrynwyd arglwyddiaeth Rhuthun gan y Goron ym 1507. Cyhoeddodd Harri VII siarter ym 1508 gan ddiddymu'r gwahaniaethau cyfreithiol yn erbyn y Cymry yn arglwyddiaeth Rhuthun. 'All the tenants and inhabitants ... and their heirs and successors may hold land in fee simple or in fee tail and for a term of lives and years ... and may acquire (property) in English boroughs and elsewhere both in England and Wales and ... their heirs and successors may continue to do so'. Rhoddwyd yr hawl iddynt ddal swyddi 'both in England and in the English boroughs and towns in Wales'. Gallent ddod yn fwrdeisiaid mewn unrhyw dref. Dilewyd y drefn ddaliadaeth tir frodorol a'i disodli â threfn genedigaeth-fraint yr hynaf 'primogeniture descending to the male and female heirs in their turn in accordance with the common law of descent in England'. Diddymwyd amryw o dollau hynafol a'r tollau ar nifer o wasanaethau. Yn ogystal, 'our town of Ruthin ... and the country within half a league of the said town shall be a free borough and ... all the heirs and successors of the tenants so long as they live in the said town shall be free burgesses ... but that no one shall be considered a burgess unless he is elected and chosen as such by his fellow burgesses ... and also that a burgess ... shall ... enjoy ... all liberties ... and privileges which were previously reasonably used and enjoyed and that he may grind his corn at our mill in Ruthin for one twentieth part and whoever is able to grind his corn in his own house may do so ... without paying any fine into our hamper'.

Arweiniodd y siarter at ehangu ffiniau Rhuthun yn sylweddol gan ddileu cilfach fechan Sant Pedr yng nghanol ochr ogleddol Sgwâr y Farchnad. Bellach, nid oedd yn rhaid i fwrdeisiaid Cymreig chwilio am fylchau cyfreithiol a rhoddwyd rhwydd hynt iddynt gystadlu'n gyfartal â'u cymdogion Seisnig. Ym 1536, rhoddwyd hwb pellach i'w gobeithion pan ddaeth y Ddeddf Uno gyntaf yn weithredol gan ddiddymu'r rhwystrau a oedd yn atal Cymry rhag dod i'r trefi ac fe wnaethant achub ar bob cyfle a ddaeth i'w rhan: 'they took every opportunity to grasp offices and eventually proved the business equals of anyone'. Roedd Cymry Rhuthun ymhell ar y blaen ac erbyn y 1540au enwau Cymreig a oedd gan dros ddeuparth perchnogion eiddo'r dref, ac roedd nifer sylweddol o'r gweddill yn perthyn i deuluoedd Seisnig a oedd wedi Cymreigio ers cyfnod maith.

Daeth rhai o deuluoedd y dref yn gyfartal â bonedd yr ardaloedd gwledig. Yn sgil eu cyfoeth a'u dylanwad cafodd rhai fynd i Brifysgolion gan ymddyrchafu yng nghylchoedd cenedlaethol. Gwasanaethodd Syr Thomas Exmewe ar gomisiynau'r goron ac roedd y teulu Goodman yn gysylltiedig â'r uchel lys. Daeth y Thelwalliaid yn aelodau Seneddol ac yn swyddogion cyhoeddus a chyfreithiol. Roeddynt yn rhan o rwydwaith cenedlaethol a amsugnodd ddylanwadau diwylliannol y dadeni gan eu bwydo'n ôl i Ddyffryn Clwyd.

Arglwyddiaeth

Ar ôl iddi gael ei phrynu ym 1507, arhosodd arglwyddiaeth Rhuthun yn nwylo'r Goron hyd nes iddi gael ei rhoi i Ambrose Dudley, Iarll Warwick ym mis Ebrill 1563. Collodd ei statws fel un o arglwyddiaethau'r Mers pan ddiddymwyd yr arglwyddiaethau gan y Deddfau Uno. Yn dilyn marwolaeth Warwick, pasiodd yr arglwyddiaeth i'w wraig, Ann, ac ar ei marwolaeth ym 1604 aeth yn ôl i'r goron. Nid oedd gan y teulu Dudley blant ac oherwydd eu dyledion mawr gwerthwyd rhannau helaeth o'r arglwyddiaeth. Ceir disgrifiad o gastell Rhuthun cyn y broses hon mewn arolwg o'r arglwyddiaeth yn y 1540au. Roedd plwm achubadwy o'r castell adfeiledig yng ngofal y dirprwy gwnstabl. Ceid yno 'borthdy a gerddi hardd' ('gatehouse and fayre gardens') a oedd wedi mynd yn ddiffaith. Roedd neuadd a siambrau'r castell wedi'u dinistrio rhywfaint ond roedd y plwm a'r gwaith coed yn yr ystafell lydan a'r seler fawr wedi'u dinistrio'n llwyr; roedd y porth mawr a muriau'r castell wedi'u dinistrio; roedd y ffos yn sych ac yn fas, roedd ... y porthordai a ddefnyddid weithiau fel ysguboriau a stablau mewn cyflwr gwael. Roedd oes aur y castell wedi dod i ben. Er bod hawliau maenoraidd yr arglwyddiaeth yn parhau, a oedd yn cynnwys rheolaeth o gorfforaeth Rhuthun, roedd y grym gwirioneddol bellach yn nwylo'r sefydliadau brenhinol a sirol newydd.

Corfforaeth

O fewn y fwrdeistref, pentreflys yr arglwyddiaeth oedd y sefydliad tebycaf i gorff cynrychioliadol yn y fwrdeistref. Penodwyd pymtheg o reithwyr yn yr un modd â chwnstabliaid bwrdeistrefol y bedair stryd fel o'r blaen. Nid oes unrhyw dystiolaeth o'r gorfforaeth Duduraidd wedi goroesi, ond byddai wedi cynnwys prosesau a fyddai'n galluogi bwrdeisiaid i ethol rheithgorau. Ym 1496 cofnodir mai Reginald Cardinal oedd maer Rhuthun, ond ni wyddys fawr ddim am yr henaduriaid, sef rhai o brif swyddi'r gorfforaeth. Maent yn ymddangos gyntaf ym 1558, pan etholwyd Humfrey ap Robert ap Howell a Robert Turbridge. Ni cheir unrhyw gyfeiriad at henaduriaid yn rholiau llys oes Elizabeth hyd at ddiwedd ei theyrnasiad. Mewn rhestr o swyddogion sirol a adroddwyd i Gyngor Cymru a'r Gororau ym 1574, cynrychiolir Rhuthun gan feilïod yn unig. Ni ddaethpwyd o hyd i unrhyw ddogfen sy'n nodi ffurf y gorfforaeth nac yn rhoi hawl iddi gael dau henadur, sef yr hyn a oedd yn arferol o dan y Stiwartiaid.

Ym marn Gabriel Goodman, absenoldeb corfforaeth a swyddogion bwrdeistrefol oedd yn bennaf gyfrifol am ddirywiad masnachol a thlodi trigolion Rhuthun erbyn 1601 '([Ruthin] ... had greatly decayed in trade ... to the great loss and impoverishment of the inhabitants'.) Gofynnodd am gymorth yr Ysgrifennydd Gwladol, Syr Robert Cecil, i sefydlu corfforaeth yn y dref.

'Prif dref farchnad y Dyffryn' ('The greatest mercat towne of the Vale')

Croesai priffordd drwy Rhuthun, sef hen lwybr y pererinion o Dŷ Ddewi i Dreffynnon. Cynhelid marchnadoedd grawn a defaid pwysig yn Rhuthun ac yn ôl Camden, hi oedd 'prif dref farchnad y Dyffryn, yn llawn o bobl ac adeiladau' ('the greatest mercat towne of the Vale full of inhabitants and well replenished with buildings'). Roedd y Dyffryn yn fan cyfarfod i'r sawl a oedd yn magu ac yn codi anifeiliaid a'r defnyddwyr a phorthmyn, ac awgryma Powell mai dyma oedd i gyfrif am fentergarwch trigolion y Dyffryn. Hefyd, ceid cyfleoedd i werthu cynnyrch y llaethdy yng Nghaer. Cynhyrchai'r dolydd menyn 'porfa ffres', menyn 'gwellt gaeaf' a gwerthid cawsiau am 3d i 6d yr un.

Parhaodd y diwydiant brethyn yn Rhuthun hyd at yr unfed ganrif ar bymtheg. Diwydiannau cartref oedd nyddu a gwehyddu ond roedd lliwyddiaeth, cneifio a phannu yn digwydd ar raddfa masnachol a thrigai lliwyddion yn Rhuthun. Roedd ffair Rhuthun yn lle pwysig ar gyfer gwerthu brethyn a gwerthwyd brethyn Cymreig yn ffeiriau a marchnadoedd Cymru yn uniongyrchol i'r defnyddwyr neu fasnachwyr teithiol. Yn y lle cyntaf, cludwyd mwyafrif y brethyn i Groesoswallt ar gefn ceffyl ac mae Caroline Skeel wedi adrodd sut y daeth dilledwyr o'r Amwythig i gymryd drosodd y fasnach yn raddol, wrth i ffermwyr o Gymru a'u merlynod gario bwndeli o frethyn i'r Amwythig. Dirywiodd y farchnad ar ôl 1508, a sefydlodd yr Amwythig fonopoli i bob pwrpas yn y gwaith o orffennu a marchnata brethyn o ogledd Cymru. Hyd y dyddiad hwnnw, gwerthwyd brethyn i brynwyr mor bell i ffwrdd â Sir Gaerhirfryn a Sir Gaer, ond erbyn diwedd teyrnasiad Elizabeth I, roedd oes aur y diwydiant brethyn wedi dod i ben.

Ffynnodd y diwydiannau crefft a daeth y diwydiant lledr yn bwysig iawn. Gwerthodd y teulu Exmewe, teulu amlycaf y diwydiant lledr yn ystod yr Oesoedd Canol, eu buddiannau i'r teulu Goodman ym 1518/9, ac aethant hwythau ati i ychwanegu at eu hystadau yn Stryd Mwrog. Erbyn 1548 roeddynt yn berchen ar bedwar tir bwrdais a dwy ardd mewn dau glwstwr ym mhen dwyreiniol y stryd ar hyd y ffordd a arweiniai i farchnad Rhuthun. Lleolid un clwstwr ar yr ochr ddeheuol gan roi mynediad i afon Clwyd, a'r llall ar yr ochr ogleddol ger Ffrwd Arfon.

O'r lleoliadau hyn roedd modd iddynt gysylltu'n agos â'r fasnach wrth i grwyn a lledr gael eu cludo i mewn ac allan o'r dref. Hefyd, rheolai teuluoedd eraill megis y Salesburiaid, Thelwalliaid, Ashpulliaid a'r Moyleiaid ardal o diroedd bwrdais yn Llanfwrog ym 1579. Cystadlai barceriaid Rhuthun â theuluoedd amlycaf Rhuthun, ac roedd buddiannau'r teulu Goodman yn flaenaf. Defnyddid cryn dipyn o'r lledr gan gryddion Rhuthun; rhoddwyd siarter i urdd y cryddion gan yr arglwydd ym 1496, ac fe'i hadnewyddwyd gan Warwick. Roedd gan urdd y cryddion 42 aelod ym 1592 ac roedd yn hawlio breintiau yn arglwyddiaeth Rhuthun. Gallai'r urdd gosbi ei haelodau a byddai'n ymdrechu i gynnal ei hawdurdod yn erbyn crefftwyr o'r tu allan, y deuai nifer mawr ohonynt i farchnadoedd a ffeiriau Rhuthun. Rheolid pob agwedd ar weithgareddau busnes yr aelodau; roedd yn rhaid i weithwyr teithiol weithio yng nghartrefi eu meistri yn hytrach nac yn eu cartrefi eu hunain. Cyfyngai hyn ar nifer y cryddion y gellid eu cyflogi gan bob meistr. Roedd cryddion Rhuthun yn ddigon cefnog i sefydlu pencadlys i'r urdd yn Sgwâr y Farchnad erbyn dechrau'r ail ganrif ar bymtheg.

Ar ddiwedd y ganrif, credai Gabriel Goodman fod economi'r dref yn dangos arwyddion o galedi; efallai bod hyn oherwydd y dirywiad yn y diwydiant gwehyddu. Anfonodd y dref ddeiseb at iarlles Warwick yn gofyn am ostwng trethi'r dref ac ym 1601, cefnogodd Gabriel Goodman gais y dref. Ymddengys fod 'Decayes of Ruthin', gostyngiad yn nhrethi'r dref a barhaodd hyd at y ddeunawfed ganrif, yn deillio o'r ddeiseb hon.

Y Diwygiad

Yn sgil y diwygiad Protestannaidd, dilewyd nifer o nodweddion cred ac arferion a gawsant eu cymryd yn ganiataol am ganrifoedd a chefnogwyd hyn gan arweinwyr lleol. Dyrchafwyd statws y teulu Goodman a daeth Gabriel Goodman yn gymeriad amlwg iawn. Roedd yn ysgolhaig yn ogystal ag yn ŵr eglwysig, a bu'n cynorthwyo â'r gwaith o gyfieithu'r Beibl i'r Gymraeg. Fel Deon Westminster a chyfaill mynwesol i'r teulu Cecil, un o deuluoedd amlycaf y llys brenhinol ar ddiwedd oes y Tuduriaid, llwyddodd i ddefnyddio ei gyfoeth a'i ddylanwad i gynorthwyo ei dref enedigol.

Wrth ystyried sefyllfa lewyrchus Goodman, dylid cofio hefyd am yr ochr arall i'r geiniog. Cofnodwyd 151 gweithred yn erbyn Catholigion Pabyddol yn Rhuthun a'r cymunedau amgylchynol rhwng 1581 a 1624, ond roedd eu niferoedd yn lleihau. Un o'r rheini a arhosodd yn deyrngar i'w ffydd oedd aelod olaf y teulu Exmewe. Roedd Elizabeth Exmewe yn lleian Dominiciad ym Mhriordy Dartford, a ddiddymwyd ym 1539. Ym 1555 roedd yn byw gyda chyn-leianod eraill yn Walsingham ac ym 1555 daeth yn lleian-sylfaen y priordy a ailsefydlwyd yn King's Langley. Ym 1558 adfeddiannwyd adeiladau Priordy Dartford gan y lleianod ac aeth hithau ac eraill i fyw yn alltud ym 1559 ar esgyniad Elizabeth i'r orsedd. Ym 1573 hi oedd un o'r ddwy leian o Dartford a oedd yn dal i fyw yn Bruges. Ym 1578, cipiwyd y ddinas gan y Calfiniaid ond llwyddodd i oroesi a bu fyw i weld adfer y ffydd Babyddol yno ym 1583. Bu farw ym 1584 ac fe'i claddwyd ag anrhydeddau llawn y Dominiciaid. Roedd yn wraig o Ruthun a fu farw ymhell oddi cartref ac a ddangosodd ddewrder a dycnwch cymeriad y byddai unrhyw gymuned yn ymfalchïo ynddo.

Diddymiad

Dinistriodd y diwygiad goleg Sant Pedr. Cyn iddo gael ei ddiddymu, roedd gan bedwar o'r chwe offeiriad olaf enwau Cymraeg a Chymro oedd y prior olaf, sef Hugh ap Ieuan. Pan ddiddymwyd y coleg roedd ganddo incwm o £51 2s 0d.

Daeth un o swyddogion y Goron i ymweld â'r coleg. Sylweddolodd fod bywyd crefyddol Rhuthun yn dibynnu ar yr eglwys ac argymhellodd y dylai dau o offeiriaid yr eglwys gymryd cyfrifoldeb bob un am eglwysi Sant Pedr a Llanrhudd, ac y dylid talu amdanynt gan ddefnyddio incwm y coleg drwy godi tâl ar unrhyw berchennog yn y dyfodol. Ym 1550, diddymwyd y coleg ac fe'i disodlwyd gan ddau swyddog cyflogedig yn y ddwy eglwys blwyf. Dyna sut yr ariannwyd yr eglwys newydd yn y cyfnod wedi'r diddymiad ac er nad oedd yr incwm yn hael roedd yn ddigonol, gan dderbyn bod y gymuned yn barod i'w gefnogi. Arhosodd adeilad yr eglwys dan reolaeth yr eglwys, ac eithrio cangell y coleg, a ddaeth i feddiant y Goron, a symudodd y gynulleidfa i'r corff deheuol lle'r arhosodd byth ers hynny.

Adferiad

Ym 1551, gwasanaethai Thomas Hughes fel offeiriad yn Sant Pedr a Robert ap Maddockes yn Llanrhudd, ill dau yn gyn-offeiriad y coleg. Ym 1560 parhawyd i dalu cyflog dau gaplan ac erbyn 1577 roedd dau gaplan a dau offeiriad cyflogedig.

Erbyn y 1570au, adwaenid periglor Sant Pedr fel warden, arwydd o statws. Yn eironig ddigon, roedd yr offeiriad cyntaf a dderbyniodd y gydnabyddiaeth hon yn fab i gyn-brior. David Lloyd ydoedd hwnnw, sef mab David Yale, prior Sant Pedr ym 1535, ac ŵyr o bosibl i David Yale, y prior rhwng 1510 a 1519. Yn y cyfnod yn dilyn y diwygiad, ym mlynyddoedd cyntaf oes Elizabeth, roedd cryn lewyrch ar yr eglwys yn Rhuthun ac mae'n ddiau fod dylanwad arweinwyr cymunedol lleol megis y teulu Goodman yn rhannol gyfrifol am y llwyddiant hwnnw.

Y seiliau newydd

Ym 1589, prynodd Gabriel Goodman safle'r hen goleg, 'all that College, site, enclosure and precinct, lately the College of the collegiate church of St. Peter in the town of Ruthin'. Yn ogystal, prynodd ddygymau Rhuthun a Llanrhudd a'r hyn a oedd i bob pwrpas yn endid cyfreithiol y coleg a'i holl hawliau. Daeth ei waddoliadau yn etifeddion cyfreithiol y coleg a phenododd pennaeth un o'r gwaddoliadau hynny, Ysbyty Crist, yn warden gan ddefnyddio un o deitlau gwreiddiol pennaeth y coleg – gardiani (warden).

Sefydlwyd Ysgol Rhuthun (Ruthin School) tua'r flwyddyn 1574 gan Goodman ac fe'i hailwaddolwyd ym 1595. Yn ogystal â darpar-offeiriad, addysgwyd gwŷr lleyg a oedd yn chwennych addysg uwch drwy ddod yn hyddysg mewn Groeg a Lladin. Daeth yr ysgol yn adnabyddus am ei hysgolheictod clasurol. Talai bechgyn o Ruthun a Llanelidan 4d yn unig wrth gofrestru a derbynient addysg am ddim o hynny ymlaen. Graddiwyd y ffioedd ar gyfer disgyblion eraill ac roedd y tlotaf yn eu plith yn talu pris caws bob chwarter. Prin iawn yw'r dystiolaeth am unrhyw ddarpariaeth addysgol arall yn yr ardal; cyflogai Thelwalliaid, Plas y Ward, diwtor yn negawd olaf oes y Tuduriaid fel nifer o deuluoedd bonedd eraill y cyfnod.

Sefydlwyd Ysbyty Crist gan Goodman ym 1590 ar gyfer deg dyn a dwy fenyw, pob un ohonynt yn ddibriod a dros 50 oed. Roedd y menywod yn gyfrifol am y gwaith golchi ac am ofalu am gleifion a thlodion yr ysbyty. Rhaid oedd iddynt ymgymryd â gwaith proffidiol a darparwyd llaethdy er mwyn rhoi cyflenwad o lefrith iddynt. Gwaddolwyd Ysbyty Crist gan ran o ddygymau Rhuthun a Llanrhudd, esgob Bangor oedd y llywydd a rheithor Rhuthun oedd y warden. Derbyniai trigolion yr elusendai lwfansau tanwydd ac arian a rhoddion o ddillad gan leihau beichiau rhai o dlodion y dref.

Yn ddiau, roedd hon yn ymgais benderfynol, drefnus a thrylwyr i ailsefydlu'r coleg o safbwynt ei swyddogaethau a'i nodweddion ffisegol. Ail-luniwyd y coleg fel sefydliad a oedd yn perthyn i'r dadeni ag iddo eglwys Brotestannaidd, ysgol ac elusendai. Ni lwyddodd yr un dinesydd arall, na chynt na chwedyn, i achosi'r fath newidiadau yn Rhuthun ag y gwnaeth Gabriel Goodman.

Gabriel Goodman

Rhuthun yn y Cyfnod Modern Cynnar

Gareth Evans

Canwyd clodydd Rhuthun ym 1695 fel 'prif farchnad a thref mwyaf poblogaidd y Dyffryn' ('the greatest market and the most popular town in the Vale'). Fe'i hystyrid yn 'dref lewyrchus' ('thriving town'). Ffynnai masnachwyr unigol; roedd rhai o deuluoedd y dref yn amlwg y tu hwnt i'r ardal leol; ac adeiladodd rhai o deuluoedd bonedd yr ardaloedd gwledig dai trefol. Daeth y ganrif i ben ar nodyn gwell na'r disgwyl i Ruthun. Rai degawdau ynghynt, roedd y dref ei hun yng nghanol helyntion y Rhyfel Cartref, gwelwyd milwyr ac ymladd ar y strydoedd a chafwyd ymweliad gan y brenin a fyddai'n colli ei goron a'i ben yn ddiweddarach.

Arhosodd cynllun y dref ar ffurf anheddiad hir a chul, wedi'i chau i mewn gan hen derfynau amddiffynnol pydredig, ac ymestynnai o Town End i eglwys Llanfwrog â chanolbwynt masnachol ar ben bryn Rhuthun yn Sgwâr y Farchnad a'r strydoedd cyfagos. Adeiladwyd Neuadd y Sir newydd ym 1663, yn rhannol o gerrig cangell eglwys Sant Pedr a ddymchwelwyd, ac fe'i defnyddiwyd fel neuadd y farchnad yn Sgwâr y Farchnad. Mae mwy o ffynonellau hanesyddol ar gael ar gyfer y cyfnod yn dilyn adorseddu'r frenhiniaeth, gan ein galluogi i gael gwell darlun o'r gweithgaredd yn Rhuthun a chael cipolwg ar fywydau'r bobl gyffredin.

Poblogaeth

Yr unig amcangyfrif cyfoes am faint y boblogaeth yw hwnnw a roddir yng nghyfrol yr ysgolhaig a'r teithiwr, Edward Lhuyd, Parochalia, sy'n nodi bod 395 o dai yn Rhuthun a 1,876 o drigolion. Ar sail cyfrifiadau y dreth aelwyd, un o brif drethi cyfnod y Stiwartiaid a delid gan drigolion am bob aelwyd yn y cartref, roedd 348 o gartrefi a tua 1,653 o bobl yn byw yn y dref. Yn dilyn adferiad y frenhiniaeth, mae'n debyg fod y boblogaeth yn tyfu'n raddol. Ar sail y dystiolaeth brin sydd ar gael, cyfartaledd y disgwyliad oes oedd tua 50 oed, ond caiff y cyfrifiadau eu drysu gan fylchau yn y cofrestri plwyf, y nifer helaeth o gyfenwau cyffredin, a'r tadenwau Cymraeg.

Dengys y cofrestri plwyf fod cymuned Rhuthun yn wynebu heriau blynyddol yn sgil prinder bwyd, achosion rheolaidd o afiechydion difrifol, cyfraddau marwolaethau babanod uchel a chyfraddau genedigaethau uchel o rhwng pedwar a chwech i bob cwpl. Ym mhlwyf Sant Pedr, Rhuthun, amrywiai cyfradd marwolaethau babanod rhwng 230/1,000 ym 1646 a hyd at 750/1,000 ym 1685; ond cafwyd blwyddyn waeth ym 1616, pan gyrhaeddodd y gyfradd 800/1,000.

Cysylltid ffawd y gymuned yn agos iawn â blwyddyn y cynhaeaf. Fel arfer, gwelwyd cyfnod o gladdedigaethau isel o fisoedd Mehefin i Hydref, o'r tymor ŵyna a'r cynhaeaf gwair i'r cnwd grawn. O fis Tachwedd i fis Mai roedd y gyfradd claddedigaethau yn uchel; yn ystod cyfnodau o dywydd gwael, syrthiai'r gwanaf yn y gymdeithas a byddai eraill yn dioddef yn sgil deiet gwael ac weithiau cyflenwad bwyd annigonol.

Ym 1622-1624, cafwyd cynaeafau gwael yn Rhuthun. Methodd y cynhaeaf yn dilyn gaeaf mwyn; cynyddodd nifer y claddedigaethau ym mis Gorffennaf 1623 wrth i gyflenwadau bwyd y flwyddyn flaenorol ddod i ben. Yn ystod y gaeaf, arweiniodd y tywydd gwael iawn at nifer fawr o gladdedigaethau ym misoedd Chwefror 1623-24. Ymddengys fod cynhaeaf cynnar 1624 yn llwyddiant ond mae'n bosibl i'r cynhaeaf nesaf fethu. Ym 1638-40, 1689 a 1697-1699 methodd y cynhaeaf yn rhannol. Roedd y gymuned yn aml ar ymyl tlodi ac yn amlach na pheidio yn gaeth iddo.

Ym 1670 roedd afiechyd yn Rhuthun. Llifai elifiant ac isgynhyrchion diwydiannol, ynghyd â dŵr o'r cartrefi, i'r nentydd a gyflenwai ddŵr yfed y dref. Llwyddai rhai tai i dynnu dŵr o'r acwifferau o dan y dref. Cofnodir bod gweithwŷr yn gweithio darnau o bren ('bareing and workeing') ar gyfer pwmp yn nhafarn y Llew Gwyn. Ychwanegai marchnadoedd a ffeiriau at y llygredd a gorchmynnodd y gorfforaeth y dylid glanhau'r strydoedd at y sianeli a phentyrru'r sbwriel a phenodwyd casglwyr sbwriel i'w clirio. Roedd y sefyllfa yn rhemp ar gyfer lledaenu heintiau ac weithiau caewyd sefydliadau a rheolid y busnesau bwyd er mwyn ceisio atal heintiau rhag lledu.

Wrth edrych ar y cofrestri priodas, mae'n bosibl adnabod y newydd-ddyfodiad i drefi Sir Ddinbych. Roedd 27 y cant o'r holl briodasau yn cynnwys o leiaf un partner a hanai o'r tu allan i'r dref ac roedd rhwng chwarter a hanner yr holl fedyddiadau yn cynnwys o leiaf un rhiant a oedd wedi ymfudo i'r dref. Gwelwyd cryn dipyn o symud ymhlith y boblogaeth wrth i bobl ymfudo'n gyson o'r wlad i'r dref ac, i raddau llai, o'r dref yn ôl i'r wlad.

Edrychiad y Dref

Tai bychain unllawr a chanddynt un aelwyd a simnai a geid yn y dref yn bennaf. Ar wasgar ymhlith y tai bychain hyn, safai tai mwy o faint a oedd yn eiddo i'r bwrdeisiaid cyfoethocach. Roedd towyr llechi yn llawer mwy niferus na thowyr gwellt yng nghofnodion y plwyf, felly byddai gan y rhan fwyaf o'r tai newydd doeau llechi, ond roedd to gwellt ar rai adeiladau pwysig megis Melin Caerfallen. Wrth osod y llechi, arferai'r towyr ddefnyddio sylwedd llysieuol megis mwsogl, techneg a ddefnyddid gan yr ystadau mawrion. Adeiladwyd rhai tai o frics; ym 1689, craswyd 50,000 o frics ar safle a oedd yn eiddo i'r teulu Myddelton yn Rhuthun. Er bod tai ffrâm bren yn parhau i gael eu codi, adeiladodd y Myddeltoniaid a'r Thelwalliaid dai cerrig drud.

Gosodwyd wensgot (paneli pren) mewn rhai ystafelloedd, ond erbyn y cyfnod hwn roedd plastr yn dod yn fwyfwy cyffredin a gwelwyd mwy o waith plastr addurniadol a gwell inswleiddio. Defnyddid calch ar y waliau mewnol ac allanol gan roi gorffeniad llyfnach a chryf. Prynid blew ar gyfer y mortar, ac roedd y cartrefi mwy ffasiynol yn ffafrio blew geifr gwynion. Ym 1683 talwyd £6 i blastro tŷ cyfan yn Rhuthun ac oherwydd bod digonedd o galchfaen ar gael, gosodwyd lloriau cerrig caled yn y tai. Roedd golchiad lliw yn rhad a gan fod modd ei ddefnyddio ar y rhan fwyaf o arwynebau, roedd yn boblogaidd iawn.

Erbyn 1640 ceid digon o balmentydd ar rai o strydoedd Rhuthun i gynnig gwaith i dri palmentwr. Mae'n debyg i'r palmentydd gael eu hadeiladu o bren ond gosodwyd cerrig yn yr ardaloedd prysuraf megis yn rhannau o Sgwâr y Farchnad. Erbyn 1685 ceid palmentydd ar y rhan fwyaf o strydoedd yng nghanol y dref ac ym 1695 bu'n rhaid ffensio palmentydd newydd i'w hamddiffyn rhag 'certi a thryweli' ('carts and trowels'), tystiolaeth efallai o'r cynnydd yn nifer y certi.

Mae rhestr o reithorion y pentreflys ym 1640 yn rhoi manylion am alwedigaethau'r bwrdeisiaid, ac wrth ei chyfuno â chofnodion y dreth aelwyd, ceir darlun da iawn o weithgaredd economaidd a chymdeithasol pob stryd.

Yn Stryd y Castell, a oedd yn cynnwys Sgwâr y Farchnad a Stryd y Prior, y lleolid y farchnad a'r llys. Roedd tri o bedwar masnachwr cyffredinol (mercers) y dref yn byw yma ac roedd y stryd yn cynnwys tai mawrion y bonedd, megis Tŷ Exmewe a Nantclwyd y Dre, a sawl tafarn. Gweithiai mwyafrif y bwrdeisiaid, 24 ohonynt i gyd, yn y diwydiannau crefft a masnach.

Yn Stryd Clwyd y lleolid nifer o dai'r bonedd ac yma hefyd y cofnodwyd y nifer mwyaf o alwedigaethau amrywiol ymhlith y bwrdeisiaid, sef 18. Roedd hon yn briffordd bwysig yn cysylltu Sgwâr y Farchnad ag ardal Hiraethog a'r holl ardaloedd i'r gogledd o Ruthun. Roedd yma 48 o fwrdeisiaid, yn cynnwys dau dafarnwr a chwe theulu bonheddig a oedd yn byw ochr yn ochr â 22 o fasnachwyr a chrefftwyr. Yn ôl cofnodion y dreth aelwyd roedd 75 o dai yn Stryd Clwyd, 18 ohonynt yn cynnwys dwy aelwyd neu ragor a 32 o dai un-aelwyd a ystyrid yn rhy dlawd i dalu'r dreth.

Roedd Welsh Street yn cynnwys mwy o fasnachwyr nag unrhyw stryd arall. Ymhlith y 62 o fwrdeisiaid, ceid masnachwr cyffredinol (mercer), dilledydd, trafaeliwr, pedwar pedler, dau gigydd, gwerthwr gwydr, yn ogystal â chriw o deilwriaid a thri tafarnwr. Roedd hefyd yn gartref i yswain a deuai'r stryd i ben yng nghanol y wlad lle trigai nifer o iwmyn. Ceid yno 136 o dai; roedd gan 29 ohonynt fwy nag un aelwyd ac roedd 81 o'r gweddill wedi'u heithrio rhag talu'r dreth. Dyma'r stryd fwyaf poblog gan adlewyrchu cymeriad yr ardaloedd gwledig helaeth yn Llanrhudd a ymgorfforwyd yn y dref.

Stryd Mwrog oedd maestref ddiwydiannol Rhuthun. Denodd glannau Ffrwd Arfon y crefftwyr hynny a oedd angen dŵr i wneud eu gwaith. Yma y lleolid prif waith lledr y dref ac roedd yn gartref i saith o farceriaid, naw menigwr a thri chrydd, ynghyd â nifer o grefftwyr eraill, gan roi cymeriad unigryw i'r ardal. Dyma'r unig rhan o'r dref lle'r oedd un grŵp diwydiannol yn y mwyafrif, a byddai rhai o'u plith wedi bod yn dlawd iawn. Roedd 45 o fwrdeisiaid yn y ward ac, ym 1664, roedd yno 91 o dai, 83 ohonynt yn cynnwys un aelwyd yn unig, gan awgrymu eu bod yn dai bychain yn bennaf, ac roedd 53 o'r rhain yn rhy dlawd i dalu'r dreth.

Llywodraeth y Dref

Prif sefydliadau cenedlaethol Rhuthun, sef llys y Sesiwn Fawr a'r ynadon heddwch a eisteddai yn y Llysoedd Chwarter, a oedd yn gyfrifol am weinyddu deddfwriaeth genedlaethol, gweithredu'r gyfraith droseddol a derbyn tystiolaeth a honiadau gan uchel reithgorau a swyddogion lleol am faterion lleol. Roeddynt hefyd yn ymdrin â thwyll ac anghysonderau ariannol. O 1663 ymlaen, cynhaliwyd y sesiynau yn adeilad newydd Neuadd y Sir yn Sgwâr y Farchnad. Ar lefel leol, gwasanaethid yr ardal gan gorfforaeth fwrdeistrefol a thri phlwyf.

Adroddwyd am gwynion lleol gan uchel reithgorau bwrdeistrefi Rhuthun a Holt, ynghyd â bwrdeistref Dinbych hyd at ganol y 1660au. Yn Rhuthun, dewiswyd uchel reithgor y fwrdeistref gan yr henaduriaid a byddai'n ymdrin yn bennaf â phryderon am ddiffygion yn ffyrdd, palmentydd a phontydd y dref, problemau yn ymwneud â'r farchnad, gwerthu cwrw heb drwydded, gwrthod glanhau ffosydd, gwaredu sbwriel yn y stryd, cadw tafarndai afreolus, llygru'r afon gan y diwydiannau lledr a thorri rheolau yn ymwneud â'r Sabath. Roedd yr uchel reithgor hefyd yn amddiffyn brentiau'r gorfforaeth: yn atal camddefnydd o'r marchnadoedd, masnachu gan unigolion nad oeddynt yn fwrdeisiaid, gosod siopau ar brydles i unigolion nad oeddynt yn fwrdeisiad a chadw mesuriadau ffug. Ymddangosodd mab crydd gerbron yr uchel reithgor am wrthod dilyn crefft ei dad. Ceisiai'r uchel reithgor reoli meddwdod a gorfodi'r cyrffyw a chyhuddwyd y teiliwr John ap Richard o darfu ar yr heddwch gyda'r nos ('a night walker and a disturber of the peace').

Achosai tlodion di-waith bryder arbennig i reithgorau'r fwrdeistref. Awgryma amlder yr achosion pan ymddangosodd 'tlodion segur' ('idle poor') a 'chardotwyr crwydrol' ('wandering beggars') fod y dref yn denu tlodion o'r ardaloedd gwledig. Cyhuddwyd John Jones o Lanfwrog o gynnig lloches i gardotwyr crwydrol a gosod bythynnod i gardotwyr dieithr. Ystyrid segurdod yn fater moesol a beirniadwyd y tlodion yn gyson am eu 'meddwdod a'u hymddygiad segur annioddefol' ('debauchery and insufferable idle behaviour').

Gallai trefi fod yn llefydd treisgar; hawdd iawn oedd colli tymer ac roedd hunan-reolaeth yn brin. Yn 1604 bu brwydr nerthol a gwaedlyd ar strydoedd Rhuthun. Roedd y rhan fwyaf o'r achosion treisgar yn deillio o oryfed a cheid cyflenwad digonol o alcohol yn y tafarndai a amgylchynai'r marchnadoedd a'r ffeiriau. Defnyddid cosb er mwyn cadw trefn, a byddai'r sawl a gafwyd yn euog o ddwyn fel arfer yn cael ei gosbi trwy ei chwipio'n gyhoeddus yn ystod oriau'r farchnad.

Sefydlwyd cyweirdy yn Rhuthun erbyn 1660, â chanddo feistr a phedwar rhingyll. Cyrhaeddai'r carcharorion ar ôl iddynt gael eu trosglwyddo o un cwnstabl plwyf i'r llall, megis y fam ddi-briod a drosglwyddwyd o Wrecsam i wneud llafur caled hyd nes y gellid cwblhau trefniadau i warchod ei phlentyn, gan osgoi gosod baich ar blwyf Wrecsam. Unwaith y byddai'r bobl ddrwgdybiedig wedi'u dal, nid oedd unrhyw sicrwydd y byddai modd eu cadw yn y ddalfa. Gadawodd un swyddog carchar sirol, 'ceidwad carchar cyffredin' ('the keeper of the common gaol'), y carcharorion yn rhydd fel y gwelai yn dda heb warant ac roedd yr arfer o gludo carcharion ar draws y sir hefyd yn rhoi cyfle ychwanegol iddynt ddianc.

Arglwyddiaeth Rhuthun

Yn dilyn marwolaeth Anne, Iarlles Warwick, ym 1604 dychwelodd arglwyddiaeth Rhuthun i'r goron ac fe'i gwerthwyd i Syr Francis Crane ym 1634. Gwerthwyd y castell ac eiddo eraill ar wahân i Syr Thomas Myddelton o Gastell y Waun ym 1632 a phrynodd ei fab, Syr Thomas Myddelton, yr arglwyddiaeth ei hun ym 1677. Gwerthwyd rhannau helaeth o'r arglwyddiaeth eisoes cyn 1634, achoswyd difrod pellach i'r castell adfeiliedig yn ystod gwarchae'r Rhyfel Cartref ac fe'i dinistriwyd gan y Werinlywodraeth, cyn dod yn chwarel yn y pen draw.

Pentreflys yr arglwyddiaeth a oedd yn llywodraethu corfforaeth Rhuthun i bob pwrpas. Llywyddwyd drosti gan ddirprwy stiward, brodor o Ruthun yn ddieithriad, ac aelod dylanwadol o'r gorfforaeth, a ymboenai am fuddion yr arglwyddiaeth a'r fwrdeistref a oedd yn annatod glwm.

I'r pentreflys hon, gwysiwyd rheithgor y fwrdeistref sef 13 neu 15 o fwrdeisiaid a swyddogion yr heddwch. Roedd yn rhaid i aelodau'r cyhoedd fynychu'r achosion ac ym 1640, daeth 188 o fwrdeisiaid i'r pentreflys. Yno yr etholwyd swyddogion cyhoeddus yr arglwyddiaeth a dewiswyd henaduriaid Rhuthun fel arfer ym mhentreflys y Pasg, pan fyddai rheithgor y fwrdeistref yn cyflwyno dau fwrdeisiad i'w penodi'n henaduriaid ar gyfer y flwyddyn ganlynol. Rhwng 1640 a 1654 cytunodd yr holl fwrdeisiaid i'w penodiad ac eithrio ym 1645, y flwyddyn pan gipiwyd Rhuthun gan filwyr y Seneddwyr, pan wrthododd Gabriel Goodman, bonheddwr, a William Roberts, barcer, wasanaethu a chawsant ddirwy o £10 yr un. Yn y pentreflys, byddai mân gwnstabliaid pedwar ward Stryd y Castell, Welsh Street, Stryd Clwyd a Stryd Mwrog yn tyngu llw a phenodwyd y cwnstabliaid, rhingyllod, arolygwyr y farchnad a'r crïwr tref gan yr henaduriaid a'r cyngor cyffredin. Derbyniwyd bwrdeisiaid newydd yn y pentreflys ac roedd Rhuthun ymhlith dim ond chwe bwrdeistref yng Nghymru lle gellid penodi bwrdeisiad drwy hawl genedigaeth neu brentisiaeth.

Corfforaeth Rhuthun

Ystyriai comisiynwyr dinesig 1508 mai siarter brenhinol Harri VII oedd sail gyfreithiol y gorfforaeth. Cyhoeddodd James I breinlythyrau yn diffinio hawliau'r henaduriaid, ond ni ddaethpwyd o hyd i unrhyw siarter neu gyfarwyddyd gan y goron yn sefydlu'r henaduriaid na ffurf y gorfforaeth, sef dau henadur a chyngor cyffredin o 'un-ar-bymtheg dyn', yn unol â'r drefn yng nghyfnod y Stiwartiaid. Ym 1834 roedd swyddogion y gorfforaeth fel a ganlyn: dau henadur, 16 dyn blaenllaw, pedwar rhingyll, dau arolygydd marchnad, un criwr tref, a phedwar cwnstabl. Etholwyd yr henaduriaid yn flynyddol gan reithgor ym mhentreflys Gŵyl Fihangel, dewiswyd aelodau'r cyngor cyffredin gan yr henaduriaid; rhaid oedd iddynt fod yn fwrdeisiaid gan awgrymu cryn barhad â threfn y gorfforaeth yng nghyfnod y Stiwartiaid.

Derbyniodd y gorfforaeth dollau marchnad a ffeiriau, ffioedd gan fwrdeisiaid newydd a thollau rheolaidd gan y bwrdeisiaid a thrigolion. Amrywiai'r incwm rhwng £5 a £23. Roedd gwariant arferol Rhuthun yn cynnwys achlysuron seremonïol, talu am loches i'r tlotyn achlysurol, costau rheithwyr y fwrdeistref yn llysoedd Wrecsam a chynnal siambr y cyngor ac adloniant, mater costus bob amser. Yn ystod y Rhyfel Cartref, roedd y gwariant yn cynnwys costau cynnal milwyr.

Henaduriaid Rhuthun

Yr henaduriaid oedd swyddogion pwysicaf y dref ac roeddynt yn gyfrifol am gasglu trethi'r sir a dewis y cyngor cyffredin. Diffiniwyd eu hawdurdod cyfreithiol mewn llythyr gan James I ym 1606. Fe'u penodwyd hefyd yn ynadon heddwch y dref: 'Ye and no other take upon you the Governance and Ordering of all matters that concern this peace.'

Cryfhawyd safle'r henaduriaid yn y dref mewn perthynas â swyddogion lleol eraill. Y nod mae'n debyg oedd ceisio egluro awdurdod yr henaduriaid, ond roedd y sefyllfa mor aneglur ag erioed yn sgil y llythyr hwn. Anfonwyd ail lythyr at stiward a chofiadur yr arglwyddiaeth yn gofyn iddynt rybuddio'r ynadon heddwch i beidio ag ymyrryd â materion o fewn y dref ac i gynorthwyo'r henaduriaid yn ôl yr angen. Achosodd hyn ddryswch parhaus gan arwain ynadon y sir i gymryd camau cyfreithiol.

I bob bwrdeisiad, roedd cael eu penodi'n henadur yn uchafbwynt o ran uchelgais gymdeithasol. Yn aml, roedd yr henaduriaid yn fonheddwyr amlwg yn y sir. Rhwng 1660 a 1690, roedd 20 o blith y 56 henadur yn aelodau o haen gymdeithasol uchaf y sir. Dewiswyd Syr John Salusbury a Syr Thomas Myddelton, a fu'n gwasanaethu ym 1681/82, oherwydd bod y gorfforaeth yn ceisio adfer ei hawl i ethol Aelodau Seneddol.

Y cyngor cyffredin

Dewiswyd y cyngor cyffredin gan yr henaduriaid a byddent fel arfer yn ailbenodi mwyafrif aelodau'r cyngor cyffredin a oedd yn ymddeol. Roedd gwasanaethu ar y cyngor cyffredin yn ffordd bwysig o gael dyrchafiad cymdeithasol. Ym 1681 roedd aelodau'r cyngor yn cynnwys un yswain, wyth bonheddwr, tri gwerthwr cyffredinol (mercer), un masnachwr, un tafarnwr ac un bragwr. Ymhlith swyddogaethau'r cyngor cyffredin roedd codi trethi, dethol mân swyddogion – ar y cyd â'r henaduriaid, a chosbi anufudd-dod. Roedd hefyd yn fforwm cyhoeddus lle gellid dangos awdurdod y gorfforaeth dros fwrdeisiaid a swyddogion.

O 1660 ymlaen, rhoddwyd hawl i'r cyngor cyffredin reoli'r holl drethi a godwyd gan y gorfforaeth i'w defnydd ei hun. Derbyniwyd bwrdeisiaid gan y pentreflys neu'r henaduriaid yn unig. Gan mai'r bwrdeisiaid oedd etholwyr sedd seneddol bwrdeistrefi Dinbych, daeth hyn yn fater pwysicach ac ymunodd arglwyddi Rhuthun ag arglwyddi Dinbych a Holt i greu nifer mawr o fwrdeisiaid newydd. Ym 1679, gwelwyd cynnydd enfawr yn nifer y bwrdeisiaid a dderbyniwyd i ddiben etholiadol ac ym 1692 gweithredodd y cyngor cyffredin pan wrthododd rhai bwrdeisiaid allanol newydd dalu rhai o gostau'r gorfforaeth a derbyniwyd masnachwyr o'r tu allan heb ganiatâd y cyngor.

Ceid dau swyddog arall hefyd, sef cofiadur a chlerc y dref a ymddangosodd gyntaf ar 15 Mai 1680.

Y mudiadau masnach a chrefft

Ym 1678 roedd gan Ruthun bum cwmni masnach neu grefft: gwerthwyr cyffredinol (mercers), menigwyr, barceriaid, cryddion a gwehyddion, a restrwyd yn ôl eu cyfraniadau i'r ardoll gorfforaethol. Roedd y cwmnïau yn weithgar trwy gydol yr ail ganrif ar bymtheg gan ddwyn achosion yn erbyn masnachwyr a oedd wedi mynd yn groes i hawliau'r bwrdeisiaid. Ym 1693, rhoddodd y gorfforaeth gymorth i glirio costau cyfreithiol y gwerthwyr cyffredinol (mercers), groseriaid a haearnwerthwyr wedi iddynt ddwyn achos yn erbyn unigolion o'r tu allan a agorodd siop yn Rhuthun.

Economi

Yn ystod yr ail ganrif ar bymtheg, canolbwyntiai economi'r dref ar dri prif weithgaredd: mewnforio a gwerthu nwyddau na ellid eu cynhyrchu'n lleol, a oedd yn cynnwys gwerthwyr cyffredinol (mercers), groseriaid, dilledwyr, apothecarïaid a gwinwyr; darparu gwasanaethau i'r gymuned wledig, a roddai gyfleoedd i gyfreithwyr, athrawon ysgol a thafarnwyr; a'r hyn a oedd yn cyflogi'r nifer mwyaf o bobl, sef prosesu nwyddau crai amaethyddol, gweithgaredd a arweiniodd at dwf y fasnach lledr a thecstilau. Trwy ailburo cynnyrch lleol rhoddid cyfleoedd i entrepreneuriaid drefnu'r fasnach a datblygu marchnadoedd allanol.

Ymhlith y gweithwyr eraill ceid adeiladwyr tai (seiri, towyr llechi, towyr gwellt a seiri maen), proseswyr bwyd (cigyddion a phobyddion) a masnachwyr a chrefftwyr nwyddau haearn (gofaint, hoelwyr a haearnwerthwyr). Hefyd, roedd gan y dref grefftwyr arbenigol i ateb y galw lleol am wneuthurwyr watshis a gofaint aur. Islaw'r rhain ceid nifer mawr o brentisiaid a labrwyr a mwy fyth o weithwyr heb dir na chrefft.

Sylfaen yr economi drefol oedd prosesu nwyddau crai amaethyddol megis pren a chrwyn a chofnodir 66 barcer a 34 gweithiwr yn y diwydiant tecstilau yng nghofnodion corfforaeth Rhuthun o blith 265 masnachwr a chrefftwr, sef dros un rhan o dair o'r cyfanswm. Cofnodir cyfanswm o 37 galwedigaeth, 3 yswain, 41 bonheddwr, 23 iwman, 3 ysgolfeistr, 5 clerc, 5 gwaedwr cleifion, 14 gwerthwr cyffredinol (mercer), 5 apothecari, 12 cigydd, 1 dilledydd, 2 winwr, 1 pobydd, 4 tafarnwr, 1 cariwr, 9 barcer, 35 menigwr, 20 crydd, 9 gwehydd, 3 lliwydd, 13 teiliwr, 9 gwneuthurwr ffelt, 2 gyfrwywr, 12 gof, 1 haearnwerthwr, 1 hoeliwr, 1 gof aur, 4 saer coed, 5 saer dodrefn, 3 töwr llechi, 2 gowper, 2 gof gynnau, 2 ganhwyllwr, 1 gwneuthurwr mygiau, 2 arddwr, 1 botymwr, 2 gerddor a 6 labrwr.

Marchnadoedd

Roedd y marchnadoedd a gynhelid ddwywaith yr wythnos, ddydd Llun a dydd Gwener, yn parhau i gael eu defnyddio i werthu bwyd a chynnyrch lleol yn bennaf. Roedd y farchnad fwyd yn agored i bob cynhyrchydd, ond nid oedd gwerthu gan ryngfasnachwyr, ac eithrio rhai busnesau arbenigol megis cigyddion, yn cael eu groesawu. Deuai pobl y wlad i werthu ei cynnyrch yn y marchnadoedd gan ddefnyddio'r arian i brynu nwyddau gan fasnachwyr a chrefftwyr y dref. Rheolid y marchnadoedd gan y gorfforaeth a oedd yn gosod swyddfeydd y farchnad; gosodwyd y cyfan o dreth y farchnad ym 1687 am £16 y flwyddyn, a dengys prydlesoedd swyddfeydd marchnadoedd eraill y math o nwyddau a werthwyd: crwyn, menyn, caws, gwlân, grawn a blawd ceirch. Dengys cyfrifon grawn teulu Thelwall Plas y Ward ym 1681 a 1682 fod gwerthiant pys, gwenith, barlys, rhyg a cheirch yn fwy nag £80, ac aeth £17 o'r cyfanswm hwnnw drwy'r farchnad.

Cafodd yr eiddo agosaf at y farchnad eu rhannu a disodlwyd y tai gan dafarndai. Cynhaliwyd llysoedd ar loriau uchaf y Neuadd Sir newydd, a godwyd ym 1663 yng nghanol Sgwâr y Farchnad, ond defnyddid y llawr gwaelod fel neuadd farchnad gan gigyddion Rhuthun a lleolid y farchnad lysiau rhwng Neuadd y Sir a'r eglwys. Bu llys yr arglwyddiaeth, neu Pendist, yn gartref i siopau er oes y Tuduriaid, ond ni chafodd yr adeilad ei gynnwys yng ngwerthiant yr arglwyddiaeth ym 1634, oherwydd mai yno y cynhelid y llysoedd a holl gyfarfodydd cyhoeddus y Goron. Cafodd adeilad arall gerllaw, a adeiladwyd gan Hugh Myddelton i gartrefu rholiau a thystiolaethau'r brenin, hefyd ei gadw gan y Goron. O ddiwedd yr ail ganrif ar bymtheg ymlaen, agorwyd mwy o siopau yn Pendist ac yn y pen draw cafodd y llys ei symud i fan arall.

I'r de-orllewin o Sgwâr y Farchnad safai Tŷ Exmewe, cartref y teulu Goodman, a oedd wedi gadael Rhuthun i ddod yn dirfeddiannwyr erbyn canol yr ail ganrif ar bymtheg, a dioddefodd yr adeilad hwn dynged debyg i Pendist yn y pen draw. Erbyn 1675 roedd y tŷ yn gartref i dafarn John Price, sef y King's Head, ynghyd â deg o denantiaid yn cynnwys haearnwerthwr, gwerthwr cyffredinol (mercer), barbwr, groser a chigydd a gof yn y 'tiroedd bwrdais', siopau a seleri. Ar ddiwrnod marchnad, codwyd stondinau yn y strydoedd y tu allan i'r adeiladau a byddai'r holl ardal i'r de o Sgwâr y Farchnad yn fwrlwm o weithgaredd.

Ffeiriau

Ffeiriau oedd prif unedau masnachol yr ail ganrif ar bymtheg. Roeddynt yn crynhoi'r defnyddwyr i un lleoliad ac yn gwneud y gwaith o gludo nwyddau swmp o bellter yn hyfyw. Gwerthai masnachwyr Rhuthun eu nwyddau i fasnachwyr y pentrefi a'r gwerthwyr crwydrol a byddent yn prynu nwyddau gan werthwyr o Loegr. Roedd y ffeiriau yn gyfle i gyfnewid syniadau a newyddion ac roeddynt hefyd yn denu diddanwyr teithiol.

Cynhelid tair ffair Rhuthun ar y Pentecost, 20 Medi a 31 Hydref, ond honnid bod ffair a gynhelid ym mis Gorffennaf, sef Sampson Epis neu'r 'Ffair Wen', wedi dod i ben. Roedd gan teulu'r Wynniaid o Wydir feddwl mawr o'r ffeiriau ac roeddynt yn denu pobl o dalgylch eang, yn cynnwys rhannau isaf Dyffrynnoedd Clwyd a Chonwy a'r ucheldiroedd rhyngddynt, a theithiai'r prynwyr o Langollen a Chaer.

Siopau

Datblygodd unedau adwerthu y tu allan i'r marchnadoedd hyn – nifer ohonynt yn anghyfreithlon – ond roedd eraill yn gyfreithlon, megis apothecarïaid, na ellid cyfyngu eu masnach i oriau'r farchnad. Datblygodd ystafell arbenigol – y siop. Math o weithdai oedd y 'siopau' y cyfeiriwyd atynt yn gyntaf, ond erbyn cyfnod y Stiwartiaid daethai siopau yn debyg iawn i siopau'r ugeinfed ganrif. Roedd y siop yn aml iawn yn ychwanegiad cul i flaen adeilad, ac felly byddai mynedfa i'r briffordd. Caewyd y siop o'r stryd gan gaeadau, a fyddai'n troi'n fyrddau neu gownteri wrth eu cau er mwyn i'r cwsmer gynnal ei fusnes o'r stryd. Weithiau byddai crefftwyr yn troi ystafell fewnol yn ffatri neu'n warws. Datblygodd ymdeimlad o farchnata wrth i ffenestri weiren gael eu defnyddio i arddangos nwyddau ac ychwanegid silffoedd i arddangos mwy o nwyddau. Defnyddid cownteri i gasglu arian a chyfrif biliau.

Ychwanegid at yr anawsterau masnachu gan ddiffyg arian parod. Daeth yr arfer o gyfnewid neu ffeirio nwyddau yn angenrheidiol a thelid rhai o dollau arglwyddiaeth Rhuthun mewn nwyddau, megis y tollau grawn, hyd at ganol y ganrif. Drwgfathwyd a thociwyd arian bath er mwyn ceisio goresgyn y broblem a daeth yr arfer o wystlo yn bwysicach. Defnyddiwyd dulliau mwy cyfreithiol gan rai masnachwyr unigol, yn cynnwys tri o Ruthun, a byddent yn dosbarthu tocynnau y gellid eu cyfnewid am nwyddau yn eu siopau. Fodd bynnag, yn dilyn cyflwyno arian cyffredinol a gwahardd ffurfiau eraill o arian bath ym 1672, rhoddwyd y gorau i gynhyrchu rhagor o docynnau.

Yn sgil y fasnach â Llundain, roedd arian parod yn symud o hyd a daeth y porthmyn a'r cariwyr yn ddefnyddiol i gludo darnau arian gwerthfawr. Roedd credyd rhwng masnachwyr yn gyffredin a hefyd rhwng y masnachwyr â'r holl gwsmeriaid. Arferai'r masnachwyr gadw llyfrau siop yn cynnwys manylion y credyd a roddwyd i gwsmeriaid a masnachwyr eraill. Pan aeth Edward Thelwall o Blas y Ward yn fethdalwr ym 1677, dangosodd y llyfrau siop hyn fod ganddo ddyled i nifer o fasnachwyr Rhuthun ymhlith eraill.

Diwydiannau

Y diwydiant lledr

Lleolid diwydiant lledr Rhuthun ym mhen gorllewinol y dref ac yn Llanfwrog o bobtu Ffrwd Arfon a ger ei fan cyfarfod ag afon Clwyd. Cymerodd teuluoedd blaenllaw'r dref ddiddordeb yn y diwydiant lledr yn gynnar iawn ac awgryma'r dystiolaeth brin am farceriaid cyfnod y Stiwartiaid eu bod yn garfan fechan, weddol ddylanwadol, nad oeddynt yn hynod o gyfoethog, a bod trefniadaeth y fasnach yn nwylo'r bonedd. Roedd diddordeb Thelwalliaid Plas y Ward yn y diwydiant yn parhau ac roedd ganddynt 'takeinges house' ar Stryd Mwrog ym 1678. Cyflogai un o farceriaid Rhuthun dri o ddynion a morwyn. Roedd chwarter asedau Richard Key, barcer o Ruthun, ar ffurf crwyn ffres mewn pyllau calch, ond roedd ganddo hefyd fuches laeth fechan, gostus, a thafarndy.

Dengys rhestr o gyfraniadau'r cwmnïau masnach a chrefft i'r gorfforaeth ym 1678 fod y barceriaid yn cyfrannu hanner y cyfanswm a dalwyd gan y menigwyr a'r cryddion ac mae'n ddiau bod hyn yn adlewyrchu safle'r barceriaid yn Rhuthun.

Prynai'r rhan fwyaf o'r cryddion ledr wedi'i brosesu nad oedd yn hawdd ei adwerthu. Roedd rhai ohonynt yn dlawd iawn ac yn eu plith roedd rhai o'r unigolion hynny a eithriwyd rhag talu treth yr aelwyd. Arallgyfeiriodd eraill gan ddod yn berchnogion tafarndai neu'n landlordiaid trefol bychain. Sefydlodd yr urdd ei phencadlys yn Sgwâr y Farchnad ar ddechrau'r ail ganrif ar bymtheg a dengys cofrestr yr urdd fod nifer yr aelodau wedi aros yn weddol gyson yn ystod canol y ganrif.

Y diwydiant brethyn

Daeth y diwydiant brethyn yn bwysig yn Rhuthun o'r bymthegfed ganrif ac roedd lliain yn bwysig hyd at ddiwedd y ddeunawfed ganrif. Pobl dlawd iawn oedd mwyafrif y gwehyddion ac roedd yr offer a ddefnyddid ganddynt yn rhad. Roedd gan Robert ap David fwy nag un wŷdd a oedd yn costio £1 yr un. Gallai gwehydd brynu ei offer am lai na £1 ac o wario £2 ychwanegol gallai brynu'r defnydd i wneud ei wlanen gyntaf. Byddai angen gwerthu'r wlanen cyn prynu'r defnydd ar gyfer y nesaf. Yn wir, byddai angen i lawer o grefftwyr werthu eu nwyddau gorffenedig cyn prynu'r defnyddiau crai ar gyfer y cynnyrch nesaf.

Mae'n bosibl fod perchnogion defaid, yn enwedig y rheini a oedd yn ffermio ar raddfa fechan, yn nyddu eu hedafedd eu hunain. Crefftwyr is eu statws oedd mwyafrif y nyddwyr neu roeddynt yn weision ac roedd offer nyddu a chyflenwad o wlân neu edafedd ym meddiant pobl ar draws y gymdeithas. Gwaith gwragedd, merched a morynion oedd nyddu fel arfer, ac fe'i hystyrid yn weithgaredd eilaidd i'w wneud ar ôl cwblhau pob gorchwyl arall.

Cludwyd y rhan fwyaf o'r brethyn yn syth i'r Amwythig ar gefn anifeiliaid, pedair gwlanen i bob anifail. O'r Amwythig, anfonwyd y brethyn ar gefn ceffylau pwn i Lundain. Mae'n debyg fod gwerthwyr cyffredinol (mercers) hefyd yn gweithredu fel rhyngfasnachwyr yn y fasnach hon. Dim ond y brethyn garwaf a ddefnyddid yn lleol. Fel arfer, câi hwn ei liwio ac yna'i werthu yn y marchnadoedd a'r ffeiriau lleol. Nid oedd llawer o liwyddion yn y dref a daethant yn gyfoethog yn fuan iawn; roedd y lliwydd John Davies wedi gwneud digon o arian i brynu ystad fechan yng Nghlocaenog.

Gwnaed y rhan fwyaf o'r dillad o frethyn garw lleol, ond roedd gan y gwerthwyr (mercers) symiau sylweddol o frethyn ar eu llyfrau, rhywfaint ohono yn ddrud. Gwisgai'r bobl gyfoethog ddillad isaf o liain, ond dillad isaf sidan a ffefrid gan y cyfoethocaf un. Ar eu traed gwisgent esgidiau neu fwtias o ledr lleol. Roedd un bonheddwr o Ruthun yn berchen ar ddwy siwt ond roedd moethion o'r fath y tu hwnt i fodd y mwyfrif. Roedd gan Maurice Griffith, mân-werthwr, un pâr o esgidiau, un hen bâr o drowsus ac un siwt, y cyfan gwerth 4s 6d.

Byddai teiliwriaid yn gwneud dillad i gwsmeriaid a fyddai'n darparu eu brethyn eu hunain. Roedd Thomas Evans, yr unig deiliwr a oedd yn berchen ar ddillad, yn trwsio hen ddillad ac roedd ganddo ddillad newydd o frethyn a gostiodd ddim mwy nag 1s 6d. Addurnwyd y dillad â sidan, calico a chalico sglein ('glased Callico').

Y gofaint

Yn sgil y defnydd cynyddol a wnaed o geffylau ac ychen i gludo pobl a nwyddau yn ystod y ganrif, crëwyd nifer o gyfleoedd i ofaint. Roedd y gof Robert Jones yn rhedeg gwesty a oedd yn cynnig llety, bwyd a diod, ac roedd cartrefi nifer o ofaint yn cynnwys nifer mawr o welyau a byrddau ac amrywiaeth eang o gyfleusterau bragu. Dyma lefydd delfrydol i'r ffermwyr gwledig orffwys yn Rhuthun gan roi cyfle iddynt hefyd fwynhau sgwrs â gof cyfeillgar. Yn eu tro, byddai'r gofaint yn cyfarfod teithwyr a masnachwyr ac yn casglu gwybodaeth ddefnyddiol ar gyfer eu busnes.

Masnachwyr

Y gwerthwyr cyffredinol/brethyn a sidan (mercers)

Roedd y gwerthwyr cyffredinol neu'r gwerthwyr brethyn/sidan yn amlwg iawn ym myd masnach a gwerthent frethyn yn bennaf, a manion gwnïo a sbeis hefyd. Byddent yn prynu gan sawl ffynhonnell, o werthwyr yn Llundain, o'r marchnadoedd a ffeiriau gwledig niferus yr oeddynt yn eu mynychu, o grefftwyr lleol ac o borthladdoedd gogledd Cymru a Chaer. Caer oedd prif ffynhonnell dau o werthwyr brethyn Rhuthun: ym mis Hydref 1681, mewnforiodd John Price 600 llath o ffris Gwyddelig ar fwrdd y 'Providence' ac ym 1702 roedd Nathaniel Edwards yn un o bartneriaid llong yr 'Orangeflower of Chester'.

Prif fusnes y gwerthwyr oedd adwerthu i gwsmeriaid unigol a chyfanwerthu i nifer o drafaelwyr gwledig, tafarnwyr ac ambell i werthwr llai. Roedd gan John Price, gwerthwr brethyn a sidan, deirgwaith gymaint o frethyn garw rhad â'r gweddill gyda'i gilydd. Roedd hwn yn frethyn ymarferol, a ddewiswyd oherwydd ei wydnwch a'i gryfder, ac a werthwyd mewn sawl lliw cysefin ac is-liwiau. Dyma'r hyn roedd pobl yn gofyn amdano.

Ffynnodd y gwerthwyr brethyn a sidan trwy arallgyfeirio. Roedd John Price yn berchen ar dafarn y King's Head yn Sgwâr y Farchnad. Roedd hefyd yn gwerthu deunyddiau ysgrifennu a llyfrau; roedd ganddo 182 o lyfrau o 24 math gwahanol, marchnad a ddatblygodd efallai yn sgil Ysgol Rhuthun (Ruthin School). Daethant yn rhyngfasnachwyr a gallent fod yn werthwyr haearn fel John Price, un a chanddo 'barsel o haearn' ('a parcell of iron') yn pwyso 126 pwys yn ei gegin a 342 pwys o hoelion. Talodd masnachwr arall o Ruthun dros £223 am 50 canpwys o blwm i stiward ystad Wigfair ym 1678.

Y cigyddion

Roedd nifer o gigyddion yn y dref ac ni chaent unrhyw drafferth i brynu stoc gan fod digonedd o ddefaid, gwartheg, dofednod a moch yn y dyffryn. Roedd y cigydd, William John Lewis, yn ddigon cyfoethog i fenthyg dros £407, swm mawr iawn, a oedd yn deilwng o'r gwerthwyr brethyn a sidan.

Rhaid oedd i'r cigyddion gyfyngu eu gwerthu i oriau'r farchnad ac i lawr isaf Neuadd y Sir, er mwyn cydymffurfio â'r rheoliadau. Yn ystod y Werinlywodraeth, cyfnod a ddisgrifiwyd fel 'amseroedd heintus' ('these infectious times'), gorchmynnwyd uchel gwnstabliaid y sir i reoli cigyddion. Yr ynadon a oedd yn gyfrifol am reoli prisiau. Ym 1632 daeth dau o gigyddion Rhuthun o flaen eu gwell am iddynt brynu cig gan gigyddion y wlad a'i werthu eto yn y farchnad ar yr un diwrnod ('buying flesh of the country butchers and selling it again ye same market day'). Prynodd un gŵr o Glocaenog gig dafad yn neuadd y farchnad Rhuthun a'i werthu yn ôl i'r un cigydd y diwnod hwnnw! Roedd rhai cigyddion yn berchen ar dafarndai neu fragdai, megis Robert Williams, perchennog tafarn y Bull yn Rhuthun.

Cadw tafarndai

Gwelwyd twf sydyn yn y diwydiant diodydd ym Mhrydain o ddiwedd yr unfed ganrif ar bymtheg. Sefydlodd crefftwyr â chyfleusterau bragu eu hunain fel bragwyr cymunedol. Arferai'r gof Thomas Roberts godi tâl ar ei gymdogion am ddefnyddio ei offer. Crefftwyr a masnachwyr oedd perchnogion y tafarndai yn bennaf ac ym mis Gorffennaf 1672, roedd tafarnwyr trwyddedig Rhuthun yn cynnwys saith gwerthwr cyffredinol, dau of, dau fenigwr, dau iwman, llawfeddyg, cigydd, barcer a bonheddwr. Dyna oedd galwedigaeth nifer o wragedd gweddw hefyd, megis Mary vch (ferch) Humphrey o Ruthun. Cadwai crwner y sir, Richard Evans o Ruthun, dafarn hefyd a cheid rhai crefftau lle'r oedd tafarndy yn ychwanegiad atyniadol i'r prif waith.

Byddai gan nifer o gartrefi offer bragu elfennol. Roedd gan y cartrefi cyfoethocaf, megis yr apothecari Richard Gooden, fragdy ar wahân yn ogystal â chyflenwadau o frag a barlys. Gwerthid cwrw yn bennaf fesul chwart (dau beint). Dwy geiniog oedd pris chwart o gwrw ac roedd 'gwario grôt' (pedair ceiniog) yn ddisgrifiad o sesiwn yfed tra oedd gwario dwy geiniog yn eithaf arferol yn ystod ymweliad achlysurol â'r dafarn.

Nid oedd y tafarndy cyffredin yn fawr mwy nag ystafell syml mewn tŷ preifat a oedd yn gwerthu alcohol. Un o'r rhain oedd cartref Symon Shurlocke, tŷ preifat a oedd dan ei sang o letywyr lle gweinid prydau bwyd yn ogystal â chwrw.

Pryderai'r awdurdodau ynghylch y tafarndai a'r gweithgareddau a chynllwynion amheus a oedd ynghlwm yn eu cylch a'u cwsmeriaid. Hawdd iawn oedd cael enw drwg, megis Edward Bithel o Lanrhudd, gwerthwr cwrw, y credid ei fod yn cadw tŷ amharchus ('evell fame'). Ceisiodd yr awdurdodau drwyddedu'r tafarndai hynny a ystyrid yn barchus yn unig, ond heb fawr o lwyddiant. Methiant hefyd fu eu hymdrechion i orfodi mesuriadau cywir yn y tafarndai. Ym 1648 ceisiodd yr awdurdodau gyflwyno rheolau llai amlwg trwy gyfyngu ar nifer y bragwyr a chyfyngu felly ar y cyflenwad o ddeunydd crai.

Tafarndai

Yn ystod yr ail ganrif ar bymtheg gwelwyd llawer mwy o deithio a chyflwynwyd gwasanaethau coetsis rheolaidd rhwng y prif drefi. Er bod ffyrdd gogledd Cymru yn drafferthus i'w tramwyo roeddynt yn addas ar gyfer traffig y cyfnod, sef ceffylau pwn, mulod a cheffylau'r rheini a oedd yn gallu eu fforddio a thraed y tlodion, ond yn ystod y gaeaf roedd y ffyrdd yn aml yn wael ac weithiau ar gau. Roedd amseroedd teithio yn faith; ym mis Medi 1658 pan aeth y teulu Myddelton o Gastell y Waun dros rostiroedd Hiraethog i Wydir er mwyn ymweld â'r wyres newydd, cymerodd y daith ddeuddydd i'w chwblhau.

I'r rheini nad oedd ganddynt ddewis ond tramwyo'r ffyrdd ar droed, roedd eu gorwelion yn llawer mwy cyfyng. Ym 1683 roedd yn cymryd diwrnod cyfan i deithio o Ruthun i Wrecsam a byddai'r daith gyfan yno ac yn ôl yn cymryd deuddydd. Roedd angen neilltuo deuddydd i gerdded i'r Amwythig neu ddiwrnod ar gefn ceffyl. I'r mwyafrif, byddai ymweliad â Wrecsam wedi bod yn brofiad anghyffredin.

Ymddangosodd rhwydwaith o dafarndai ar hyd y ffyrdd gan gynnig cyfle i deithwyr dorri eu siwrne a threulio'r noson. Dechreuodd y llysiau a'r etholiadau ddenu'r bonedd i'r trefi am resymau cymdeithasol. Datblygodd tafarndai mawrion â stablau cysylltiedig gan ddod â ffyniant newydd i dafarnwyr, ostleriaid a chariwyr. Canolid y diwydiant hwn yn y trefi a dengys arolwg ym 1686 fod 129 o 'westai' ('guesthouses') (ystafelloedd o bosibl) yn Rhuthun. Chwyddai'r boblogaeth pan gynhelid y llys a'r ffeiriau a defnyddid pob lle gwag i gynnig llety i bawb.

Cynigid llety o wahanol ansawdd i fodloni anghenion pobl o bob modd. Roedd Edward Hackman yn rhedeg tafarndy syml ar Stryd y Ffynnon, a oedd yn cynnwys cegin a thair ystafell â gwelyau ar y llawr gwaelod. Nid oedd ganddo unrhyw gyfleusterau bragu. Roedd y llety syml yn rhan o'r dafarn. Ar yr haen nesaf, ceid gwestai busnes lle gwasgwyd gwelyau i bob gwagle. Yn nhŷ y gof Robert Jones, defnyddid chwech o'r saith ystafell yn ystafelloedd gwely a phump ohonynt ar gyfer cysgu yn unig, ond roedd Jones hefyd yn fragwr a chanddo gyflenwad o gwrw. Pedair ystafell wely a oedd gan John Price, gwinwr o Ruthun, ac roedd ganddo welyau yn y parlwr a'r parlwr bach, yn ogystal â phedwar yn y nenlofft. Roedd hefyd yn berchen ar wartheg a moch ac felly cynhyrchai rhywfaint o'i fwyd ei hun. Nid oedd cyfleusterau iechydol yn unrhyw un o'r tafarndai uchod.

Y gwerthwr brethyn a sidan o Ruthun, John Price, a oedd yn berchen ar y tafarndy mwyaf crand. Yn y King's Head a leolwyd yn Exmewe House yn Sgwâr y Farchnad ceid tair ar ddeg ystafell wely â fframiau gwely – a oedd yn llawer gwell na gwely cyffredin sef matras ar y llawr, gwahanol gelfi ac un ar ddeg pot dan y gwely. Darperid ystafelloedd derbyn a bwyta ar wahân. Goleuid yr ystafelloedd gyda'r nos a'r bore yn y gaeaf gan bedair ar ddeg canhwyllbren. Roedd yno hefyd fragdy a dewis da o offer cegin. Rhoddwyd enwau ar bob ystafell wely, megis 'Flower of the line' a 'Plume of feather', ac roedd ynddynt fwrdd, carpedi, cadeiriau lledr, drych, cwpwrdd bwyd, hen stand, ffrâm wely a gwely trol. Roedd byd o wahaniaeth rhwng y gwesty hwn â chyfleusterau'r tafarndy cyffredin.

Yr ochr arall i Sgwâr y Farchnad, Rhuthun, lleolid tafarn y Llew Gwyn, a agorwyd cyn yr Adferiad gan y gŵr busnes, William Walker, ac a brynwyd gan y teulu Myddelton ym 1678. Ym 1694 neilltuwyd y llawr gwaelod yn bennaf ar gyfer ystafelloedd derbyn, coginio a bwyta ond defnyddid yr ystafell fwyta hefyd fel ystafell wely. I fyny'r grisiau roedd pedair ystafell wely â fframiau gwely a nenlofftydd. Ceir yr argraff nad oedd y gwesty hwn yn cyrraedd safon y King's Head. Dyna oedd barn comisiynwyr y llywodraeth ym 1681. Cynhelid y comisiwn yn y Llew Gwyn ond arhosodd y comisiynwyr ar draws y ffordd yn y King's Head a bu'n rhaid i'r tystion fodloni ar letya gyda gof lleol.

Roedd bwyd yn rhan hanfodol o'r gwasanaeth a gynigid gan y gwestai. Gweinid pryd o fwyd arferol ar bris sefydlog, sef yr hyn a elwid yn bryd 'cyffredin' ('ordinary'). Gellid ychwanegu at y pryd hwn ac archebu pryd 'eithriadol' ('extra-ordinary') ac roedd y Llew Gwyn hefyd yn cynnig adloniant gan y 'musicioners'.

Datblygodd y gwestai wasanaethau ychwanegol; daeth y stablau yn wasanaeth cario a chysylltid y gwasanaethau llogi ceffylau â gwasanaethau coetsh y post. Denodd y gwestai ffermwyr a masnachwyr ac yn fuan iawn daethant yn ganolfannau masnachu cyfreithlon ac anghyfreithlon. Canolbwyntiai gwestai unigol ar nwyddau penodol ac roedd gan un gwesty yn Rhuthun storfa ar gyfer brethyn ac un arall ar gyfer menyn. Datblygodd y gwestywyr ganolfan gref er mwyn dylanwadu ar fasnach breifat, a daeth y gwestywr yn ddyn pwysig iawn. Daeth y gwestywr Thomas Dixon yn henadur a denodd ei holl gysylltiadau a'i ddylanwad nifer o fasnachwyr. Ym 1682 roedd y gwestywyr yn ddigon dylanwadol i ddileu swyddog tollau'r fwrdeistref.

Y gweithwyr proffesiynol

Roedd gan Ruthun apothecarïaid, barbwyr a gwaedwyr cleifion, meddygon ac ysgolfeistri. Ac eithrio'r apothecarïaid, nid oedd y garfan fechan hon yn ymdoddi'n hawdd ym mywyd cymdeithasol ac economaidd y dref. Roeddynt wedi derbyn safon addysg uwch na'r masnachwyr a'r crefftwyr, ond ni chawsant eu derbyn ychwaith fel bonheddwyr.

Roedd yr apothecarïaid yn wŷr busnes o sylwedd ac roedd rhai ohonynt yn berchen ar ystadau mawrion a oedd cystal bob tamaid ag eiddo'r gwerthwyr brethyn a sidan mwyaf llwyddiannus. Roedd Richard Gooden yn berchen ar ystad amaethyddol fawr, derbyniai lawer o renti gan ei diroedd a gadawodd gymunroddion sylweddol gwerth £350. Roedd angen adeilad mawr â nifer o ystafelloedd gwahanol ar y apothecarïaid, ac addurnwyd yr adeiladu hyn ag arwyddion. Roedd Richard Gooden yn berchen ar adeilad mawr yn y dref a defnyddiai ei fwtri, bragdy, 'Lladd-dy' a storfa fel ystafelloedd storio a pharatoi. Yn y bwtri cadwai gasgenni, melin a pheiriant turnio. Yn y bragdy cadwai ffon gerwyn ('mashing butt'), bwrdd hir ac offeryn mesur ac yn y 'Lladd-dy' roedd ganddo fesurydd, cistiau i storio perlysiau wedi'u sychu a gwahanol fathau o rawn. Yn y storfa roedd olwynion i falu a chymysgu cynhwysion. Nid oedd yno unrhyw ddarpariaeth ar gyfer cwsmeriaid, felly mae'n bosibl fod Richard Gooden yn ymdrin â hwy trwy ffenestr. Roedd yr ardaloedd paratoi yn breifat, ond fel arfer byddai'r gwaith cymysgu terfynol yn cael ei wneud mewn gweithdy ar y llawr gwaelod lle gallai'r cwsmseriaid wylio trwy'r ffenestr.

Pobl oes y Stiwartiaid yn Rhuthun

Yn ystod yr ail ganrif ar bymtheg, roedd Rhuthun yn gartref i garfan fechan lywodraethol o fonheddwyr, masnachwyr a chrefftwyr a'u teuluoedd, a oedd yn cymryd rhan flaenllaw yn yr economi leol. Ochr yn ochr â hwy, ceid grŵp niferus o fasnachwyr a chrefftwyr y dosbarth canol, adwerthwyr a chrefftwyr medrus yn bennaf, a fyddai'n cynhyrchu ac yn gwerthu eu cynnyrch eu hunain, gan werthu nifer cyfyngedig o nwyddau isel eu gwerth.

I'r dosbarth islaw y rhain y perthynai mwyafrif y boblogaeth ac awgryma'r diffyg tystiolaeth amdanynt nad oeddynt yn berchen ar eu cartrefi eu hunain a'u bod yn byw mewn tlodi affwysol heb fawr o obaith na disgwyliad o dderbyn cymorth. Tlodion oedd rhai ohonynt (yn ddibynnol ar gymorth cyhoeddus), ond roedd eraill, er eu bod yn dlawd, yn gweithio, yn magu teuluoedd ac yn darparu'r gweithlu ar gyfer yr economi leol. Mae'n debyg mai gwir stori Rhuthun yn ystod oes y Stiwartiaid yw'r modd y llwyddodd y tlodion a'r bobl dlawd hyn oresgyn eu heriau beunyddiol.

Y teulu yn oes y Stiwartiaid

Roedd y teulu yn gwbl ganolog i bob agwedd ar fywyd yn yr ail ganrif ar bymtheg. Roedd yn cynnwys pawb a oedd yn byw yn yr un tŷ ac roedd aelodau'r teulu yn amodol ar reolaeth y penteulu, a allai fod yn ŵr neu'n wraig weddw, gan gynnwys prentisiaid a gweision. Gobaith y barcer Richard Parry oedd gweld ei blant yn cyd-fyw ac yn cynorthwyo eu mam, fel o'r blaen: '... earnestlie desire my ... children to cohabite and dwell with theire mother in one familie as formerlie, helping and assisting one another to the best advantage until such time as by divine providence some of them may attain into better stay of livelihood.'

Tlodi

Roedd tua chwarter poblogaeth Rhuthun yn ystod oes y Stiwartiaid yn dlodion a thua chwarter arall yn dlawd. Roedd tlodi yn broblem ddifrifol iawn: roedd y tlodion segur yn dân ar groen mwyafrif y boblogaeth ond eto i gyd, roedd penderfyniad ledled y wlad i gynorthwyo pobl nad oeddynt yn gallu cynnal eu hunain: '[a] determination to sustain men, especially worthy men, who simply could not provide for their own support'. Prawf o hyn oedd ymdrech Gabriel Goodman i sefydlu Ysbyty Crist a gadawodd nifer o drigolion eraill Rhuthun adnoddau i'r tlodion teilwng yn eu hewyllysiau.

Dibynnai'r mwyafrif ar eraill i gael gwaith ac mae'n bosibl iddynt rentu ystafelloedd mewn tai a rennid. Ychydig iawn o gelfi a oedd ganddynt – neu ddim o gwbl – ac eithrio offer cegin. Er bod gan Edward Morgan ddeunyddiau ar gyfer un gwely, nid oedd ganddo ffrâm wely. Mae'n debyg y byddai'n cysgu ar wely plu a osodwyd ar bentwr o wellt i'w gadw'n sych. Roedd Jane ferch Thomas, yn wraig weddw a dilledydd a oedd yn byw gyda'i merch. Roedd ganddi wely plu â gorchuddion a rhai eitemau cegin. Mae'n debyg ei bod yn cadw siop fach lle gwerthai binnau a thecstilau i'w chymdogion. Roedd y crefftwyr bychain a oedd yn gwerthu eu nwyddau eu hunain, megis y cryddion, teilwriaid, cowperiaid, barbwyr a gwehyddion llai, oll yn perthyn i'r garfan hon. Dibynnai'r teiliwr, Anthony Price, ar ei gwsmeriaid i gyflenwi eu brethyn eu hunain ac fe'i disgrifiwyd fel 'elusennwr' ('almsman').

Bwrdeisiaid Rhuthun

Roedd mwyafrif y bwrdeisiaid yn berchen ar rywfaint o adnoddau a dylanwad gwleidyddol, a chredent fod ymddangosiad a pharchusrwydd yn bwysig. Ystyrid bod y rhinweddau hynny a oedd yn cynnal busnes y bwrdeisiaid – cynildeb, cadw cyfrifon cywir a threfn fusnes gyffredinol, yn gwbl groes i afradlondeb.

Gwelwyd rhai ohonynt yn arallgyfeirio, megis Robert Thomas, gwneuthurwyr ffelt. Roedd ei fusnes yn cynnwys holl brosesau'r diwydiant gwlân, yn cynnwys nyddu, ond roedd hefyd yn werthwr glo ac yn berchen ar 'harneisiau gwedd i geffylau dynnu glo' ('gears for horses to carry coles'). Roedd ganddo ddiddordebau amaethyddol hefyd, yn bennaf ffermio âr, ac roedd yn berchen ar heffer a rhywfaint o offer llaethdy. Ar ben hyn i gyd, ef oedd ceidwad cyweirdy Rhuthun. Daeth rhai o'r bwrdeisiaid yn ffermwyr gweddol o faint a thrwy arallgyfeirio byddent yn ymgryfhau'n economaidd.

Dodrefnwyd tai'r bwrdeisiaid â byrddau, rhai stolion a chadeiriau, cypyrddau, cistiau, silffoedd a dodrefn addurniadol arbenigol megis cilfyrddau a chypyrddau bwyd a chistiau droriau. Cawsai'r rhan fwyaf o'r dodrefn eu gwneud yn y cartref a dim ond y celfi mwyaf cymhleth neu drud a fyddai'n cael eu prynu. Addurnwyd yr ystafelloedd a defnyddiwyd piwter i addurno neuadd Thomas ap Robert ap Hugh, cigydd o Lanrhudd. Un o fwrdeisiaid cyfoethocaf Rhuthun oedd Richard Gooden, apothecari, a oedd yn Babydd ac a drigai y drws nesaf i'r Llew Gwyn, gerllaw'r fan lle mae Stryd y Farchnad yn ymuno â Sgwâr Sant Pedr heddiw. Yn ei gartref, a oedd yn cynnwys pedair ystafell ar ddeg, roedd wedi gwasgu pob math o gelfi a nwyddau a oedd gwerth ymron i £112. Roedd yr ystafell fwyta ('dyneing roome') yn llawn iawn ac yn cynnwys 13 cadair ledr ('leather chaires'), dwy gadair wensgod fawr ('two great wainscot chaires') un bwrdd bach ('one litle table'), cwpwrdd ('cupboard'), tri charped ('three carpetts') a charped cwpwrdd ('cupboard carpett'), un drych ('one looking glasse'), 12 o glustogau ('12 cushens') a 19 o luniau a fframiau ('19 pictures and frames'). Roedd yr ystafelloedd gwely yn cynnwys cadeiriau a byrddau a fframiau gwely drud; roedd yna hefyd ystafelloedd ar wahân i'r forwyn ('mayds chamber') a'r gwas ('manservants chamber').

Ceisiodd y bwrdeisiaid cyfoethocaf efelychu arferion y bonedd lleol, ond roedd agweddau tuag atynt yn amwys. Nid oedd pobl o'r tu allan yn sicr sut y dylid ymdrin â hwy. Weithiau byddent yn cael eu galw'n fonheddwyr, weithiau defnyddid 'Mr', ond weithiau defnyddid eu henwau yn unig. Yn dilyn y Rhyfel Cartref, daeth yn anodd i'r bwrdeisiaid cyfoethocaf ffurfio ystadau gwledig mawrion ac roedd mwyafrif yr ystadau trefol yn chwalu wrth i deuluoedd y sir, megis y Williams-Wynniaid a'r Myddeltoniaid, ehangu eu hystadau yn Rhuthun o ddiwedd yr ail ganrif ar bymtheg ymlaen. Denodd y crynhoad o gyfoeth hylifol yn Rhuthun fonedd y sir ac roedd rhyng-briodi yn gyffredin rhyngddynt â'r bwrdeisiaid cyfoethocaf. Diflannodd teulu mwyaf adnabyddus Rhuthun, y teulu Goodman, wrth i'r genhedlaeth olaf, merched i gyd, briodi teuluoedd y bonedd.

Cartrefi

Gweddnewidiwyd cartrefi mwy yn ystod yr ail ganrif ar bymtheg wrth i'r bwrdeisiaid cyfoethocaf fynd ati i godi cartrefi mwy o faint a oedd yn gynhesach a sychach. Disodlwyd yr arfer o fyw'n gymunedol mewn neuaddau amlbwrpas a chrëwyd ystafelloedd a chanddynt swyddogaethau arbenigol a oedd yn cynnig mwy o breifatrwydd. Coginio oedd un o'r swyddogaethau hynny a chrëwyd ceginau ar wahân yn y cartrefi. Mewn tai llai o faint, goroesodd trefn y neuadd ganoloesol lle'r oedd teuluoedd yn byw, coginio a chysgu yn yr un lle.

Roedd gan tai'r bwrdeisiaid rhwng dwy a phum aelwyd. Ceid ystafelloedd bwyta, cynteddau neu barlyrau mewn rhai ohonynt a ddefnyddid i dderbyn gwesteion. Yn nhŷ pedair ystafell y teiliwr John Edwards (a elwid ganddo yn 'blasty' neu 'mansion house'), defnyddid dwy ystafell fel ystafelloedd gwely, roedd y cyntedd yn ystafell dderbyn ac yno y lleolid yr unig aelwyd a gofnodwyd. Byddai'n bosibl i fasnachwr llwyddiannus gynhesu sawl ystafell yn ei gartref ac roedd aelwydydd yn yr ystafelloedd gwely hefyd.

Ymddengys fod pobl yn cysgu ym mhob rhan o'r tŷ, ac eithrio'r cynteddau a cheginau. Darganfuwyd gwelyau mewn mannau pur annisgwyl – mewn seleri, bragdai a stablau. Yng nghartrefi'r cyfoethogion yn unig y ceid ystafelloedd a neilltuwyd ar gyfer cysgu, ac roedd y rhain wedi'u haddurno'n goeth a'u dodrefnu â chelfi drud.

Prin iawn oedd y dodrefn yng nghartrefi'r pobl dlotaf. Dim ond un ffrâm wely, cadair a chist a oedd yng nghartref Richard Griffith o Lanfwrog. Trigai'r tlotaf mewn hofelau dros dro neu mewn ystafelloedd a oedd yn rhan o adeiladau mawrion a isrannwyd. Roedd rhai o'r tai hyn yn adeiladau bregus â simnai cadarn yn cynnal gweddill y tŷ. Yn ystod terfysg, bu'n rhaid i ringyll y gorfforaeth a'r preswylydd guddio mewn simnai gan fod wal y tŷ yn rhy simsan i'w hamddiffyn rhag y cerrig a daflwyd gan yr ymosodwyr.

Gwerth y tai rhent tlotaf oedd rhwng £1 a £5 ac roedd tua traean y gwerth hwn yn cynnwys y tir. Roedd y menigwr, Henry Roberts, yn byw mewn tŷ o'r fath lle defnyddid y neuadd fel ystafell fyw a'r parlwr fel ystafell wely.

Gallai tai'r crefftwyr medrus mwyaf llwyddiannus gostio dros ddeg swllt y flwyddyn i'w rhentu. Roedd y bwrdeisiwr Edward Wormstone yn rhentu ei dŷ am bymtheg swllt. Ar sail y rhent a delid dros gyfnod o ugain mlynedd, roedd tŷ bwrdeisiwr gwerth tua £10 a mwy. Roedd y Tŷ Mawr ('Great House') yn Stryd Clwyd, yn hawlio rhent o bum gini gan roi gwerth o tua £110.

Ym 1681 talwyd ymron i £318 am godi tŷ newydd yn Rhuthun. Costiodd yr adeilad hwn yr un faint ag adeilad newydd Neuadd y Sir a adeiladwyd yn Sgwâr y Farchnad ar ddechrau'r 1660au ar gost amcangyfrifedig o £300.

Addysg

Diolch i Gabriel Goodman, roedd gan Ruthun ysgol ramadeg lwyddiannus. Yn dilyn y Rhyfel Cartref, ceisiodd y Piwritaniaid gael gwared ag unrhyw 'ofergoelion' a chredoau traddodiadol o'r ysgolion ac erbyn 1652 sefydlwyd ysgolion newydd ym mhob tref yn Sir Ddinbych. Er i'r wladwriaeth roi'r gorau i ddarparu cymhorthdal ac addysg am ddim ym 1653, parhaodd rhywfaint o ddarpariaeth yn Rhuthun. Sefydlodd yr Ymddiriedolaeth Gymreig (The Welsh Trust), cymdeithas o offeiriad a dyngarwyr yn Llundain, ysgol yn Rhuthun gyda'r nod o ddysgu plant tlotaf Cymru i ddarllen Saesneg. Roedd 40 o blant yn mynychu'r ysgol ym 1675.

Rhwng 1654 a 1655, ychwanegwyd tua 200 o enwau newydd i gofrestr Ysgol Rhuthun. Hanai tua pymtheg ohonynt o Ruthun, yn bennaf o deuluoedd cefnog megis y brodyr Moyle a Greene. Daeth dau arall o deuluoedd masnachwyr neu grefftwyr: roedd Peter Edwards yn hannu o deulu teiliwr cefnog a Peter Shurlock o deulu o farceriaid o Lanfwrog. Mae effaith yr ysgol i'w gweld yn safon gwell y llawysgrifen yn llyfr cofnodion y fwrdeistref, fel y nodwyd gan Tucker.

Nid oedd addysg ffurfiol yn gyfyngedig i'r cyfoethogion yn unig. Honnodd Mary ferch Thomas, merch ddi-briod a morwyn yn nhafarn Symon Shurlock, ei bod 'yn yr ysgol â brawd gwas o Ddinbych' ('she was a school fellow with the brother of a Denbigh servant'), felly roedd dylanwad yr ysgolion yn amlwg yn haenau is yr ysgol gymdeithasol ac roeddynt hefyd yn agored i ferched.

Darparai rhai teuluoedd addysg alwedigaethol i'w plant ac roedd nifer ohonynt yn talu am brentisiaethau, y mwyafrif helaeth ohonynt i fechgyn. Er nad oeddynt yn garfan niferus, gwelwyd rhai prentisiaid anfoddog neu anodd yn dod gerbron Llys y Sesiwn Fawr. Cosbwyd Richard Roberts, cowper, yn fwy hallt byth ar ôl iddo gael ei gyhuddo gan ei feistr o ddwyn indentur prentisiaeth, rhedeg i ffwrdd a thaflu cerrig at ei feistr. Fe'i dedfrydwyd i lafur caled a chwipiad. Byddai'r rhan fwyaf o blant yn gadael y cartref teuluol neu'n dechrau ar brentisiaeth saith mlynedd o hyd pan oeddynt rhwng 12 ac 16 oed, a hyd yn oed cyn hynny byddent wedi bod yn gweithio'n galed i gynorthwyo eu rhieni.

Llythrennedd

Ar sail y dystiolaeth ysgrifenedig o lofnodion neu briflythrennau, neu'r diffyg tystiolaeth, credir bod y bonheddwyr ar y cyfan yn llythrennog a bod aelodau'r garfan broffesiynol oll yn llythrennog, yn ogystal â'r gwerthwyr (mercers). Roedd tri o'r pedwar cigydd yn llythrennog. Tueddai'r crefftwyr cyfoethocaf i fod yn llythrennog ond, ar y cyfan, roedd y crefftwyr tlotaf nad oedd ganddynt fusnesau sylweddol yn anllythrennog. Islaw'r crefftwyr roedd y labrwyr ac roedd pob un ohonynt hwy yn anllythrennog.

Dibynnai llythrennedd menywod ar eu cefndir cymdeithasol. Tueddai gwragedd gweddw bonheddwyr, gwerthwyr (mercers) ac uwch grefftwyr fod yn llythrennog, felly mae'n amlwg i rai menywod dderbyn addysg eithaf tebyg i ddynion o'r un haen gymdeithasol. Roedd twf llythrennedd ymhlith menywod ymron yn union yr un fath ag ymhlith dynion.

Hyd yn oed os oeddynt yn llythrennog, roedd mwyafrif llethol trigolion Rhuthun yn ystod oes y Stiwartiaid yn ddiddarllen. Yn Rhuthun roedd yr holl lyfrau a gofnodwyd yn eiddo i fonheddwr a dau fasnachwr amlwg, sef Richard Gooden, apothecari, a John Price, gwerthwr (mercer).

Trigai rhai cerddorion yn y dref hefyd, megis Thomas Vaughan, 'mucissioner' a William ap Richard, a ddisgrifiwyd fel 'William y drymiwr' ('William the drummer'), a cheir cyfeiriad at feistr dawns ('dancing master') yn y cofnodion plwyf.

Bwyd a diod

Prif ffynhonnell fwyd trigolion y dref oedd y marchnadoedd ac yno gwerthwyd cyflenwad parhaus o fwyd ffres. Roedd prif ymborth y bobl yn cynnwys cynnyrch llaeth (caws a menyn), grawn, gwenith, rhyg, cig, pysgod, dofednod, llysiau a ffrwythau lleol, â ffrwythau sitrws yn achos y cyfoethocaf. Ystyrid cwrw a chaws yn bryd da gan y tlodion, ac i'r rheini a oedd yn gallu eu fforddio, roedd cig a ffrwythau hefyd ar gael. Prif ymborth y Cymry oedd llymru – pryd o lefrith a blawd ceirch.

Rhoddai potsiwyr, ysbeilwyr a chigyddion amatur help llaw i fwydo'r tlodion. Cyhuddwyd Peter Hughes o 'ddinistrio a lladd eog yn afon Clwyd yn y nos, yn ystod adeg silio, yn groes i'r gyfraith' ('he hath in ye night tyme destroyed and killed salmon in the river Cloyd in ye said County in spawning tyme contrary to law').

Storiwyd grawn, gwenith neu ryg mewn nifer o dai ac roedd rhai ohonynt yn storio cig yn y trawstiau gan adael iddo gochi ym mwg y lle tân. Roedd gan eraill gyflenwadau sylweddol o rawn, hopys a brag ar gyfer bragu. Wrth i danau caeëdig ddod yn fwyfwy poblogaidd yn ystod yr ail ganrif ar bymtheg daeth yn haws coginio dros dân agored. Roedd offer ar gyfer 'rhostio a berwi' yn gyffredin ond eiddo'r cyfoethogion yn unig oedd poptai. Defnyddid poptai cymunedol yn y strydoedd a byddai'r perchnogion yn codi tâl am eu defnyddio. Llosgwyd glo, pren a mawn ar y tanau. Oherwydd bod y meysydd glo agosaf cryn bellter i ffwrdd, roedd glo yn ddrud ac yn ôl A. H. Dodd roedd mawn yn danwydd cyffredin yng nghartrefi gorllewin Sir Ddinbych.

Elfen hanfodol o'r ymborth hyd at ddiwedd y bedwaredd ganrif ar bymtheg oedd cwrw, diod maethlon rhad, ac roedd y rhan fwyaf o dai Rhuthun yn agos at dafarn. Arweiniodd y galw am frag rhad a chynhaliol at gynhyrchu cwrw Cymreig unigryw a wnaed o farlys ac a ddisgrifiwyd fel diod 'gludiog, meddwol a chysgadurus' ('glutinous, heady and soporiferous'). Yn Rhuthun, bragwyd 'swash' neu 'sash' drwy dywallt dŵr oer dros rawn poeth a'u heplesu i wneud diod a allai atal afiechydion yn ôl rhai. Cyrhaeddodd diodydd cryfach megis gwinoedd, gwirodydd a licars ogledd Cymru cyn hyn a defnyddiai rhai o'r bonedd werthwyr gwin y dref i gyflenwi eu gwinoedd; roedd un gwinwr yn Rhuthun yn cadw dros 25 galwyn o winoedd a gwirodydd gwahanol a oeddynt oll gwerth dros £3.

Y Rhyfel Cartref a'r Werinlywodraeth

Yn ystod y Rhyfel Cartref (1642-51), safodd tref Rhuthun yn gadarn o blaid y Brenhinwyr. O 1642 ymlaen, cyfarfu Brenhinwyr yn Rhuthun i drefnu ardolldau ar gyfer amddiffyn y dref. Erbyn mis Ebrill 1643 roedd stordy powdwr gwn yn y dref ac yn ddiweddarach sefydlodd y Brenhinwyr Gomisiynwyr Rheng. Arweiniodd Syr Thomas Myddelton ymosodiad ar gastell Rhuthun ar 19 Hydref 1644; gosodwyd garsiwn o 120 o geffylau a 200 o filwyr traed yn y dref. Llwyddodd i gyrraedd y dref ac fe wnaeth ei wŷr meirch erlid ceffyl y brenhinwyr o dan arweiniad y llywodraethwr, y Cyrnol Marcus Trevor, ymron hyd at Ddinbych gan gymryd 24 carcharor. Ciliodd y Capten Sword, yr is-lywodraethwr, i'r castell yng nghwmni 80 o ddynion gan lwyddo i oresgyn Myddelton drwy daflu cerrig a phelenni. Ymgiliodd Myddelton, gan adael 100 o gyrff meirw y tu ôl iddo a dinistriodd y tollbyrth a'r gwrthgloddiau fel nad oedd modd eu defnyddio ('caused the turnpikes and fortifications to be broken down and rendered unserviceable'). Nododd Tucker: 'If the accounts are true there must have been fierce fighting in the streets of the town'.

Ym 1645 roedd amddiffynwyr ar ddyletswydd yn y dref gyda'r nos a rhoddwyd tân a chanhwyllau iddynt gan y gorfforaeth, a dalodd hefyd am 'guides and postes' i'r brenhinwyr nad oeddynt yn gyfarwydd â'r ardal. Ym mis Chwefror 1645 arhosodd y Tywosog Maurice yn Rhuthun lle paratowyd brag arbennig ar gost y fwrdeistref. Yn ystod yr haf 1645 lletywyd milwyr a bresiwyd i'r fyddin yng ngharchar y dref ac roedd y gwaith o atgyweirio tollbyrth y dref yn mynd rhagddo. Rhoddwyd 'siwt o ddillad newydd' ('new suite of cloathes') i'r 'Serjent Walden' a 'losgwyd gan fomiau llaw yn y castell' ('burnt by handgranades in the castle') a thalwyd 4s 6d i'r gof, Robert Jones i drwsio mysgedi yn y castell a chyflenwi powdwr gwn. Bu'r gwaith o gynnal nifer mawr o filwyr o amgylch Rhuthun yn gryn faich ar y trigolion lleol. Cawsant eu gorfodi i gyfrannu yn ôl eu dymuniad ac i fyw dan reolaeth filwrol a lleisiwyd cryn bryder ganddynt am ddyfodol marchnad Rhuthun, ond cawsant wrandawiad llawn cydymdeimlad gan gadlywyddion y brenhinwyr.

Daeth y brenin ar ymweliad â gogledd Cymru yn yr hydref 1646 a ddydd Sul 28 Medi, gorymdeithiodd Charles I trwy Ruthun. Ar 31 Hydref gorymdeithiodd y Pengryniaid i Ruthun ond arhosodd y castell yn nwylo'r Brenhinwyr. Cafwyd ymosodiad arall ar 24 Ionawr 1646 a bu'r castell dan warchae am chwe wythnos hyd at 8 Ebrill. Ildiodd y castell ar 12 Ebrill dan arweiniad yr Uwchgapten John Raignolds, yr is-lywodraethwr. Yn ôl y buddugwr, y Cadfridog Thomas Mytton, roedd yr ymosodiad ar gastell Rhuthun wedi cymryd mwy o amser ac wedi defnyddio mwy o arfau na'r disgwyl ('reducing this castle of Ruthin hath cost me more time and ammunition than I expected').

Crefydd, y seneddwyr, y côd penydiol

Ni cheir unrhyw dystiolaeth bod pobl yn anfodlon â'r grefydd sefydliedig yn Rhuthun cyn gorchfygiad y Brenhinwyr. Aeth y Seneddwyr ati i ddiarddel gweinidogion anghydymdeimladol ac yn Rhuthun, diswyddwyd y warden, Dr. David Lloyd, ym 1650. Oherwydd diffyg swyddogion addas bu'n rhaid penodi gweinidogion teithiol ac mae'n debyg na fu warden yn y dref hyd 1658 pan benodwyd Robert Lloyd.

Cafodd y Senedd wared â rhai o Frenhinwyr mwyaf gweithgar y gorfforaeth a recriwtiwyd aelodau cymhedrol o'r sefydliad blaenorol i swyddi is. Roedd safleoedd milwrol Rhuthun yn gymharol ddibwys ac oherwydd bod y Piwritaniaid yn weddol wan yn lleol, ni amharwyd rhyw lawer ar y gorfforaeth. Roedd gan Thomas Mason, cyn-lywodraethwr y castell, rhyw gymaint o ddylanwad ar y fwrdeistref.

Daw cofnodion y gorfforaeth i ben ym 1653 a chofnodion yr arglwyddiaeth ym 1654. Ym 1647 mae'n bosibl y cafodd yr henaduriaid a dyngodd lw yn y pentreflys eu disodli. O 1652 ymlaen, roedd pob un o'r bwrdeisiaid yn mynychu'r pentreflys. Erbyn mis Mai 1654, nid oedd deg ohonynt yn mynychu, gan gynnwys dau o werthwyr (mercers) y dref, Edward Price a Richard Wynne, a wrthododd wasanaethu ar uchel reithgor yr arglwyddiaeth, ynghyd â dau arall. Yn ddiweddarach, penodwyd y ddau ŵr yn henaduriaid yn Rhuthun yn y cyfnod wedi'r Adferiad, a Richard Wynne oedd un o'r cyntaf o'r ddau i wasanaethu.

Yn dilyn yr Adferiad, daeth teuluoedd bonedd yr ardaloedd gwledig a'r llond llaw o frenhinwyr gweithgar a oedd yn y dref, yn amlwg unwaith eto yng ngwleidyddiaeth y fwrdeistref. Ym 1660, dychwelodd y cyn-warden, Dr. David Lloyd, a daeth yn Ddeon Llanelwy gan aros yn Rhuthun hyd 1663. Ni cheir unrhyw dystiolaeth am weithgareddau Robert Lloyd, y gweinidog Piwritanaidd.

Yn sgil yr Adferiad a sefydlogi'r Eglwys Anglicanaidd, gwelwyd lleihad yn nifer yr anghydffurfwyr gweithredol. Cydymffurfiodd nifer mawr o gyn-Anghydffurfwyr â'r drefn newydd. Ymron ar unwaith, dechreuwyd ar ymgyrch i erlid anghydffurfwyr a reciwsantiaid Catholig, ond ataliwyd hyn i raddau oherwydd bod yn rhaid i swyddogion gyflwyno eu tystiolaeth mewn llysoedd agored. Roedd yn rhaid i swyddogion di-dâl fyw gyda'r rheini yr oeddynt wedi eu herlid, cymdogion iddynt o bosibl, ac yr oeddynt yn aml yn rhannu amcanion economaidd a safbwyntiau gwleidyddol.

Llwyddwyd i ffrwyno'r erledigaeth yn Rhuthun ymhellach gan y cysylltiadau agos rhwng anghydffurfwyr blaenllaw ac oligarchiaid y dref. Roedd y teiliwr John

Edwards, ac aelodau ei deulu, yn anghydffurfwyr ac yn fwrdeisiaid cymharol gefnog, ond roedd Peter Moyle, un o gefnogwyr y Brenhinwyr, yr oedd ei wraig, Mary, yn anghydffurfwraig, wedi trosglwyddo ei deyrngarwch adeg yr Adferiad ac arhosodd yn aelod dylanwadol o'r gorfforaeth. Ni welwyd rhyw lawer o newid yn y rhestr o reciwsantiaid a ddaeth gerbron Llys y Sesiwn Fawr yn Rhuthun flwyddyn ar ôl blwyddyn, ac roedd nifer yr anghydffurfwyr a ymddangosodd yn anghyson. Gwelwyd rhagfarn boblogaidd ar ei eithaf yn achos y Tad Charles Meehan (a gafodd ei wneud yn sant yn ddiweddarach), offeiriad Ffransisgaidd a grogwyd, diberfeddwyd a chwarterwyd yn Rhuthun ar 12 Awst 1679. Er i'r ddwy garfan ddioddef oherwydd eu credoau, nid oes unrhyw dystiolaeth i'r Catholigion a'r anghydffurfwyr gydweithio.

Ym 1676, amcangyfrifir bod 363 o gydymffurfwyr yn Rhuthun, dau Babydd a chwe anghydffurfiwr, felly ymddengys fod anghydffurfiaeth un ai wedi gwanhau neu wedi'i than-gofnodi, neu na fu erioed yn fawr mwy na charfan gadarn, fechan. Yn Rhuthun, yr apothecarïaid oedd aelodau craidd yr 'Hen Ffydd'– sef y teuluoedd Gooden a Wood.

Roedd y Datganiad Esgusodi a basiwyd ym mis Mawrth 1672, yn rhoi hawl i weinidogion trwyddedig bregethu mewn adeiladau trwyddedig. Roedd cartref John Roberts, menigwr o Lanfwrog, wedi'i drwyddedu ac yn dilyn diddymu'r Datganiad ym 1673, tarfwyd yn annisgwyl ar gyfarfod a gynhaliwyd yn Rhuthun ym 27 Ebrill 1673 pan gafodd Thomas Williams, bonheddwr o Gaernarfon, y gweinidog a oedd ar ymweliad o bosibl, deg o drigolion Rhuthun a dau o Lasynys, eu dal a'u herlyn. Roedd naw o'r tri ar ddeg a ddaliwyd yn fenywod.

Er i'r Datganiad Esgusodi roi 'hwb' i anghydffurfwyr yn genedlaethol, roedd yr effaith a gafodd ar drigolion Rhuthun yn llai amlwg ac arhosodd eu niferoedd yn fychan hyd at ddiwedd y ddeunawfed ganrif.

Rhuthun yn Ystod y Cyfnod Sioraidd

Gareth Evans

Erbyn diwedd y ddeunawfed ganrif, roedd arwyddion cyntaf y Chwyldro Diwydiannol i'w gweld o fewn taith hanner diwrnod ar droed o Ruthun. Roedd mwyngloddiau plwm a melinau cotwm Treffynnon a gwaith mwyndoddi haearn a phyllau glo y Bers, ger Wrecsam, yn eu hanterth. Eto i gyd, ni chawsant fawr o effaith ar Ruthun a welodd ddirywiad yn ei statws yn ystod y ganrif, o'i chymharu â threfi Cymreig eraill.

Yn ystod y cyfnod hwn yr ymddangosodd y delweddau gweledol cyntaf o dref Rhuthun. Darlun Lewis o Ruthun ym 1714 yw'r hynaf. Gwelir adeiladau amlwg yn ymestyn ar hyd copa bryn Rhuthun a Stryd Clwyd yn disgyn blith-draphlith cyn ymuno â Stryd Mwrog a Ffordd Dinbych. Dangosir y dref yn y cyfnod cyn yr ail-adeiladu yn ystod y ddeunawfed ganrif a gwelir nifer o adeiladau unllawr â ffenestri yn y toeau. Mae tafarn ganoloesol y Llew Gwyn yn amlwg iawn yn y canol a gwelir tŵr ar ben Eglwys Sant Pedr; mae'r dref tua chwarter ei maint heddiw, heb unrhyw faestrefi, a cheir yno llond llaw o adeiladau cyhoeddus a dim capeli.

Dengys print gan Samuel a Nathaniel Buck sy'n dyddio o 1742, nifer o dai deulawr ar Stryd y Castell a bythynnod cyffredin ar hyd Stryd Clwyd. Ymddangosodd y mapiau cyntaf ac mae un ohonynt yn dangos adeiladau, megis y Raven, â chwrt yn y canol, a Thŷ Exmewe â dau gwrt hir yn ymestyn i lawr Stryd Clwyd. Gwelir Stryd Clwyd yn rhedeg yn gyfochrog â'r felin a'r afon yn dilyn ei hen gwrs i'r gogledd o Bont Howkyn cyn iddi gael ei dargyfeirio ym 1773. Mae'r olygfa hon i'w gweld mewn print sy'n dyddio o tua 1770 a gwelir adeiladau aml-lawr â thoeau llechi yn bennaf, a thafarn Sioraidd y Llew Gwyn. Mae darlun o 1794 gan yr arlunydd o Ruthun Edward Pugh yn dangos Llanfwrog ag Eglwys Sant Pedr a Bryniau Clwyd yn y pellter.

Y Dref

Cadwodd tref Rhuthun ei chynllun strydoedd canoloesol, ailadeiladwyd yr adeiladau cyhoeddus a llenwyd yr ierdydd gan ardaloedd preswyl tlotach. Llenwyd Iard Crispin ym mhen isaf Stryd Clwyd a'r ardal y tu ôl i'r Swan ar Stryd y Ffynnon gan fythynnod a oedd dan eu sang.

Trwy gydol y ganrif, y teulu Myddelton o Gastell y Waun a oedd yn berchen ar yr arglwyddiaeth a'r rhan fwyaf o'r eiddo oddi mewn iddi, a'r teulu hwnnw a oedd yn rheoli'r dref a'r gorfforaeth i bob pwrpas. Roedd nifer o fasnachwyr cefnog yn rhedeg eu busnesau o adeiladau a oedd yn eiddo i'r teulu Myddelton ac roeddynt yn ffyddlon i'r teulu a fyddai'n ymweld â'r dref yn achlysurol gan gyflogi stiward i reoli'r ystad. Roedd y castell yn adfail a'r tir yn cael ei rentu i'w bori. Ar ddiwedd y ganrif, daeth llinach gwrywaidd y teulu Myddleton i ben ac roedd dyfodol yr arglwyddiaeth yn destun anghydfod rhwng tair chwaer.

Dros y ganrif, daeth yn haws i deithio ac arweiniodd hyn at gynnydd yn nifer yr ymwelwyr a ddeuai i lysoedd, marchnadoedd a ffeiriau Rhuthun. Byddai'r rhan fwyaf o bobl a deithiai i Ruthun yn aros y nos, felly datblygodd gwestai a thafarndai megis y Raven, Crown, Cross Keys a'r Llew Gwyn. Denodd y dref deuluoedd bonedd hefyd, ac aethant ati i ddatblygu tai trefol ar gyfer eu hymweliadau â'r dref a'u hymddeoliad. Datblygodd y bonedd eu heiddo a phenderfynodd yr ustusiaid sirol leoli llys a charchar newydd yn Rhuthun; gwelwyd adfywiad yn adeiladwaith y dref ac mae llawer o olion y broses hon wedi goroesi.

Poblogaeth

Yn ystod y ddeunawfed ganrif, daeth Rhuthun yn dref farchnad a gyflogai dros 200 o fansachwyr a chrefftwyr a dros ddeg o bobl broffesiynol, ond nid oedd ganddi fanciau na chefnwlad ddiwydiannol i gefnogi gwasanaethau newydd. Daeth y dref yn ganolfan o bwysigrwydd lleol, yn hytrach na rhanbarthol ('minor centre of local, rather than regional, importance').

Dengys rhestrau o drigolion y strydoedd faint o bobl a oedd yn byw yn y dref. Nid yw'r rhestrau hyn yn gwbl ddibynadwy ond maent yn dangos bod 325 o gartrefi yn y dref, ac wrth luosi'r nifer hwnnw â 4.75, sef yr hyn a wnaethpwyd ar gyfer yr ail ganrif ar bymtheg, ceir cyfanswm poblogaeth amcangyfrifedig o 1,547. Gwelir bod poblogaeth Rhuthun yn bur sefydlog, ac o bosibl yn dirywio, ac mai prin iawn oedd y datblygiadau y tu hwnt i ganol traddodiadol y dref.

Effeithiwyd ar y gymuned gan gyfraddau marwolaethau uchel ym 1724, 1729, 1731, 1737 a 1761-2, gan awgrymu tywydd gaeafol garw iawn ar ddiwedd 1737 ac amodau a oedd yn ymylu ar dlodi yn ystod hafau 1761 a 1762. Nid oedd y gymuned heb gefnogaeth feddygol. Roedd yno apothecarïaid ac un nyrs ('nurse tenderer'). Roedd yr arfer o waedu yn gyffredin a thrigai meddygon yn Rhuthun a Llanfwrog, a honnai'r olaf ohonynt ei fod yn gallu gwella nifer mawr o afiechydon. Llenwid y papurau newydd â hysbysebion am bob math o feddyginiaethau yr honnid bod iddynt rinweddau anhygoel, a gwerthid llawer iawn ohonynt yn Rhuthun.

Map llafar o'r dref

Nid yw'r disgrifiadau a roddir o leoliadau'r dref yn y ddeunawfed ganrif yn ddadlennol iawn, gan eu bod yn disgrifio'n bennaf y daith o un tŷ i gartref rhywun arall. Eto i gyd, yn y manylion prin hyn y ceir y disgrifiadau olaf o rai o'r nodweddion topograffyddol a oedd yn diffinio'r fwrdeistref ganoloesol. Prin iawn yw nifer yr enwau lleoedd canoloesol sydd wedi goroesi hyd heddiw: Tir Samon, y caeau islaw eglwys Llanfwrog yn cynnwys Ysgol Borthyn; y Cunning Green, cwningar y castell; Stryd y Ffynnon [Well Street] sy'n tarddu o Welsh Street; Stryd Mwrog a Stryd y Castell i enwi dim ond rhai. Mae eraill yn parhau'n ddirgelwch am y tro, megis Llong yn Llanfwrog.

Yng nghalon y dref safai Sgwâr y Farchnad a Neuadd y Sir, canolfan llywodraeth y dref am y rhan fwyaf o'r ganrif, a Hen Neuadd, llys yr arglwyddiaeth a addaswyd yn siop fawr. Yn Sgwâr y Farchnad, safai pwmp dŵr a rhigod yn ogystal â chroes y farchnad â phostyn baetio tarw gerllaw ar ddechrau'r ganrif. Gorchuddiwyd rhannau o Sgwâr y Farchnad â phalmant carreg ac y tu hwnt i Sgwâr y Farchnad lleolid Sgwâr y Frenhines. Amgylchynid Sgwâr y Farchnad gan westai a thafarndai, ac yn Nhŷ Exmewe gerllaw, ceid nifer o westai, siopau a gweithdai. Yn Sgwâr y Farchnad a'r strydoedd cyfagos roedd nifer o siopau parhaol.

Rhuthun 1742

Rhuthun c1715

O Sgwâr y Farchnad, arweiniai Stryd y Prior i'r gogledd ac ym mhen isa'r stryd deuai'r ardal adeiledig i ben gerllaw giât a oedd yn arwain i Barc Rhuthun, ac o flaen hwnnw safai ysgubor ddegwm. Roedd y ffordd yn mynd ymlaen i gyfeiriad y gogledd am 150 llath hyd at Fulbrook, ger ffynnon Fulbrook, ac ymlaen at y 'lôn groes' ('cross lane'). Gweddillion y ffordd hon yw Lôn Parcwr bellach.

O'i fan cyfarfod ag afon Clwyd, gellir dilyn Fulbrook i fyny'r trwy'r caeau, gan fynd heibio safle hen bwll pysgod y prior, i'r fan lle saif y Ganolfan Grefft a siop Tesco heddiw. Roedd Fulbrook yn croesi Stryd y Ffynnon o dan bont a elwid yn Pont y Fulbrook yn Nhal y Sarn, adeiladwaith o waith dyn a ymestynnai o ben isaf Stryd y Ffynnon. Adeiladwyd y sarn ar draws y dŵr a lifai o ardal Berllan a Llyn yr Arglwydd, sydd bellach yn gaeau, ar yr ochr ddeheuol. Roedd angen creu ffosydd i sicrhau bod y dŵr yn llifo a thrigolion y tai gerllaw Tal y Sarn a oedd yn gyfrifol am eu cynnal.

Rhedai'r ffin rhwng plwyfi Rhuthun a Llanrhudd ar hyd ochr orllewinol Fulbrook â Thal y Sarn i'r gorllewin a Townsend yn y dwyrain. Roedd Townsend yn gyffordd bwysig ac o'r fan hon arweiniai ffyrdd i gyfeiriad Llanfair, Wrecsam, yr Wyddgrug, Caerwys a Threffynnon, gan ddenu tafarndai a gwestai i Dal y Sarn a Townsend. Yr enw ar ddarn o'r ffordd i Lanfair oedd Palmant Newydd oherwydd y garreg lydan a orweddai ar y sarn.

Roedd y dref yn parhau ar hyd y ffyrdd o Townsend ac yn cynnwys bythynnod, tai, ffermydd ac ysguboriau, hyd nes iddi ddirwyn i ben ar ôl tua 100 metr neu fwy. Dyma ffiniau dwyreiniol a deheuol tref Rhuthun. Roedd y ffin ddeheuol yn parhau i gyfeiriad y gorllewin ar hyd Tal y Sarn hyd at waelod bryn Stryd y Ffynnon lle'r adeiladwyd tai mawrion ar gyfer y teuluoedd bonheddig. Yn eu plith roedd Plas Coch ym mhen isaf Dog Lane, Henblas yn mhen isaf Lôn y Castell (a ddymchwelwyd erbyn 1785 a daeth Lôn y Castell yn Stryd y Llys) a Thŷ Mostyn yn rhif 15 Stryd y Ffynnon.

Ym mhen uchaf Dog Lane roedd cwningar fawr, a elwid yn Coney Green ymhlith nifer o amrywiadau eraill, a oedd yn gwahanu'r dref a'r castell. Ar y tir agored hwn ym mhen uchaf Stryd y Llys, safai tŷ o'r enw Werthon – cyfeiriad at gilfach werdd neu fan gwyrdd a welir heddiw yn yr enw Iwerddon. Y tu hwnt i'r cwningar safai'r castell a esgeuluswyd, roedd y tir yn cael ei rentu fel tir amaethyddol a defnyddid yr adfail fel ffynhonnell deunyddiau adeiladu. Yn ddiweddarach yn ystod y ganrif, bu'r teulu Myddelton yn rhedeg eu busnes yn y dref o dŷ o'r enw Tŷ Mawr a byddai negeseuwyr yn cario gwybodaeth rhwng Rhuthun a Chastell y Waun. I'r gogledd-orllewin o'r castell, roedd caeau agored New Borough y 1320au ac roedd rhenti'r New Borough, y tiroedd agored ac nid yr adeiladau, yn parhau i gael eu cofnodi.

I'r gogledd o New Borough lleolid melinau'r dref, a chwaraeai ran hollbwysig i gyflenwi bwyd i'r dref. Hyd at 1786 roedd Stryd Clwyd yn croesi cafn y felin, gan basio o flaen y felin a thrwy hen borth a elwid un ai yn 'Porth y Dŵr' neu 'Porth y Tŵr' i gyfeiriad yr afon. Mae'n debyg mai hwn oedd yr adeiladwaith a elwid yn 'tŵr y fwrdais' yn ystod oes y Tuduriaid. Disgrifiwyd y porth gan un sylwedydd cyfoes fel adeiladwaith a oedd yn sefyll ar ymyl y dŵr. Ym 1786-7 dywedwyd bod y porth yn adfail ac yn beryglus ac fe'i dymchwelwyd a chodwyd pont arch sengl dros y cafn a oedd yn beryglus i'w chroesi yn ystod llif. Cysylltid y bont â sarn a llwybr mwy uniongyrchol i Bont Howkyn, y bont dros afon Clwyd, gan newid cyfeiriad Stryd Clwyd i'w llwybr presennol gerllaw'r carchar. Yn y broses, bu'n rhaid dymchwel tŷ ger Porth y Tŵr hefyd.

Disodlwyd y bont bwa sengl hon gan bont tair bwa presennol Pont Howkyn sy'n dyddio o'r cyfnod wedi 1770. Awgryma cyfres o ddogfennau o ddechrau'r ddeunawfed ganrif mai Dowkyn oedd yr enw gwreiddiol. Roedd y contract am y bont newydd yn cynnwys adeiladu sarnau o Borth yr Hen Dref at y bont a phont newydd dros nant Mwrog ('Moorog Stream') ac adeiladu ffordd wedi ei chodi o bobtu. Cafodd y bont newydd hon, a gynlluniwyd gan Joseph Turner, ei rhoi ar brawf gwirioneddol yn ystod llifogydd ym 1781 pan ysgubwyd un o'r pileri a boddwyd gwydrwr.

Safai adeilad arall ar ochr Rhuthun i Bont Howkyn, sef bwthyn trillawr a oedd yn eiddo i iwman ac roedd yn cynnwys un ystafell ar bob llawr gan awgrymu adeilad ar ffurf tŵr. Dymchwelwyd yr adeilad ym 1773 i hwyluso'r gwaith o adeiladu'r bont. Bellach, saif Pont Howkyn ar ei phen ei hun ond byddai ymwelydd a deithiai i'r dref o gyfeiriad Dinbych yng nghanol y ddeunawfed ganrif yn debygol o weld dau dŵr a phorth cyn cyrraedd y felin.

Y tu hwnt i Pont Howkyn ymestynnai'r dref i gyfeiriad y gorllewin ar hyd Stryd Mwrog (neu 'Street'), heibio eglwys Llanfwrog gan ddod i ben ger Bryn Bowlio, ffin orllewinol tref Rhuthun. Yn wreiddiol, amgylchynwyd Stryd Mwrog gan dwmpathau a phalisadau Little Park, a oedd yn parhau i gyfyngu ar ffurf y stryd. Lleolid tanerdai Stryd Llanfwrog ger afon Clwyd ac ar hyd Ffrwd Arfon islaw eglwys Llanfwrog. Yng nghanol y bedwaredd ganrif ar bymtheg, roedd yno bum tanerdy, olion diwydiant mwy o faint yn ôl pob tebyg. Roedd ardal Street yn cynnwys bythynnod bychain a thanerdai mawrion ag ierdydd helaeth y tu cefn iddynt. Y tu hwnt i'r eglwys, safai'r elusendai ac o fewn y drefgordd ceid lloc i gorlannu anifeiliaid crwydredig. Ar y stryd, roedd tŷ plwyf to gwellt, a edrychai'n debyg i nifer o fythynnod eraill.

Roedd Borthyn hefyd yn rhan o drefgordd Stryd Mwrog ac yn y fan lle saif Ysgol Borthyn heddiw, roedd ysgubor â thenantiaethau eraill a oedd yn ffynhonnell incwm i'r tlawd ac yn noddi ysgol. Oherwydd absenoldeb nant achoswyd anawsterau i ddatblygiad y tanerdai ac roedd y stryd yn gartref i grefftwyr medrus.

Edrychiad y dref

Yn ystod y ddeunawfed ganrif, roedd Rhuthun yn gymysgedd o dai unllawr, deulawr a thrillawr a neilltuwyd ardaloedd helaeth ar gyfer stablau, tai allan, bragdai a gweithdai. Roedd tai unllawr yn amlwg iawn; toeau gwellt a oedd ar dai'r tlodion. Gallai rhai ohonynt fod yn eithaf mawr; roedd Katherine Lloyd, gwraig ddi-briod, yn berchen ar dŷ unllawr saith ystafell yn Stryd Clwyd ym 1700.

Roedd y teuluoedd Myddelton, Williams Wynn o Wynnstay, a oedd wedi prynu buddiannau'r teulu Thelwall, a disgynyddion teuluoedd megis Salusburiaid Rug, Wynniaid Coed Coch a'r teulu Langford, oll yn berchen ar eiddo yn Rhuthun. Byddai ystadau trefol bychain yn mynd a dod, megis ystad Thomas Jones, groser o Ruthun, a brynodd 13 o gartrefi yn ogystal â'i gartref ei hun ac eiddo arall.

Ailddatblygwyd rhai ardaloedd. Crebachodd ardal y tanerdai yn ne-ddwyrain Stryd Mwrog ger afon Clwyd o 1734 ymlaen a chodwyd adeiladau newydd. Erbyn 1788, roedd yno 14 adeilad. Benthycwyd y cyfalaf gan fonedd neu fasnachwyr cyfoethog ar forgeisi a gwnaethpwyd y gwaith datblygu gan fasnachwyr mentrus eraill. O fewn yr ardal ddatblygu roedd dau dafarndy, yr Horns a'r Vernon. Aeth un tanerdy a oedd yn cynnwys rhwng 12 a 14 o byllau barcio gerllaw'r Horns yn adfail ac ehangodd yr Horns dros ran o'r safle.

Trwy gydol y ganrif, newidiwyd ffurf y dref gan waith adeiladu ac atgyweirio. Adeiladodd Santhey Green, tafarnwr y Swan ar Stryd y Ffynnon, fythynnod ar ddechrau'r ganrif, gan lenwi ierdydd o bosibl, fel y gwnaeth John Whitley, tafarnwr arall. Codwyd tai newydd yng nghanol y ganrif yn Stryd y Prior ac adeiladwyd tŷ hardd sylweddol iawn ar Stryd y Castell ym 1761. Ar Stryd y Ffynnon codwyd tŷ bonedd ym 1778 ac ar Stryd Clwyd datblygwyd tai hapfuddsoddol, siopau ac odyn ar ddiwedd y 1770au.

Adeiladwyd yr Angor tua 1770 ym mhen isaf Stryd y Ffynnon. Codwyd tai newydd gan y teulu Myddelton ar ddiwedd y 1770au gerllaw'r Talbot yn Stryd Clwyd, lle bu'n rhaid cloddio un sylfaen yn ochr y bryn. Codwyd mwyfrif yr adeiladau hyn o gerrig a phren, â ffenestri gwydr a thoeau llechi, ac maent yn dal i sefyll ar ochr ddeheuol cyffordd Stryd Clwyd a Stryd Clwyd Uchaf, â rendr ar y waliau allanol.

Codwyd adeiladau amaethyddol newydd â thoeau gwellt yn aml iawn. Adeiladwyd certws newydd to gwellt yng Nghaerfallen a thrwsiwyd tanerdy to gwellt ar ystad y teulu Myddelton. Aeth daliwr prydles melin Rhuthun ati i godi beudy, ysgubor, hofel, stabl a hofel wartheg yn Rhuthun ym 1782.

Cludwyd llechi o Fwlch yr Oernant – llechi'r Oernant – a gwnaed briciau yng Ngwern ger y ffordd i Ddinbych y tu allan i'r dref; trefnodd y teulu Myddelton y busnes, gan werthu brics i eraill. Roedd y deunyddiau hyn yn disodli cerrig, pren a gwellt ac yn newid siâp a lliw Rhuthun. Gwnaed y rhan fwyaf o'r gwaith adeiladu gan grefftwyr a fyddai'n gweithio yn ôl gofynion y gwaith a'r lleoliad. Ymddengys fod adeilad newydd y Llew Gwyn wedi'i gynllunio ar gyfer y lleoliad a hefyd cyflogai ustusiaid y sir benseiri i weithio ar eu hadeiladau newydd yn Rhuthun.

Roedd eglwysi ac adeiladau cyhoeddus mawrion newydd megis yr Archifdy a Neuadd y Sir, ac adeiladau hŷn megis hen Neuadd y Sir (Shire Hall) a hen Lys yr Arglwyddiaeth, yn sefyll allan ymhlith yr adeiladau llai. Roedd tafarndai a gwestai adnabyddus megis y Llew Gwyn a'r King's Head ar Sgwâr y Farchnad a'r Cross Keys a'r Crown yn Stryd y Ffynnon, y Swan ar Tal y Sarn a'r Raven ger cyffordd Stryd y Ffynnon a Stryd y Castell.

Talwynebau afreolaidd a welid ar strydoedd y dref. Parhawyd â'r arfer o lechfeddiannu'r tir at y briffordd er mwyn adeiladu siopau hir a chul yn ystod y ddeunawfed ganrif. Roedd popty ar bob stryd at ddefnydd y gymuned. Codwyd sarnau pren yn y strydoedd ar gyfer cerddwyr, gan ymestyn y tu hwnt i'r dref a gosodwyd cerrig llorio mewn rhai ardaloedd. Gosodwyd cerrig llorio yn ierdydd y tafarndai, mae'n bosibl er mwyn gwella mynediad i'r coetsis newydd a'r wageni trymach a ddefnyddiai'r ffyrdd tyrpeg, ac ymestynnai'r cerrig hyn i ierdydd tai newydd y teulu Myddelton yn Stryd Clwyd.

Y tu hwnt i'r dref, aeth y landlordiaid ati i wella'r llifddolydd. Ym 1769 dechreuodd y teulu Myddelton ddraenio tiroedd y Llew Gwyn i'r gogledd o'r dref ac ym 1771 draeniwyd y caeau ar hyd y ffordd i Lanfair. Sythwyd yr afon droellog drwy barc Rhuthun ym 1770 ac ym 1773 newidiwyd cwrs afon Clwyd i'r gogledd o Bont Howkyn i gyfeiriad y gorllewin ar hyd gwaelod bryn Rhuthun cyn parhau i'r gogledd. Arweiniodd hyn at ddraenio'r parc rhwng Pont Howkyn a Rhewl. Bwriadai etifedd olaf y teulu Myddelton wneud gwelliannau pellach i'r tir, gan gomisiynu adroddiad gan dirfesurydd o Swydd Gaerloyw. Caewyd tiroedd yn Llanfwrog ar ddiwedd y ganrif.

Llywodraeth a Gwleidyddiaeth

Y gorfforaeth oedd offeryn amlycaf llywodraeth leol yn y fwrdeistref, ond daeth plwyfi Rhuthun, Llanfwrog a Llanrhudd yn geffylau gwaith y drefn gan mai hwy oedd yn gyfrifol yn gyfreithiol am weinyddu deddf y tlodion a thrwsio'r priffyrdd. Gwasanaethai henaduriaid Rhuthun fel ustusiaid heddwch yn y fwrdeistref ac roeddynt yn gyfrifol am gymeradwyo trethi. Heriodd ustusiaid y sir eu hawliau ym 1739-40 ond yn y pen draw derbyniasant eu statws o fewn y fwrdeisdref a daeth un o'r henaduriaid, John Roberts, yn ustus sirol ar ddiwedd y ganrif. Ar ddechrau'r ganrif, fe wnaeth yr ustusiaid ymyrryd ym manylion gweinyddiaeth deddf y tlodion a gellid deisebu'r ustusiaid a chael iawndal.

Parhaodd ustusiaid y fwrdeistref i ddod â chwynion gerbron llysoedd y Sesiwn Chwarter a'r Sesiwn Fawr, ac roedd mwyafrif llethol y rhain yn ymwneud â chyflwr y strydoedd. Cyflwynwyd y cwynion hyn yn amlach o bosibl oherwydd bod strydoedd y fwrdeistref yn cymharu'n anffafriol â'r ffyrdd tyrpeg newydd.

Datblygodd gweinyddiaeth y plwyf yn anwastad yn Sir Ddinbych a daeth plwyfi Rhuthun yn fwyfwy gweithgar wrth i'r ganrif fynd yn ei blaen. Yn y cyfarfodydd plwyfol, aseswyd a rheolid gwariant treth y tlodion a threth yr eglwys, a byddai'r plwyfi yn cytuno ar yr ardollau, a elwid yn lleol yn 'mises', gan eu casglu'n ddiweddarach yn strydoedd Rhuthun.

Byddai'r festrïoedd neu gyfarfodydd plwyfol yn penodi un warden eglwys ac yn chwarae rhan yn y gwaith o benodi cwnstabliaid a chynnal y teclynnau cosbi. O'r dyddiau cynnar, roedd yn rhaid i wardeiniaid eglwysi adrodd am unrhyw gamymddwyn neu ymddygiad amhriodol ('amissness') a diffyg presenoldeb rheolaidd yn yr eglwys, ac roeddynt yn gyfrifol am adeiladau, nwyddau ac eiddo'r eglwys, bara a gwin y cymun a lladd 'Noyfull fowles and Vermyn'.

Archwiliai'r festrïoedd gyfrifon y swyddogion plwyf, gan ganiatáu neu wrthod gwariant. Cyfunwyd sawl treth arbennig yn nhreth y tlodion gan ddeddf a basiwyd ym 1738-39. Yn y pen draw, dywedwyd fod 'yr amser, sylw ac arian a neilltuwyd i faterion yn ymwneud â'r tlodion wedi bod ... ymron cymaint â'r hyn a gysegrwyd i bob mater arall o ddiddordeb lleol' ('the amount of time, attention and money spent upon matters relating to the poor seems to have been ....quite as great as that devoted to all matters of local concern together').

Trethi

Yn ogystal ag ardollau plwyf, codwyd nifer cynyddol o drethi cenedlaethol, yn ogystal â threth sirol, a gasglwyd gan gwnstabliaid a pharhaodd Rhuthun i elwa o'r consesiwn a elwid yn 'the decays of Ruthin', a arweiniodd at haneru trethi'r sir. Rhaid oedd derbyn caniatâd yr henaduriaid i godi trethi plwyf yn y fwrdeistref ac fe wnaethant gymeradwyo cynnydd sylweddol yn y 1780au a'r 1790au. Ym 1795 codwyd treth y tlodion yn Rhuthun 15 gwaith a 18 gwaith ym 1800.

Llethwyd plwyf Llanfwrog gan broblemau'r tlodion. Ar ddechrau'r ganrif, gosododd y plwyf dreth 'mise' gyfunol at ddibenion yr eglwys a'r tlodion a amrywiai o 1d i 6d y flwyddyn. Ym 1780 codwyd pedair treth y tlodion ar wahân o 6d fesul

£1, ac ym 1782 penodwyd trysorydd i dynhau gafael y plwyf ar ei goruchwylwyr. Bu'n angenrheidiol gosod dwy dreth y mis ac erbyn diwedd y 1790au roedd y trethi a godwyd yn y ffigyrau dwbl. Rhoddodd yr holl weithgaredd hwn bwysau enfawr ar gasglwyr y trethi a'r sawl a oedd yn gyfrifol am yr holl waith papur.

Casglwyd y trethi o ddrws i ddrws. Roedd 'Mr Jones' yn gyfrifol am gasglu treth eglwys, treth priffyrdd, treth tir a threth y golau yn Llanfwrog a Llanrhudd o naw eiddo. Roedd nifer fawr o gasglwyr a nifer o lwybrau papur cymhleth.

Y plwyf a'r tlodion

Yn ôl Deddf y Tlodion oes Elizabeth roedd yn rhaid i blwyfi ddarparu cymorth i dlodion y plwyf. Rhaid oedd i oruchwylwyr y tlodion gynnal y tlodion a rhoi gwaith iddynt gan ddefnyddio'r arian a godwyd wrth drethi pob 'trigolyn .... preswylydd tir, tai, degymau ... pyllau glo neu isdyfiant y gellid ei werthu' ('inhabitant...occupier of lands, houses, tithes ... coal mines or saleable underwood'). Sefydlodd deddf arall ym 1662 y gyfraith o ymsefydlu a symud ymaith gan amodi fod unrhyw ddieithryn a fyddai'n ymsefydlu mewn plwyf yn cael ei symud ymaith gan yr ustusiaid oni bai ei fod wedi rhentu cartref o £10. Yn sgil y ddeddfwriaeth hon, rhwystrwyd y tlodion rhag symud, ond ar ddiwedd y ddeunawfed ganrif pasiwyd deddfau eraill a oedd yn ceisio dyneiddio'r drefn. Ac eithrio'r rheini a oedd yn dlawd eu byd, ni anfonwyd neb i'r tlotai. Nid oedd plant o dan saith oed i gael eu gwahanu trwy rym o'u rhieni. O 1794-5, roedd yn rhaid i'r tlodion fod yn faich ar y plwyf cyn y gellid eu symud ymaith ac roedd hyn yn galluogi labrwr i aros ym mha bynnag plwyf y dymunai, cyhyd â'i fod yn aros yn ddiddyled.

Darparwyd llety, bwyd a dillad gan y plwyfi ar gyfer eu tlodion. Gallai cost y math hwn o gymorth fod yn sylweddol. Ym 1722 talodd Rhuthun 18d yr wythnos am ddau blentyn bach ac ym 1762 costiodd mam a dau blentyn 18 swllt dros gyfnod o ddau fis i blwyf Rhuthun. Cododd treth y tlodion ac ymatebodd y plwyfi drwy symud ymaith y cyfan ond eu tlodion eu hunain i'r plwyfi cyfrifol. Roedd yn rhaid chwilio am ddarpariaeth amgen i'r tlodion a chynhaliwyd cyfarfodydd i sefydlu tloty yn Rhuthun ym 1770. Roedd gan Llanfwrog incwm elusennol a ddosbarthai i'r 'tlodion dall, y rheini a oedd yn gaeth i'w gwely a'r methedig' ('Blind, Bedrid and decrepit poor') adeg y Nadolig ac weithiau ar Ddiwrnod Sant Tomos. Cyfrannodd rhai unigolion arian i ddarparu gwaith i'r tlodion.

Ym 1713 cyfrannodd Llanfwrog at adeiladu tloty yng Ngarthllegfa ('towards building a poore house on Garthllegva'). Ym 1721 gwnaeth plwyf Llanfwrog 17 taliad i unigolion tlawd, darparodd pedair arch, prynodd frethyn a thalu am wneud dillad i bedwar unigolyn a rhoddodd un pâr o glocsiau. Yn ystod y 1720au a'r 1730au, derbyniodd dwy genhedlaeth o'r teulu Wirion gymorth. Ym 1791, derbyniodd

12 unigolyn gymorth dros gyfnod o flwyddyn ac roedd rhai ohonynt yn parhau i dderbyn cymorth bum mlynedd yn ddiweddarach. Talwyd am renti, dillad, esgidiau, glo, costau angladd ac, mewn rhai achosion, gofal ysbyty. Er i'r tlodion rheini â chanddynt hawliad cyfreithiol dderbyn cymorth ymarferol, yn wyneb costau cynyddol dechreuodd Llanfwrog symud ymaith plant i weithio yn ardal ddiwydiannol Treffynnon a oedd yn prysur ehangu, arwydd o'r argyfwng moesol a'r argyfwng o ran adnoddau a achoswyd wrth ymdrin â phroblem y tlodion.

Ar draws Sir Ddinbych symudwyd llawer iawn o bobl gwrthodedig o blwyf i blwyf ('there was much movement of unwanted people from parish to parish'). Arweiniodd hyn at gostau cyfreithiol i'r plwyfi a chaledi difrifol i'r rheini a chawsant eu hunain yng nghanol yr anghydfodau rhwng y gwahanol blwyfi. Ym 1749/50 bu farw Edward, gŵr Anne Simon, gan olygu iddi hithau a'i phlant ifanc, a oedd yn naw oed, saith oed a thri mis oed, gael eu dal yng nghanol anghydfod rhwng plwyfi Rhuthun a Llanrhudd. Diolch i brentisiaeth Edward, cawsant aros yng nghartref tad Edward yn Llanrhudd. Cafodd unigolion eraill eu symud, megis William a Mary Evans a symudwyd i Derwen ym 1775; roedd y symudiad hwn yn gostus, £8 9s 0d, ac yn adlewyrchu pa mor ffyrnig y byddai'r plwyfi y disgwylid iddynt dderbyn y tlodion yn herio unrhyw ymgais i'w symud. Symudwyd y tlodion i amgylchedd o anghyfeillgarwch swyddogol.

Roedd y swyddogion ar eu gwyliadwraeth am ddieithriaid a byddai plwyfi'n gwneud cryn ymdrech i erlid unrhyw unigolion y gallent ddod yn gyfrifol amdanynt. Ceir awgrym o drefn y Gorllewin Gwyllt yn y digwyddiad ym 1707, pan huriwyd dau geffyl yn Rhuthun i chwilio am wraig a oedd wedi rhoi genedigaeth i blentyn anghyfreithlon. Cynorthwyid y swyddogion gan hysbyswyr a wobrwywyd am eu cymorth. Symudwyd crwydriaid gan swyddogion y plwyf 'by carriage and relief': mae'n bosibl iddynt dderbyn pryd o fwyd, a llety rhad a byddai llawer ohonynt yn gorfod aros mewn amodau anghysurus y tu allan, cyn cwblhau eu taith ar gert (yn enwedig os oedd ganddynt blant) neu geffyl, neu hyd yn oed ar droed. Am gyfnod, trosglwyddai'r cwnstabliaid o stryd i stryd yn y dref gan fynd i gostau bob tro. Y plwyfi a oedd yn gyfrifol am dalu costau'r crwydriaid yn eu gofal, yn cynnwys costau claddu a geni, ond roeddynt yn derbyn ad-daliad gan y sir.

Ym 1778, ymdriniodd cwnstabliaid Rhuthun ag ychydig o dan un achos y mis, ond ym 1783 daethant yn fwy prysur wrth iddynt ymdrin â mwy nag un achos bob pythefnos. Symudwyd llawer o'r tlodion i leoliadau lleol ac yn ystod y gwanwyn 1796, aeth un cwnstabl â'r tlodion a oedd dan ei ofal i Fettws, Gwyddelwern, Dinbych (ddwywaith) a Llanfair. Cofnodir taith un criw o grwydriaid ym 1799. Roedd aelodau'r teulu Goff ar eu ffordd i Gaerloyw ac fe wnaethant adael

Dinbych ar 22 Rhagfyr gan dreulio tair noson yn Sir Ddinbych yn Rhuthun, Trefi Bychan a Wrecsam, lle gwnaethant ymuno â thyrfa fawr o deuluoedd trist eraill cyn cael eu hebrwng i Owrtyn. Treuliasant ddydd Nadolig 1799 mewn cert rhwng Wrecsam ac Owrtyn.

Y bobl mwyaf ffodus o blith y tlodion oedd preswylwyr y ddau elusendy ym mhlwyfi Rhuthun, sef Ysbyty Crist Goodman ac elusendy Llanfwrog, a sefydlwyd gan yr Arglwyddes Jane Bagot ym 1695 ac a roddwyd ar waith gan ei mab, Syr Edward Bagot, ym 1708. Ychwanegwyd £300 at waddol Llanfwrog ym 1738 gan Elizabeth Bagot. Roedd yr elusendy yn cynnig llety i bedwar o ddynion a chwe gwraig dlawd. Treuliodd un o'r preswylwyr, 'Mary Lloyd of the Hospital of llanvoorog' ei dyddiau olaf yn nyddu edafedd, ac roedd ganddi gasgliad bychan o nwyddau cartref, dau wely a rhai stolion a chadeiriau, gan awgrymu fod ganddi gwmni weithiau, a chanwyllbrennau ar gyfer golau yn ystod y nos.

Gwleidyddiaeth

Roedd gwleidyddiaeth Rhuthun yn cylchdroi o amgylch y teuluoedd Myddelton a Wynnstay a disgwylid i'w tenantiaid eu cefnogi. Y teulu Myddelton oedd flaenaf gan ei fod yn berchen ar arglwyddiaeth Rhuthun ac yn rheoli'r drefn o greu bwrdeisiaid a hwythau, ar y cyd â bwrdeisiaid Holt a Dinbych, a oedd yn gyfrifol am ethol aelod seneddol Bwrdeistrefi Dinbych. Yn ystod yr ail ganrif ar bymtheg a'r ddeunawfed ganrif, crëwyd nifer fawr o fwrdeisiaid, nifer ohonynt yn fasnachwyr o'r tu allan, ond yn dilyn penderfyniad a basiwyd yn Nhŷ'r Cyffredin, o 1744 ymlaen dim ond rhyddfreiniaid a breswyliai ym Mwrdeisdref Holt oedd â hawl i bleidleisio. Roedd y teulu Myddelton wedi rheoli Dinbych er 1715 ac yn sgil y penderfyniad hwn, cawsant rwydd hynt i reoli sedd Bwrdeistref Dinbych am weddill y ganrif. Yn ôl llyfr cofnodion y fwrdeistref, ni chrëwyd unrhyw fwrdeisiaid rhwng 1747 a 1799. Ystyrid bod creu bwrdeisiaid yn dasg rhy bwysig i'w gadael yn nwylo'r gorfforaeth a dechreuodd y teulu Myddelton asesu pwy oedd yn addas i ddod yn fwrdeisiaid yn Rhuthun, gyda chymorth cynrychiolwyr lleol megis Peter Jones a John Hosier.

Daeth etholiadau seneddol yn gystadleuaeth ffyrnig i ennill teyrngarwch carfan fechan o fwrdeisiaid, yr oedd nifer ohonynt yn ddyledus i'r naill deulu neu'r llall. Ni allai'r teulu Myddleton na theulu'r Wynnstay gymryd y teyrngarwch hwnnw yn ganiataol; rhaid oedd cefnogi buddiannau a chosi boliau a gwariwyd symiau enfawr ar ddiod ac adloniant. Ym 1741, cyrhaeddodd y gost o ymladd etholiadau ei anterth pan gollodd y teulu Myddelton a chawsant eu gadael â dyled o ymron i £5,750 i dafarnwyr Rhuthun a Dinbych yn dilyn yr etholiadau sir a bwrdeistrefol.

Roedd symiau enfawr yn ddyledus i dafarnwyr unigol; roedd dros £179 yn ddyledus i William Edwards o dafarn y Llong (Ship) a dros £290 i Ambrose Lloyd.

Arweiniodd drwgdeimlad gwleidyddol at densiwn yn y gorfforaeth ac ym 1721 cododd sefyllfa anffodus pan oedd arweinwyr y ddwy ochr yn dafarnwyr y Llew Gwyn a'r Tarw Du. Yn ystod cyfarfod y 'Clubbe' yn ystafell uchaf Neuadd y Sir ym mis Chwefror 1721, daeth rhai o'r aelodau a oedd 'dan ddylanwad y ddiod feddwol' ('overtaken with liquor'), i lawr y grisiau allanol gyferbyn â'r Llew Gwyn yn cario ffyn ac erwyddi gan ymosod ar gefnogwyr Williams Wynn.

Trosedd a Chosb

Trosedd

Nid oedd Rhuthun yn dref ddifrifol o anhrefnus yn ystod yr Oes Sioraidd, ond o amgylch y tafarndai ceid cryn dipyn o weithgaredd troseddol. Cofnodwyd troseddau megis gwerthu cwrw heb drwydded, cadw 'puteindy lle byddai dynion a menywod yn y nos ac yn ystod y dydd, yn yfed, llymeitian, puteinio a chamymddwyn' ('keeping a disorderly house with men and women as well in the night as in the day, drinking, tipling, whoring and misbehaving themselves') yn ogystal ag ymladd achlysurol, pan fyddai'n rhaid i'r tafarnwr wneud ei orau i gadw trefn. Y tu hwnt i'r tafarndai, roedd mân-ladrata yn gyffredin: ceiniog, dilledyn, bwyd ac ar un achlysur, cafodd glo ei ddwyn o iard gwerthwr ar ffordd Llanfair ger Lôn Speiriol. Rheidiau bywyd a oedd yn cael eu dwyn. Cofnodwyd mwy o achosion o droseddau treisgar nag yn yr unfed ganrif ar hugain. Alcohol a oedd wrth wraidd llawer o'r achosion hyn a digwyddodd yr achos mwyaf difrifol ar Stryd Mwrog ym 1757 pan ymosododd criw o bobl ifanc ar Elinor a'i phlentyn bach gan ei thaflu i'r nant. Cafodd anafiadau difrifol a chwe mis yn ddiweddarach nid oedd wedi gwella'n llwyr. Cosbid y rheini a gafwyd yn euog o fân-ladrata drwy eu chwipio ac weithiau eu hallfudo, ond rhoddwyd dirwy am ymosodiad cyffredin fel arfer.

Ar ddiwedd y ganrif, sefydlwyd cymdeithas yn Rhuthun i erlyn troseddwyr a chynigiwyd gwobrau am restio troseddwyr amheus; roeddynt yn benderfynol o ddal criw o ddrwgweithredwyr peryglus ('dangerous Gang of Miscreants') yr oedd eu hymosodiadau hwyrol yn peri cryn bryder i drigolion y dref. Ym mis Ionawr 1786, roedd o leiaf 66 aelod yn perthyn i'r gymdeithas gref hon.

Milisia

Cefnogid gwaith yr awdurdodau trefol gan y milisia neu fyddin y sir, a oedd ar gael i ymyrryd mewn achosion lle nad oedd yn bosibl i adnoddau plismona cyfyngedig y cyfnod gadw'r drefn gyhoeddus. Yn ôl deddf 1758 roedd yn ofynnol i blwyfi ddarparu cymorth i aelodau teuluoedd y milisia a oedd yn gwasanaethu nad oeddynt yn gallu cynnal eu hunain. Roedd hawl gan bob gwraig ac aelod o'r teulu dros 10 oed, dderbyn 14d yr wythnos. O'r 1760au ymlaen, roedd Prydain yn ymladd rhyfel a gwelwyd llawer o recriwtio yn y sir. Ym 1761, roedd pedwar o Lanfwrog, tri o Lanrudd a thri o Ruthun yn gwasanaethu gyda'r fyddin a derbyniodd eu gwragedd a phlant gymorth. Ym 1762 derbyniodd teulu David Griffith, un o filwyr y sir, lety yn Rhuthun gan Thomas Lloyd, bragwr. Yn ystod rhyfel diweddarach, gwasanaethodd un o drigolion Llanrhudd, Thomas Jones, 'Corporal ym Milisia Sir Ddinbych' rhwng mis Ebrill 1775 ac Ebrill 1780.

Carchardai a chosb

Amodau gwael iawn oedd yng ngharchardai'r wlad ar ddechrau'r ddeunawfed ganrif ond gwellodd y sefyllfa rhywfaint yn ystod chwarter olaf y ganrif wrth i John Howard a diwygwyr eraill ddechrau dylanwadu ar agweddau'r ustusiaid at garcharorion.

Roedd gan Rhuthun garchar a chyweirdy sirol a goroesodd y ddau sefydliad hyd at y bedwaredd ganrif ar bymtheg. Yn wreiddiol, crwydriaid a fyddai'n cael eu derbyn i'r cyweirdy, ond yn raddol daeth yn garchar. Roedd y sefydliad yn llawn ym 1714 pan roddodd y ceidwad ddwy wraig mewn cegin allanol cyn i'r ddwy lwyddo i ddianc. Rhoddodd yr ustusiaid orchymyn i godi adeilad newydd wedi 1714. Dymuniad ceidwad y carchar oedd gwahanu carcharion gwrywaidd a benywaidd a pharhaodd y carchar cynnar hwn i dyfu. Ym 1723 roedd yno fragdy ac ymron i 30 mlynedd yn ddiweddarach, roedd y bragdy yn dal yno ac yn cael ei aildoi. Erbyn 1731 roedd yno gyfres o ystafelloedd yn cynnwys 16 gwely a gwresogwyd rhannau o'r adeilad gan dri thân glo. Defnyddiwyd amrywiaeth eang o declynnau i ffrwyno'r carcharorion, gefynnau, coleri gyddfau, bachau, pwlïau, stwffylau rhybedog, blociau a chadwyni yn ogystal â chadwyn i'w clymu i bostyn ('chain to put ym to the post'). Ni fu carchar Rhuthun yn lle braf i fod ynddo erioed, ond yn y 1730au roedd yr amodau yn eithriadol o annymunol.

Defnyddid pob math o ddulliau i gosbi, yn cynnwys carcharu am gyfnod byr ynghyd â chwipio ffyrnig a serio'r dwylo. Parhaodd yr arfer o fflangellu ar hyd y ganrif ac ym 1791 darparodd yr ustusiaid bostyn chwipio newydd. Byddai gweld rhywun yn cael ei chwipio yn denu tyrfa yn y farchnad ddydd Llun. Chwipiwyd y carcharorion ar amseroedd ac mewn mannau penodol o amgylch y dref, o'r carchar i'r farchad ac yn ôl neu, fel y digwyddodd ar un achlysur, o'r carchar a thrwy'r farchnad i lawr at arwydd yr Angor ac yn ôl eto. Nid cosb neu ysgytwad sydyn oedd hwn, ond yn hytrach chwipiwyd y carcharorion yn ddidrugaredd am gyfnod hir, drosodd a throsodd yn aml iawn, ac yn dilyn y fath brofiad trawmatig, cawsant eu rhyddhau weithiau. Cofnodwyd un achos pan gafodd un carcharor ei ddowcio ac yn dilyn hyn aeth y swyddogion i dafarn yr Hand i yfed cwrw. Roedd allfudo yn ddull arall o gosbi pobl ac allfudwyd John Jones, iwman o Ruthun, ym 1767.

Cyn 1765 roedd ustusiad y sir wedi dechrau prynu eiddo a oedd gerllaw'r cyweirdy a'r carchar ac ehangodd y carchar gan ddisodli tanerdy a phanhigfa boplys ynghyd â thir a thai. Ym 1776 disodlwyd y palisadau pren a oedd yn amgáu'r adeilad gan wal garreg hir, mewn ymateb mae'n debyg i'r achosion lle'r oedd carcharorion wedi llwyddo i ddianc. Erbyn 1777, roedd yr hen garchar wedi diflannu ac ym 1782 roedd y gwaith ailadeiladu yn mynd rhagddo; erbyn 1783 roedd y cyweirdy wedi cau a datblygwyd cynlluniau ar gyfer adeiladau newydd. Contractiwyd Joseph Turner i gynllunio'r adeilad ar 17 Mawrth 1783 ar gost o £375 ond awgryma'r taliadau niferus ychwanegol fod y cynlluniau gwreiddiol wedi'u newid sawl gwaith. Gwnaethpwyd gwaith ychwanegol ar y muriau ym 1796 ac erbyn hynny roedd y carchar yn ymdebygu i'r adeilad gaerog a llym presennol.

Yn y carchar ceid dau bwmp dŵr a chyfleusterau ymolchi y bu'n rhaid eu trwsio'n aml o 1783 ymlaen. Oherwydd anawsterau i sicrhau cyflenwad o ddŵr ffres, suddwyd ffynnon newydd ym 1796. Penodwyd llawfeddyg a chaplan i ofalu am y carcharorion ym 1774 a darparwyd capel a llyfrgell. Lle tamp oedd y carchar ac ychwanegai hyn at broblemau iechyd y carcharorion. Ofnai'r llawfeddyg fod epidemig yn anochel. Ym 1798 paentiwyd y carchar a darparwyd goleuadau. Rhoddwyd dillad i'r carcharorion ar draul y sir ond rhaid oedd iddynt weithio, gan ymgymryd â thasgau megis trwsio'r baddondai. Ym 1800, gwaharddwyd gwragedd a phlant rhag cysgu yn y carchar.

Câi dyledwyr eu cadw ar wahân i droseddwyr cyffredin yn Rhuthun, ond roedd carchar arall yn y dref sef carchar yr arglwyddiaeth ('common gaol of the lordship') lle cedwid y mân-ddyledwyr. Daethai masnachwyr Rhuthun ag achosion yn erbyn ei gilydd, megis Peter Lloyd gwerthwr cyffredinol/brethyn a aeth â Richard Parry, cigydd o Lanfwrog, i'r llys am ddyled o dros £4. Y dyledwr tlotaf oedd Robert Price, labrwr a oedd yn rhentu eu gartref, ac un yr oedd ei landlord wedi atafaelu ei eiddo personol. Nid oedd ganddo unrhyw eiddo ar wahân i'r dillad ar ei gefn a chyflog heb ei thalu gwerth 1s 6d.

Archifdy

Ym 1770, neilltuwyd £100 gan y Llys Chwarter i brynu tir er mwyn 'adeiladu ystafell i gadw cofnodion y sir hwn' ('to build a room for the records of this county') 'neu i ailgodi Neuadd y Sir mwy o faint' ('or for the more commodious rebuilding the County Hall') yn Rhuthun. Roedd yr ustusiaid yn anfodlon â chyflwr eu neuadd uwchben y farchnad a gwelwyd cyfle i ddod â'r ddau gyfleuster ynghyd.

Ar ôl ymgynghori â rhydd-ddeiliaid y sir, penderfynodd yr ustusiaid ym 1785 mai 'Rhuthun oedd y lle mwyaf addas' ar gyfer adeilad yr archifdy ('Ruthin is the properest place for building') a chomisiynwyd Joseph Turner i'w gynllunio. Ar 1 Awst 1785 prynwyd Henblas yn Lôn Castell am £160, ac arweiniodd hyn at ddileu Henblas a Lôn Castell o'r tirlun hanesyddol.

Ni fu'r gwaith o godi'r adeilad yn ddirwystr, oherwydd newidiwyd y contract â Thomas Penson i adeiladu archifdy er mwyn cynnwys neuadd sir a gynlluniwyd gan Penson, ac arweinodd hyn at newidiadau sylweddol i'r adeilad a chostau ychwanegol. Ym 1788, bu'n rhaid newid y contractwyr a thalwyd iawndal i Penson, gan achosi cryn oedi yn y broses adeiladu dan oruchwyliaeth Turner ac ni chwblhawyd y gwaith hyd 1793. Yn ystod y gwaith adeiladu, daeth John Roberts, un o henaduriaid Rhuthun, i'r amlwg fel unigolyn a oedd yn gwneud penderfyniadau ac yn y pen draw daeth yn ustus sir dylanwadol. Ym 1793 symudwyd cofnodion llys y Sesiwn Fawr i'r adeilad o Wrecsam ac erbyn 1794 cynhaliwyd y llysoedd yno.

Ar ôl cwblhau'r adeilad, daeth prif swyddogaeth yr hen Neuadd Sir i ben. Defnyddiwyd un pen i'r neuadd uchaf gan gorfforaeth Rhuthun a defnyddiwyd yr adeilad gan nifer o gymdeithasau'r dref hefyd, ond y sir a oedd yn gyfrifol am ei gynnal. Awgryma disgrifiad cyfoes fod cyflwr yr adeilad yn dirywio a chyflwynwyd cwynion ynghylch y mater gan sefydliadau Rhuthun; ymatebodd yr ustusiaid yn ofalus, gan dalu am beth gwaith trwsio a phaentio. Yn ystod y bedwaredd ganrif ar bymtheg, daeth yr adeilad yn 'neuadd y dref', o bosibl oherwydd ei bwysigrwydd i'r gorfforaeth.

Economi

Parhaodd bywyd economaidd Rhuthun ar drywydd tebyg iawn i'r cyfnod Stiwartaidd. Y farchnad oedd prif ffynhonnell bwyd, denai'r ffeiriau nwyddau a masnachwyr allanol i'r dref a gwelwyd datblygiad pellach yn y siopau ar hyd strydoedd Rhuthun. Roedd y pellteroedd i'r marchnadoedd allanol yn parhau i ddylanwadu ar ddatblygiad y dref, cludwyd y rhan fwyaf o'r cynnyrch amaethyddol o'r dref yn ôl yr angen, cariwyd nwyddau crefftwyr ar gefn cert neu geffyl a mewnforiwyd nwyddau coeth neu arbenigol yn yr un modd. O'r 1760au ymlaen, roedd modd teithio'n gynt oherwydd y ffyrdd tyrpeg a dylanwad y ffeiriau. Llesteiriwyd datblygiad economaidd y dref gan y diffyg adnoddau mwynol, glo yn fwyaf arbennig. Daeth Caer yn ddylanwad pwysig ar dref Rhuthun, gan mai'r dref honno a ddatblygodd yn brif ganolfan gwasanaeth gogledd Cymru a ffynhonnell arian nifer o fasnachwyr Rhuthun.

Teithio

Cyfyng iawn oedd gorwelion y gymuned hon. Gan fod teithio'n broses mor araf, hyd yn oed ar gefn ceffyl, anodd iawn oedd cwblhau taith i dref gyfagos ac yn ôl o fewn diwrnod. Ar ddechrau'r ganrif, roedd yn anodd iawn cludo nwyddau oherwydd cyflwr gwael y ffyrdd. Ymdebygai ffyrdd yr ardaloedd gwledig anghysbell i lwybrau. Roedd gwybodaeth ddaearyddol am deithiau a oedd ymhellach na diwrnod o'r dref yn gyfyngedig i nifer bychan iawn o'r trigolion – megis ceidwaid carchardai'r sir a leolid yn Rhuthun, ac a fyddai'n mynychu llysoedd ledled y sir gan hebrwng carcharorion a ddedfrydwyd i'w halltudio i borthladdoedd pell. Yn y 1730au, byddai taith i Lerpwl yn cymryd rhwng tri neu bedwar diwrnod i'w chwblhau, gan deithio trwy'r Wyddgrug, Brychdyn, Caer a Phenbedw (Rock Ferry).

Yn wreiddiol, talwyd am gostau'r priffyrdd gan wasanaeth di-dâl pobl leol, ond yn dilyn Deddf y Priffyrdd 1670 rhoddwyd hawl i'r ustusiaid gymeradwyo trethi, pe bai dulliau eraill o drwsio'r ffyrdd yn annigonol. Rhoddai Deddf y Priffyrdd William a Mary yr hawl i blwyfi godi trethi priffyrdd a chreu goruchwylwyr priffyrdd y plwyf. Cafodd y rhan fwyaf o'r gwaith priffyrdd ei roi i gontractwyr ac mewn un achos roedd yn cynnwys defnyddio ffrwydron.

Wynebai plwyfi a leolid gerllaw trefi, lle'r oedd nifer o ffyrdd gwledig yn cyfarfod, anawsterau mawr wrth i'r traffig gynyddu yn ystod y ganrif. Ym mhlwyf Llanrhudd, lle'r oedd priffyrdd yn arwain i'r Wyddgrug, Wrecsam a Chorwen, aeth y baich yn ormod a gosododd llys y Sesiwn Chwarter ddirwyon a thollau i geisio sicrhau safonau addas ar y ffyrdd. Ym 1720 penderfynodd yr ustusiaid osod treth o 6d i bob punt am drwsio'r priffyrdd a dirwy o £40 am esgeuluso unrhyw waith trwsio. Cawsant eu dirwyo eto ym 1725, ynghyd ag Efenechtyd a Llanfwrog. Ym 1747, defnyddiodd yr ustusiaid dacteg wahanol trwy berswadio'r bonedd lleol i weithio ochr yn ochr â swyddogion y plwyf i sicrhau bod y gwaith yn cael ei gwblhau.

Gweddnewidwyd y sefyllfa gyda dyfodiad y ffyrdd tyrpeg wrth i fuddsoddwyr preifat dalu am dollffyrdd newydd. Pasiwyd y ddeddf dollffyrdd gyntaf i effeithio ar Ruthun ym 1757, pan ddaparwyd ar gyfer y ffordd rhwng yr Wyddgrug a Rhuthun a dilynwyd hon yn fuan iawn gan eraill o Wrecsam i Ddinbych a Rhuddlan ym 1759, ac o Groesoswallt trwy Langollen i'r ffordd a arweiniai o Wrecsam i Ruthun ger 'Tafarn Dwyarch' ym 1763. Ni chafodd mwyafrif y ffyrdd mewndirol yng ngorllewin Sir Ddinbych eu troi'n ffyrdd tyrpeg hyd y bedwaredd ganrif ar bymtheg.

Yn sgil y ffyrdd newydd, cwtogwyd ar amseroedd teithio gan arwain at hyder newydd yn yr economi leol a buddsoddodd sefydliadau lleol, megis elusendai

Goodman a phlwyfi Llanfwrog a Llanrhudd ynddynt. Fodd bynnag, ni wnaethant unrhyw elw ac ailnegodwyd y buddsoddiadau ond derbyniwyd rhai taliadau o ganol y 1780au ymlaen. Bu'r ffyrdd tyrpeg o gymorth i ddatblygu'r gwasanaeth post. Gwasanaethid Rhuthun gan bostfeistri er 1677 ac o ddiwedd y 1780au, roedd ceffyl post yn cysylltu Rhuthun â Llanelwy i gyfarfod y goets fawr.

Roedd dwy dollborth rhwng Rhuthun a Wrecsam, y naill yn Ffolt gerllaw Rhuthun, a'r llall yn Llandegla; roedd un rhwng Rhuthun a Dinbych yn Llanrhaeadr. Lleolid y giât ar y ffordd i'r Wyddgrug yn Nhafarn y Gelyn. Cyn bo hir ychwanegwyd rhagor o giatiau. Ffordd Wrecsam oedd y prysuraf o'r cyfan gyda theirgwaith yn fwy o deithwyr arni. Bellach, teithiai ceidwaid y carchardai lawer ymhellach gan symud eu carcharorion anffodus cyn belled â Chaerhirfryn, Bryste, Portsmouth a Deptford. Nid oedd y ffyrdd tyrpeg yn gostus i lwythi ysgafn a theithwyr unigol. Ym 1788, 2d oedd pris y daith ar y ffordd dyrpeg o Wrecsam i Ruthun ar gyfer carcharor, ei wraig a phlentyn a dau geffyl, ac ar yr un ffordd ym 1798 pris y daith i ddau geffyl oedd 4d.

Cludiant

Ar ddechrau'r ganrif, cludwyd nwyddau ar gefn ceffylau yn bennaf. Ychydig iawn o gertiau a oedd yn y dref; roedd William Langford o'r Llew Gwyn yn berchen ar geffylau yn unig, fel yn achos William Wynn, tafarnwr. Defnyddid troliau, sef cerbydau ar olwynion a dynnid gan geffylau; roedd y cowper Symon Parry yn berchen ar drol ('trole') ym 1709; ac ym 1714, roedd Santhey Green o dafarn y Swan yn rhedeg busnes cario â phedwar ceffyl, dwy drol a thair trol pwn.

Erbyn y 1750au, ymddangosodd mwy o gertiau yn sgil dyfodiad y ffyrdd tyrpeg. Roedd y gof William Turner yn berchen ar geffylau a chert, neilltuwyd ystafell arbennig i gadw'r offer cysylltiedig ac roedd ei efail wedi'i throi'n westy. Roedd rheolau arbennig ar gyfer cludo nwyddau trwm ar y ffyrdd tyrpeg, yn cynnwys wageni pedair olwyn â thynnwyd gan rhwng 6 ac 8 ceffyl. Yn y 1780au, roedd modd cario symiau sylweddol o nwyddau yn Rhuthun gan fod yno dros 20 o wageni pedair olwyn, yn ogystal â nifer bychan o gerti dwy olwyn a ddefnyddid o bosibl ar gyfer teithiau byrrach yn lleol. Yn yr ardaloedd gwledig, ceid 53 o gerti a 33 o wageni gan awgrymu fod y gwaith o gario nwyddau o'r dref i'r pentref yn bennaf yn nwylo'r trigolion gwledig.

Ceid busnesau sylweddol hefyd megis yr Angor a oedd yn berchen ar bum ceffyl, wagen a dau 'drwmbel' a cherbyd pwn ac a leolid mewn man allweddol gerllaw tair priffordd ar gyrion y dref, lle gellid paratoi neu drefnu llwythi ar gyfer y farchnad. Roedd cludo glo yn elfen bwysig o fusnes y cariwyr ac yn sgil y ffyrdd tyrpeg, daeth yn haws i bobl Rhuthun gadw'n gynnes.

Cyrhaeddodd y coestis cyntaf dref Rhuthun ym 1761 pan ddechreuodd gwasanaeth ddwywaith yr wythnos o Gaer i Gaergybi. Arweiniai'r daith deuddydd o hyd ar y 'Chester Flying Machine' trwy'r Wyddgrug, Rhuthun a Dinbych gan groesi afon Conwy ar fferi Tal-y-cafn cyn aros yng Nghonwy dros nos. Ym 1762 daeth y gwasanaeth i ben yn ystod y gaeaf ond ailddechreuodd ym 1763. Ym 1767 disodlwyd y 'peiriant hedfan' gan Goets Fawr Caer 'hung on steel springs genteel and easy', a oedd yn cymryd deuddydd yn unig i gwblhau'r daith. Disgrifiwyd Rhuthun fel a ganlyn gan ystad y castell: 'The three several turnpikes from Chester, Wrexham and Shrewsbury to Holyhead join at Ruthin and the Irish Mail and Post from Chester pass through the town daily'. Oherwydd anfodlonrwydd y cwsmeriaid, bu'n rhaid i'r perchnogion chwilio am lwybr newydd drwy Lanelwy ym 1776.

Y farchnad

Cynhaliwyd marchnadoedd bob dydd Llun a dydd Gwener fel o'r blaen ac yng nghanol y farchnad lleolid Neuadd y Sir, adeilad deulawr â neuadd y farchnad ar y llawr gwaelod ac ystafell ymgynnull i fyny'r grisiau. Ar y llawr gwaelod roedd dau grât a chynhaliwyd y nenfwd gan bileri derw. Roedd y neuadd hefyd yn cynnwys ystafell glociau ac roedd bariau a gwydrau ar y ffenestri.

Neilltuwyd y llawr isaf ar gyfer y farchnad gig ond ym 1736 pennodd yr ustusiaid daliadau newydd a gorfodwyd y cigyddion i adael, digwyddiad cyffredin ar draws Prydain, ac erbyn 1741 roeddynt yn cwyno bod eu cig yn agored i'r tywydd. Yn y pen draw, darparwyd marchnad newydd – marchnad Llandegla – ar gyfer y cigyddion yn Stryd Clwyd.

Atgyweiriodd yr ustusiaid sir y neuadd ym 1742 ac ar yr adeg honno roedd yno bedwar lle tân mawr, nenlofftydd yn y to a chorau ar gyfer ceffylau. Lleolid y grisiau i'r llawr uchaf y tu allan i'r adeilad â giât fynediad. Gosodwyd cerrig llorio ar y llawr isaf. Ym 1770, talwyd am fwy o waith trwsio a dodrefn newydd a bu'r ustusiaid yn ystyried cynllun newydd ond nis gwireddwyd. Ym 1775 darparwyd cyfleuesterau ar gyfer cadw carcharorion ac ym 1777 bu'n rhaid gwneud gwaith atgyweirio dros dro i gynnal rhannau o'r adeilad.

Denodd y farchnad dyrfaoedd mawrion ac roeddynt yn achlysuron hwyliog o ystyried nifer y tafarndai prysur a swnllyd o amgylch Sgwâr y Farchnad. Torrwyd ar draws y farchnad yn aml gan geidwad y carchar wrth iddo chwipio carcharor yn gyhoeddus. Safai rhigod a chyffion yn Sgwâr y Farchnad ac ni chafodd y cyffion eu symud oddi yno hyd y 1850au.

Rheolid y fasnach ac roedd yn amodol ar daliadau. Byddai swyddogion ar gael i reoli ansawdd y nwyddau; penodwyd arolygwyr lledr gan y llywodraeth a gwnaeth yr ustusiaid drefniadau i ddarparu mesuriadau safonol i glerc y farchnad. Pan gyflwynwyd deddfwriaeth newydd i ddefnyddio mesuriadau Winchester, archebodd yr ustusiaid samplau o Lundain.

Byddai'r henaduriaid yn ymyrryd o dro i dro i sicrhau masnach deg ac ym 1793 fe wnaethant reoli'r fasnach fenyn a dofednod anawdurdodedig. Achoswyd peth anhawster gan yr arfer o werthu stalwyni a chafwyd is-ddeddf i gyfyngu eu gwerthiant i ben draw Stryd y Castell ac i ffyrdd yr Wyddgrug a Wrecsam, gan nodi mai Dog Lane oedd yr unig lwybr rhwng y ddwy ardal. Darparwyd lloc i gadw anifeiliaid crwydredig.

Nid yw cofnodion y farchnad wedi goroesi, ac eithrio'r cofnodion statudol yn nodi prisiau grawn a gedwid o 1771 ymlaen. Hyd at 1783, roedd prisiau gwenith Rhuthun, a fesurwyd fesul bwsiel wyth galwyn Winchester, yn is na 7s; gwerthid barlys am bris is na 4s a cheirch am bris is na 2s. Ym 1783, cododd y prisiau yn sydyn, cododd gwenith i 8s, barlys i 5s 7d a cheirch i 3s. Cyrhaeddodd y prisiau eu hanterth yn ystod yr haf 1783 pan gofnodwyd bod gwenith yn gwerthu am 9s 7d, ac ni werthwyd unrhyw rawn mewn dwy farchnad; disgynnodd y prisiau yn ddiweddarach y flwyddyn honno wrth i'r cynhaeaf gyrraedd y farchnad. Yn ystod yr haf canlynol, cododd y prisiau unwaith yn rhagor. Yna, gostyngodd y prisiau hyd at 1789 pan welwyd codiadau yn ystod yr hydref, a'r un fath y flwyddyn ganlynol. Byddai'r codiad hwn ym 1783 wedi peri anhawster i lawer o bobl ac i'r gogledd o Ruthun, ar yr arfordir, cafwyd ymgais i rwystro grawn rhag cael ei lwytho ar long ym mhorthladd y Foryd.

Gwerthid gwenith, barlys a cheirch yn rheolaidd ym marchnad Rhuthun, ond yn achlysurol yn unig y gwerthid rhyg ac weithiau gwerthid ffa hefyd. Tyfwyd y rhain yn lleol, ac roedd llin hefyd yn cael ei dyfu'n lleol gan roi gwaith i weithwyr, nyddwyr a gwehyddion lliain. Roedd cyflenwad o hadau meillion a hopys hefyd ar gael yn y dyffryn. Cynhaliwyd ffair hadau meillion a hopys yn Rhuthun yn ystod mis Mawrth 1760 ac eto ym 1761. Mae'n bosibl fod y farchnad hopys yn y dref yn nwylo un perchennog siop, a oedd yn mewnforio hopys o Gaint a Chaerwrangon ym 1771.

Prisiau

Ym 1731 enillai labrwyr cyffredin 4d â chig neu 8d heb gig ac ym 1797 talwyd rhwng 1s 2d ac 1s 6d y dydd i labrwyr, arwydd o chwyddiant sylweddol. Ym 1774, talai'r is-gwnstabliaid rhwng 2s 6d a 3s 6d am lety a bwyd yn Rhuthun ac roedd llety crwydryn yn costio 1s 6d. Pris dau beint o gwrw oedd 4d.

Roedd potel o win cymun yn costio 2s 6d ym 1711, pris côt ym 1712 oedd 1s 7d, roedd pâr o glocsiau yn 8d ym 1721, ac esgidiau yn 2s 4d ym 1745. Pris cloc cegin oedd £5 5s ym 1753, £2 oedd pris bwrdd a £2 10 oedd pris cist ddroriau ym 1783, £3 10s oedd pris gwely ym 1741.

Ym 1770, costiodd y gwaith o adeiladu Pont Howkyn £250, ym 1773 prynwyd tŷ a phlanhigfa goed am £200 er mwyn adeiladu cyweirdy newydd a phrynwyd Henblas, safle mawr yn cynnwys tŷ ar Lôn Castell, ym 1785 am £160 er mwyn adeiladu'r archifdy. Ceiniogau yn unig oedd pris diod, sylltau a delid am fwyd a llety, a phunnoedd am ddodrefn ac roedd eiddo yn gwerthu am dros £100.

Diwydiannau Rhuthun

Datgela cofnodion yr is-gwnstabliaid sy'n rhestru enwau preswylwyr strydoedd Rhuthun a gyflwynwyd gerbron llysoedd yr arglwyddiaeth, union natur y diwydiannau yn economi'r dref. Gwelir bod yr economi drefol yn parhau'n weddol gyfyngedig. Cynrychiolid y diwydiant lledr yn dda iawn gan fod yno 6 barcer, 19 crydd a 6 menigwr; cyflogai'r diwydiant brethyn 11 gwehydd a gweithiwr lliain; yn y sector teithio a llety ceid 3 tafarnwr, 4 gof, 2 fragwr, 2 gowper, swyddog yr ecséis, 2 gyfrwywr a 3 chariwr; yn y sector adeiladu roedd 2 friciwr, 6 töwr llechi, saer maen, gwydrwr, turniwr, 2 lifiwr a 3 saer dodrefn; yn y sector adwerthu roedd yno 6 cigydd, 3 groser, 2 ddilledydd, gwerthwr llyfrau a gwerthwr potiau; gwneuthurwyr dillad – 6 teiliwr, 2 wneuthrwr perwigiau, gwiniadyddes a hetiwr; hefyd, roedd yno bobl broffesiynol megis arolygydd a 2 feddyg; crefftwyr – 2 grochenydd, 2 wneuthurwr basgedi, heliwr, gosodwr ymyl palmant, gweithiwr tun ac hefyd roedd un iwman, 3 garddwr a 19 labrwr.

Dengys ffynonellau eraill y swyddi arbenigol a ganlyn: torrwr tybaco, canhwyllwr, haearnwerthwr, gweithiwr tunplat, plymeriaid, gwehyddwr sidan, gwneuthurwr clociau, gwneuthurwr briciau, rhwymwr llyfrau, arolygydd marchnad, triniwr gwallt, morwr, athrawon dawns, gof gwyn, saer olwynion, ysgolfeistr ac apothecarïaid.

Yn ystod y ddeunawfed ganrif, roedd tref Rhuthun yn prosesu cynnyrch crai yr ardaloedd gwledig amgylchynol ac yn gweithredu fel canolfan wasanaethau i'r ardaloedd hynny. Roedd y diwydiant lledr yn parhau'n sylweddol ac fe'i ganolid yn Stryd Mwrog a phen isaf Stryd Clwyd. Trigai nifer sylweddol o wehyddion yn y dref, yn bennaf yn Stryd Mwrog. Roedd gwestywyr a thafarnwyr hefyd yn bur niferus ac ar Stryd y Castell, a oedd yn cynnwys Sgwâr y Farchnad, roedd carfan fechan o adwerthwyr yn ennill eu bara menyn.

Parhaodd y fasnach i gael ei rheoli gan y cwmnïau masnach a oedd yn gwarchod hawl bwrdeistrefwyr Rhuthun yn unig i fasnachu yn y fwrdeistref. Fe wnaeth y panwyr, y lliwyddion a'r barceriaid oll ddwyn achosion yn erbyn unigolion ac ym mhentreflys yr arglwyddiaeth ym 1734, cyhuddwyd dilledwr o fasnachu heb gwblhau'r cyfnod prentisiaeth saith mlynedd gofynnol. Cyhuddwyd un groser o'r dref o fasnachu'n anghyfreithlon ar ddau achlysur. Efallai bod materion penodol yn poeni Llanfwrog, lle'r aethpwyd ati i greu cymdeithas o fasnachwyr a phreswylwyr, ond yn genedlaethol roedd yr urddau yn raddol ddiflannu er bod urdd y cryddion yn parhau'n weithgar yn y 1830au.

Prynai'r trigolion cyfoethocaf eu nwyddau o Wrecsam a Chaer a phrynai eraill eu nwyddau yn uniongyrchol gan gyflenwyr o Lundain. Gwerthai masnachwyr lleol ganhwyllau, paent, nwyddau haearn a dodrefn, yn cynnwys clociau; gwerthai hetwyr ddillad sidan. Roedd y gwerthwyr sidan a brethyn yn gwerthu amrywiaeth eang o frethyn ac yn gwneud dillad yn ôl y galw. Ymelwodd un gwerthwr caws blaengar ar y diwydiant llaeth lleol gan ddatblygu ystad drefol fechan. Cyflenwai un masnachwr goed ifanc i ystad y teulu Myddleton, ac fe'u cludwyd i'r Waun.

Gwerthai masnachwyr Rhuthun eu nwyddau yn y ffeiriau a'r marchnadoedd cyfagos, ond eu prif gwsmeriaid oedd trigolion Rhuthun a'r cyffiniau. Roedd cyfoethogion Rhuthun yn gwsmeriaid pwysig iawn. Prynodd aelodau'r teulu Myddelton nwyddau drud, ond byddai rhywfaint o'r busnes hwn yn ymledu y tu hwnt i Ruthun ac i Wrecsam a Chaer. Daeth rhai masnachwyr yn gyfoethog iawn, gan brynu tiroedd a hel symiau mawr o arian. Cynhaliai un crydd llwyddiannus o Ruthun rai o'i gyfarfodydd yng Nghaer ac roedd gan y barcer, David Wynne, asedau gwerth £135, yn cynnwys £67 o grwyn yn ei byllau barcer a phyllau calch.

Siopau

Ym 1725, roedd pum siop yn Sgwâr y Farchnad a chododd y nifer hwn i saith. Roedd siopau bychain a oedd yn ymwthio i'r briffordd yn parhau i gael eu hadeiladu yn y ddeunawfed ganrif. Ond yn wahanol i'r rhain, ym 1753, roedd siop y groser Thomas Jones o Ruthun, yn cynnwys cownter, silffoedd, droriau, trawst a chlorian bren, pwysau plwm a phres a chynwysyddion i fesur hylifau. Roedd y töwr llechi Edward Evans yn berchen ar siop debyg a gwerthai de rhydd, 'coffy', tatws, startsh, cerrig marmor, tybaco, cyrc, cyrens, halen a sebon.

Datblygodd siop fwyaf Rhuthun yn adeilad hen Lys yr Arglwyddiaeth a chynhaliwyd y llys mewn lleoliadau eraill, megis tafarndai'r dref. Yn gynnar yn ystod y ganrif, cafodd yr adeilad ei roi ar brydles gan yr arglwyddiaeth i Nathaniel Edwards, gwerthwr sidan a brethyn o Ruthun, a ddefnyddiai'r adeilad cyfan, ac eithrio un siop. Roedd yn ŵr busnes llwyddiannus â buddsoddiadau ym mwyngloddiau plwm Llanarmon a gwerthai ddewis eang o nwyddau yn ei siop. Gweithredodd ar ran y teulu Myddelton ac roedd gan berchnogion y siop hon gysylltiadau agos ag Ystad Castell y Waun, gan gyflenwi'r ystad â nwyddau haearn a deunyddiau adeiladu, yn ogystal â dal swyddi uchel o fewn y gorfforaeth. Fe'i olynwyd gan ei fab, a elwid yn Nathaniel Edwards hefyd.

Daeth yr adeilad yn fwy adnabyddus fel yr 'Hen Neuadd' ac yn y siop, gwerthwyd manion gwnïo, nwyddau bragu, canhwyllau a gwêr, sbeisys, nwyddau haearn, nwyddau i'r cartref a symiau sylweddol o fetel. Yn y 1740au Mr Edward Edwards oedd perchennog y siop. Fe'i olynwyd gan Ellis Roberts, yr unig berchennog a oedd yn talu treth siop yn Rhuthun, gan awgrymu fod rhent blynyddol neu gwerth y siop dros £5. Nid oedd unrhyw siop arall yng nghyffiniau Rhuthun yn talu treth siop, felly siop yr Hen Neuadd oedd siop fwyaf ardal ddeheuol Dyffryn Clwyd.

Roedd perchnogion y siopau hyn yn perthyn i rwydwaith o berchnogion siopau rhanbarthol a oedd yn hysbysebu yn y papurau newydd: Edward Edwards, groser, yn y 1760au; Ellis Roberts, groser, yn y 1770au; ac yna G. Roberts ym 1787; daethant yn adnabyddus i'r dosbarthwyr rhanbarthol ac roedd eu henwau i'w gweld mewn hysbysebion arbenigol.

Melinau Rhuthun

Cyflenwid yr ynni i brosesu'r cynnyrch crai amaethyddol gan felinau Rhuthun. Ceid melinau dŵr yn Felin Ysguborion ar afon Clwyd i'r de o'r dref, yn Llanrhudd ar afon Iâl, ac yn Stryd Clwyd. Y prif felin oedd honno ar Stryd Clwyd a elwid yn 'Les Mills' ac erbyn diwedd y ganrif roedd yn cynnwys dwy felin, pum pâr o feini, dau bâr o roleri brag a dau beiriant naddu. Hefyd, roedd yno graneri helaeth ac odyn newydd sbon i sychu ceirch.

Enw arall ar 'Les Mills' oedd melinau'r dref ac ym 1721/2 roeddynt yn malu gwenith, siprys, a brag yn bennaf, a rhywfaint o flawd ceirch. Malwyd mwy o siprys nag o frag, a mwy o frag nag o wenith. Derbyniai'r melinau dreth a oedd yn ugeinfed rhan o'r hyn a falwyd ganddynt, ac awgryma'r dreth ar gyfer y cyf-nod 1721/1722 iddynt falu tua 3,000 mesur o siprys, 2,200 o frag a 1,400 o wenith. Awgryma'r cyfraddau hyn natur y ffermio âr o amgylch y dref ac maent yn dangos pwysigrwydd brag i fragu yn ogystal â dangos cynhwysion y bara a bobwyd yn Rhuthun yn y 1720au.

Roedd 'Les Mills' yn eiddo i'r teulu Myddelton. Ar ddechrau'r ganrif, cafodd y felin ei rhoi ar brydles i bartneriaeth ac ym 1721 roedd pedwar partner yn berchen arni ac roedd yn cynhyrchu incwm o £40. Ym 1756 roedd wyth partner, ond cansl-wyd y cyfan a chafodd y felin ei gosod i'r Parch. John Humphreys; roedd y felin yn parhau i fod ym meddiant ei ddisgynyddion yn y bedwaredd ganrif ar bymtheg. Roedd John Humphreys yn ŵr cefnog: trigai gerllaw'r felin mewn tŷ 20 ffenestr, ac roedd hefyd yn berchen ar eiddo arall.

Degymau Rhuthun

Telid y degymau, treth y ddegfed ran, ledled Rhuthun ar gynnyrch amaethyddol ac fe'u cesglid yn aml am nwyddau gan ddegymwyr. Roedd y degwm ar foch yn Rhuthun a Llanrhudd yn eiddo i Ysbyty Crist a oedd yn gwybod pwy oedd yn berchen ar hychod torrog neu 'agored'. Roedd 11 hwch agored yn Llanrhudd a 17 yn Rhuthun tua 1790 ac roedd tafarndai'r Ceffyl Gwyn, y Ddraig Werdd (Green Dragon) a'r Hand yn cadw hychod. Talai'r perchnogion un mochyn bach am bob hwch; weithiau byddent yn rhoi mochyn. Cadwai nifer o'r tafarndai foch megis y Star, Queen's Head a'r King's Head, felly roedd ailgylchu'r mochyn yn arian parod yn bur hawdd. Weithiau, byddent yn magu'r mochyn ei hunain, fel y digwyddodd yn achos yr anifail a roddwyd iddynt gan Gaerfallen. Ffermiwyd y degwm yn gynnar ym 1785 i Peter Lloyd, gwerthwr sidan a brethyn o Ruthun, a John Roberts o Lanfwrog.

Tafarndai

Lluosogodd y tafarndai, ym 1734 roedd 25 tafarn drwyddedig yn y dref ond erbyn 1752 roedd y nifer hwnnw wedi codi i 32. Ysgogwyd y twf hwn gan y galw mawr am gwrw oherwydd bod ansawdd dŵr yfed yn bur amheus, a hefyd gan y rheini a fyddai'n mynychu'r marchnadoedd, ffeiriau a llysoedd. Roedd galw mawr a chyson am lety, bwyd a diod yn y dref. Nid lleoedd ar gyfer yfed a chymdeithasu yn unig oedd y tafarndai; ynddynt trafodwyd llawer o fusnes a chafodd sawl bargen ei tharo.

Un dafarn yn unig sydd wedi cadw ei henw gwreiddiol hyd heddiw, sef y Boars Head, trodd y Llew Gwyn yn Westy'r Castell, aeth yr Horns yn y Farmers a'r North Pole yn y Star. Diflannodd y gweddill i gyd – Green Dragon, Ship, Black's Head, White Horse, White Bear, Harp, Hart, Bull, Crown, Lower Crown neu Crown Issa, Hand, Cross Foxes, Swan, Little Swan, Cross Keys (ar Well Street), Raven, Old Hall, Royal Oak, Sarazens Head, Laboratory, King's Arms, Queen's Head, Talbot, Labour in Vain, Marquis of Granby, Star, Anchor, Vernon, Boot, Henefel, Red Lion, George, Green, Blue Bell, New Boar a'r Duke of York,

Roedd rhai ohonynt yn fusnesau tymor byr, ond arhosodd tafarn di-enw, y drws nesaf i'r Blue Bell ar ochr ddeheuol Stryd Clwyd, ym meddiant y teulu Sanders rhwng 1710 a 1796. Yn ogystal â chynnig llety a gweini cwrw, roedd y teulu Sanders yn fenigwyr. Yn yr un modd, roedd perchnogion tafarndai eraill hefyd yn dal nifer o swyddi eraill, megis John Jones, turniwr, o'r Crown isaf yn Nhal y Sarn. Lleolid y dafarn ar y brif stryd gerllaw'r farchnad, roedd yn gweini bwyd ac roedd ganddo ddigon o lestri ar gyfer tua 20 o bobl. Y bobl hyn oedd ceffylau gwaith y sector dafarndai a byddent yn darparu gwasanaethau i ymwelwyr gan sicrhau ffyniant parhaus y dref.

Oherwydd eu bod yn cynhyrchu llif o arian parod, daeth tafarndai a gwestai yn fusnesau poblogaidd i'w prynu. Ym 1723, derbyniodd John Myddelton lythyr annisgwyl gan William Palmer, dyledwr yng ngharchar Rhuthun, yn cynnig gwerthu tafarn y Boars Head iddo fel y gallai glirio ei ddyledion a chael ei ryddhau. Cytunodd John Myddelton a daeth y Boars Head yn eiddo i'r teulu hwnnw, fel y gwnaeth eraill. Yn nhafarn y Boars Head ym 1701, cawn gipolwg prin ar fywydau'r bobl gyffredin: Jane Price oedd gwraig y tŷ, Edward oedd y gwas, Blayns oedd y forwyn, a Dorothy oedd y 'swash' (golchwraig o bosibl).

Gwestai

Y ddau brif westy ar ddechrau'r ganrif oedd y King's Arms a'r Llew Gwyn. Wynebai'r ddau westy ei gilydd ar draws Sgwâr y Farchnad a'r King's Arms oedd y mwyaf a'r gorau, ond dros gyfnod o amser dirywiodd. Yn sgil traffig cynyddol i'r dref, rhoddwyd hwb i sefydlu gwestai eraill megis y Crown, Cross Keys a'r Raven.

Erbyn 1727, codwyd adeilad newydd yn y Llew Gwyn ac roedd cyfleusterau i ymladd ceiliogod y tu ôl iddo. Roedd wedi'i ddodrefnu'n dda, â chadeiriau breichiau lledr a'i addurno ag 'old Holland and white ware'. Yn y ddwy seler, roedd 15 casgen a phedair arall yn y bragdy, gan awgrymu fod llawer o bobl yn galw yno. Hefyd, roedd y Llew Gwyn yn berchen ar gaeau i ddarparu cyflenwad o fwyd ffres a phorfa. Erbyn canol y ganrif roedd yr adeiladau gwreiddiol ymron i 300 mlwydd oed ac yn dangos ôl traul ac o'r 1760au ymlaen, roedd mwy o alw am lety wrth i ffyrdd tyrpeg gyrraedd Rhuthun. Roedd y Llew Gwyn yn wag rhwng 1745 a 1750 a rhwng 1768 a 1773. Hysbysebwyd am denant yn aml ym mhapurau Caer.

Sylweddolwyd bod angen darparu mwy o le yn nhafarn y Llew Gwyn ac ym 1772 prynodd Richard Myddelton y Ceffyl Gwyn y drws nesaf gan ddymchwel blaen adeilad y Llew Gwyn. Ym 1773 cododd yr adeilad Sioraidd hardd sydd i'w weld heddiw. Ychwanegwyd lloriau newydd gan olygu bod modd gwahanu'r ystafelloedd cysgu a'r ystafelloedd derbyn, y bar a'r ystafell fwyta; hefyd, darparwyd pwmp dŵr i ddarparu cyflenwad preifat i'r gwesty. I'r rheini a oedd yn gallu ei fforddio, gweddnewidiodd yr adeilad newydd brofiad yr ymwelydd â thref Rhuthun.

Dros y blynyddoedd, sefydlodd cyfres o denantiaid dafarn goets draddodiadol yno ar gyfer y bonedd gan eu sicrhau 'that no care or expence shall be wanting to accommodate them in a most agreeable Manner'. Defnyddiwyd y gwesty gan y teulu Myddelton i groesawu ymwelwyr a dechreuodd yr awdurdodau cyhoeddus gynnal eu digwyddiadau ffurfiol yno hefyd. Cynhaliwyd y ciniawau trwyddedu blynyddol yno ac, ar 20 Medi 1797, gweinwyd cinio, rym, brandi a thybaco. Daeth y gwesty yn ganolfan ar gyfer cynnal gwerthiannau tir, canolfan bostio ac yn

Rhuthun c1770

ganolbwynt rhwydwaith o lwybrau coetsis rheolaidd. Dyma'r lle cyntaf y byddai ymwelwyr â'r dref yn ei gyrraedd, ac i'r rheini a oedd yn gallu fforddio'r prisiau, y Llew oedd y lle i aros yn Rhuthun.

Ar ochr ddeheuol Sgwâr y Farchnad, y tu ôl i'r Hen Neuadd, safai'r Raven, gwesty deulawr â nenlofftydd a adeiladwyd ar ôl 1714 ac a ehangwyd ym 1731. Roedd yno naw ystafell wely yn cynnwys 16 gwely, a digon o ganwyllbrennau i roi golau ymhob llofft. Gallai 41 o bobl eistedd i fwynhau pryd o fwyd yn y Raven. Bragwyd a gwerthwyd llawer iawn o gwrw yno, ac roedd gwerth ymron i £38 o gwrw yn y selar – tua 562 galwyn. Nid oedd cyflenwad o ddŵr tap yn y Raven na chyflenwad dŵr pibell, fel yn achos gweddill y dref, ond defnyddiwyd trol i gario dŵr, o'r pwmp yn Sgwâr y Farchnad yn ôl pob tebyg. Am gyfnod, byddai swyddogion y plwyf a'r ustusiaid yn mynychu'r Raven, yn wir, cynhaliodd yr ustusiaid lys lleol yno gan benodi'r landlord yn drysorydd y sir, ond daeth y berthynas honno i ben ar delerau gwael.

Ymhellach o'r marchnadoedd ceid tafarndai megis y Swan, y dafarn drwyddedig gynharaf y gwyddys amdani yn Rhuthun, y cyfeirir ati gyntaf ym 1660. Roedd saith neu wyth ystafell wely yno a gwelyau ychwanegol yn y nenlofftydd, gan roi cyfanswm o 12 gwely. Nid oedd y cyfleusterau bwyd yn dda ac roedd yn westy rhad a digon cyffredin. Ym mhen isaf Stryd y Ffynnon safai tafarn yr Angor. Adeiladwyd y dafarn cyn 1773, ac roedd yn adeilad sylweddol a oedd yn berchen ar fythynnod cyfagos ac yn cynnwys bragdy sylweddol. Ym 1785 roedd yno chwe ystafell wely, rhai ohonynt wedi'u henwi, megis yr ystafell goch a'r ystafell las, byddai'r gwesteion yn bwyta yn y parlwr lle'r oedd bwrdd a chadeiriau.

Ymddangosodd nifer o hysbysebion ym mhapurau newydd Caer am werthiannau pren ac eiddo a gynhelid yn y tafarndai. Y Ceffyl Gwyn, y Llew Gwyn, y Crown a'r Cross Foxes oedd fwyaf amlwg, ond tua'r flwyddyn 1770 ymlaen, ymddangosodd y Crown fel y prif westy ar gyfer cynnal gwerthiannau eiddo a chadwodd y statws hwnnw hyd 1776, pan fu farw David Giles, y daliwr trwydded. Disodlwyd y Crown gan y Cross Keys ac, i raddau llai, gan y Llew Gwyn.

Gan fod angen mwy o le ar gyfer stablau a choetsis ac, wrth i ofynion y bonedd gynyddu, roedd angen mwy o gyfalaf i wneud gwelliannau ac ymatebodd dau o westai Rhuthun. Adnewyddwyd y Llew Gwyn a'r Cross Keys ym 1773 a 1776 mewn ymgais i ddenu cwsmeriaid bonheddig. Yn y 1780au, prynwyd y Cross Keys gan ŵr busnes o Gaer ac aeth ati i hyrwyddo'r gwesty ymhlith y bonedd a oedd yn mynychu'r llys yn Stryd y Llys y tu ôl i'r gwesty. Fel atyniad ychwanegol, roedd gan y Crown a'r Llew Gwyn 'post chaise' a cheffylau ac roedd gan y Cross Keys ddau ohonynt.

Bywyd Cymdeithasol

Cartrefi

Ychydig iawn o eiddo a oedd gan y trigolion tlotaf ac roeddynt yn byw mewn un ystafell. Trigai'r wraig weddw, Mary Jones, mewn un ystafell a oedd yn cynnwys dillad gwely, hen gwpwrdd a bwrdd, lle tân i goginio, llestri a gwahanol declynnau ar gyfer nyddu – '1 little wheel, 1 reel, 1 winder, 1 great wheel, 1 pair of wheel cards'. Dengys y cofnodion mai yng nghartrefi menywod y cyfnod y ceid mwyafrif y troellau nyddu, ond prin iawn oedd y cartrefi hynny lle gwelwyd y fath amrywiaeth o offer i gynhyrchu incwm ychwanegol, a byddai Mary Jones yn eu benthyg i landlord y Labour in Vain yn Llanfwrog a'i mab-yng-nghyfraith.

Roedd Anne Hughes yn byw mewn dwy ystafell, roedd ganddi gegin â dreser a lle tân ac ystafell wely yn cynnwys gwely plu a throell nyddu yn unig. Roedd gan Daniel Jones, crydd o Ruthun, gegin wedi'i dodrefnu'n dda â dreser, bwrdd a chadeiriau, cloc a lle tân lle byddai'n coginio. Gan mai dyma'r unig ystafell a wresogid, cysgai yno hefyd, a defnyddiai ei ystafell wely fel gweithdy. Un lle tân yn unig a geid mewn llawer o dai a defnyddid nwyddau haearn megis gratiau ar gyfer coginio.

Eto i gyd, roedd lloriau uwch bychain lle ceid ystafelloedd ychwanegol mewn rhai cartrefi. Roedd gan y crefftwr, Edward Evans o Ruthun, gegin, cegin gefn, parlwr bach a siop a chyntedd ar y llawr gwaelod ac ystafelloedd gwely i fyny'r grisiau uwchben y cyntedd, siop a'r gegin. Y gegin oedd yr unig ystafell a wresogid ac roedd yno gloc a phwysau, bwrdd a stolion.

Cartrefi syml oedd gan rai o'r masnachwyr, yn cynnwys ystafell fusnes ac ystafelloedd byw ar y llawr gwaelod â rhai ystafelloedd i fyny'r grisiau; roedd gan un groser gegin a siop ar y llawr gwaelod a dwy ystafell i fyny'r grisiau; roedd gan apothecari barlwr, siambr y parlwr, siop, ystafell uwchben y siop a seler. Ymhlith nifer o eitemau eraill, roedd pobl fusnes a gweithwyr proffesiynol llwyddiannus yn berchen ar glociau a drychau.

O fewn ffiniau'r fwrdeistref ac ar ei chyrion, lleolid ffermydd lle'r oedd iwmyn yn byw ac yn elwa o'u hagosatrwydd â thref Rhuthun i gyflenwi nwyddau angenrheidiol megis cynnyrch llaeth, cig a grawnfwydydd. Roeddynt yn byw yn debyg iawn i'w cefndryd yn y dref gan osod lluniau ar y waliau, drychau, clociau a chistiau. Trigai un ohonynt yn y dref, gerllaw 'Pont Dowkin', ac mae'n debyg ei fod yn ffermio rhai o'r llifddolydd o bobtu'r bont.

Ar frig haen gymdeithasol y fwrdeistref, ceid yr oligarchiaid cyfoethog, bonheddwyr, masnachwyr a chrefftwyr a llond llaw o ffermwyr a oedd wedi ymddeol, gwragedd gweddw a phobl broffesiynol. Roedd y rhain yn berchen ar dai sylweddol a ddodrefnwyd yn dda, yn ogystal ag ardaloedd eang allanol a digon o dai allan ar gyfer storio. Roedd gan un tŷ 'modern' a godwyd ar Stryd y Castell ger Sgwâr y Farchnad ddau barlwr, un ohonynt â wensgod derw, siop fawr, cegin, bwtri, cegin gefn, dwy seler, dwy ystafell fwyta â wensgod, ystafelloedd lletya, tair nenlofft, a bragdy ag ystafell uwch ei ben yn yr iard gefn, gerllaw iard fawr a stabl.

Yn y tai cyfoethocaf, roedd angen lleoedd i storio eitemau ac adlewyrchid hyn yn y dodrefn a'r enghreifftiau niferus o gistiau droriau a 'beaurau'. Addurnwyd yr ystafelloedd â darluniau. Hefyd, ceid yno glociau, drychau, dreseri, canwyllbrennau, byrddau, cadeiriau breichiau, cadeiriau, stolion, gwelyau cyfforddus a dillad gwely; roedd stolion caead hefyd ar gael at bwrpas glanweithdra a cheid system blymio syml mewn rhai cartrefi â dyfrgistiau i storio dŵr. Gwnaed y llestri bwrdd o biwtar, crochenwaith a phren, fel y gwelid yn y King's Arms ym 1729.

Cysylltiadau allanol

Yn ystod y cyfnod Sioraidd, roedd gan dref Rhuthun gysylltiadau masnachol a chymdeithasol ag ardal eang. Roedd gan Mary Evans deulu yn Bonwm a Llansanffraid Glyndyfrdwy a chwaer yn y Fenni. Fel yn achos sawl un arall, roedd gan Mary Price deulu yn Llundain. Treuliodd y paentiwr Edward Pugh o Ruthun, y rhan fwyaf o'i fywyd yn Llundain a Chaer ac roedd gan David Davies, paentiwr o Ruthun, a baentiodd nenfwd y gangell yn Eglwys Sant Pedr, fab, John Davies, a oedd yn byw yn Red Lion Street, Holborn, Llundain.

Roedd gan nifer o bobl ddiddordebau busnes y tu hwnt i Ruthun. Bu Alexander Robinson, gwerthwr dillad, yn masnachu â gwerthwr dillad yn Sir Gaer a thafarnwr o'r Bala. Mae'n debyg fod George Anderson o'r Llew Gwyn yn hannu o Gaer ac roedd yn cynnal ei fusnes â masnachwyr oddi yno. O 1732 ymlaen, cyhoeddid papurau newydd wythnosol yng Nghaer a oedd yn rhoi'r newyddion cenedlaethol a rhyngwladol.

Wrth iddi ddod yn haws i deithio, ehangodd cysylltiadau cymuned Rhuthun â'r byd allanol. Dengys cofrestri priodas Rhuthun mai dim ond pedwar partner a oedd yn hannu o'r tu hwnt i Ddyffryn Clwyd yn y cyfnod cyn 1725 a dim ond dau o'r rhain a ddeuai o'r tu hwnt i'r sir. Yn ystod chwarter olaf y flwyddyn honno, roedd 21 o bartneriaid yn hannu o'r tu hwnt i'r Dyffryn ac roedd dau ohonynt yn frodorion o Lerpwl ac un o'r Alban. Yn ystod ail hanner y ganrif, daethai rhai ohonynt o leoliadau ar y ffyrdd tyrpeg. Yn sgil y mewnfudo cynyddol, arhosodd y boblogaeth yn sefydlog.

Addysg

Bu ysgol ramadeg Goodman ar agor drwy gydol y ganrif gan addysgu rhai o blant mwyaf cefnog Rhuthun a, thrwy ysgoloriaethau'r ysgol, ychydig o blant eraill. Gwerthfawrogid yr ysgol gan y dref ac ym 1700, cytunwyd i gyfrannu at y gost o'i hailadeiladu.

Ni dderbyniai mwyafrif helaeth plant Rhuthun addysg uwchradd ond roedd ysgolion yn y dref. Cynhelid ysgol yn Eglwys Sant Pedr ym 1710, yn y llofft organ. Sefydlwyd ysgol elusennol yn Borthyn i blant tlawd cyn 1729, ac roedd yno 'blewcoatboys' ym 1724 pan adawyd £5 i'r ysgol mewn ewyllys. Ym 1776 cyfeiriodd warden Rhuthun at ysgol rydd ac ysgol 'bluecoat' (daeth lliw y gwisgoedd yn gyfystyr ag enw'r elusen).

Cadwai'r plwyf gyfrif elusennol ar gyfer bechgyn ac ym 1731 defnyddiodd gymynroddion a chasgliadau offrwm i brynu ysgubor, tyddynnod a gerddi yn Borthyn am £140, sef lleoliad Ysgol Borthyn yn ddiweddarach. Hefyd, sefydlwyd ysgolion cylchynol Gruffydd Jones yn y dref gan addysgu hyd at 51 o blant yn Stryd Mwrog yn Llanfwrog ym 1755; roedd 34 o blant yn mynychu ysgol gylchynol Llanrhudd ym 1761 a sefydlwyd un arall yn Eglwys Sant Meugan, Llanrhudd, ym 1762. Credir y gwnaed ymgais i sefydlu ysgol mewn ysgubor yn Llanfwrog tua'r flwyddyn 1781 ond cafodd ei symud yn y pen draw i eglwys y plwyf.

Roedd ysgol i ferched yn Rhuthun yn y 1760au a dywedwyd fod yno 40 o ddisgyblion. Ym 1768 hysbysebwyd am gynorthwy-ydd a oedd yn gallu darllen Cymraeg ar gyfer yr ysgol yn Stryd y Castell. Darparodd un o henaduriaid y dref ar gyfer cynnal ac addysgu tair o'i ferched a'u rhoi yng ngofal teulu da a gonest.

Crefydd

Portreadwyd Dyffryn Clwyd, mor ddiweddar â 1776, fel paradwys Anglicanaidd. Roedd yr eglwys yn ymwybodol o'r Methodistiaid ym Mhontuchel ond prin y gallent ddychmygu'r rhan ganolog y byddent yn ei chwarae yn esblygiad Anghydffurfiaeth yn ardal Rhuthun. Roedd y Gymraeg yn rhan hanfodol o fywyd yr eglwysi lleol hyn a phan wnaethpwyd casgliad cenedlaethol ar gyfer Beibl Cymraeg newydd ym 1768, roedd un o'r casglwyr yn byw yn Rhuthun.

Y festrïoedd a fyddai'n codi arian ar gyfer cynnal yr eglwysi, clychau'r eglwysi, rhaffau'r clychau, offer claddu, y gwin a'r bara cymun, cyflog y clerc, y cloc, ierdydd, muriau a llwybrau. Gosododd festri Rhuthun reolau ynglŷn â chanu'r clychau; ni cheir cyfeiriad at arfer yr ugeinfed ganrif o ganu'r hwyrgloch. Canwyd un gloch am naw y bore ac am bedwar y prynhawn, a newidiwyd hyn yn ddiweddarach i bump o'r gloch rhwng Gŵyl Ifan a Gŵyl Mihangel, a chenid pob cloch ar ddyddiau gŵyl.

Rhoddwyd to llechi newydd ar eglwys Llanfwrog ym 1704 a chafodd gloch newydd ym 1720. Atgyweiriwyd y pared rhwng y gangell a chorff yr eglwys ym 1706 a phlastrwyd y waliau a'u paentio â golchiad lliw ym 1710. Ym 1716-19 gwnaethpwyd gwaith atgyweirio sylweddol ar y cynteddau a bwriwyd cloch newydd ym 1720 pan ailblastrwyd a phaentiwyd yr eglwys â golchiad lliw. Cafodd dodrefn yr eglwys ei drwsio yn ystod 1700-1720 pan gafwyd ymdrech fawr gan y plwyf i atgyweirio ac adfer yr eglwys. Gosodwyd ffenestr newydd ym 1767, atgyweiriwyd y clochdy a'r tŵr ym 1769, ac ym 1778 adeiladwyd oriel.

Ymddengys fod ymgyrch genedlaethol ym 1714 i gasglu arian er mwyn atgyweirio Eglwys Sant Pedr wedi mynd i'r gwellt. Ychwanegwyd adain ddwyreiniol newydd i'r eglwys ym 1720-22 a thrwsiwyd ac ailosodwyd plwm ar y toeau ym 1735. Bu'r 1720au yn gyfnod prysur iawn a chafwyd anghydfod rhwng rhai dinasyddion amlwg ac awdurdodau'r eglwys wrth i'r plwyfolion fynd ati i adeiladu corau newydd. Codwyd galerïau ar hyd y muriau gorllewinol a gogleddol, ynghyd â phulpud dair haen ym 1728. Edrychai'r eglwys yn wahanol iawn i'r hyn a welir heddiw ag eiliau cul wedi'u hamgáu â chorau a gwagleoedd tywyll o dan yr orielau. Ym 1730 rhoddwyd cerrig llorio ar y llwybr a oedd yn arwain o giatiau'r brodyr Davies i'r eglwys (mae'n debyg y talwyd am y gwaith hwn trwy fenthyciadau). Aethpwyd ati i drefnu casgliad cenedlaethol i drwsio tŵr yr eglwys ym 1754, ond ni cheir unrhyw gofnod am waith adeiladu. Darparwyd allorlun newydd ym 1771.

Dillad

Derbyniai bechgyn y tlodion glocsiau neu esgidiau, hosanau, trowsus, crys, gwasgod a chôt a rhoddwyd clocsiau neu esgidiau, pais, crysan ('shift' neu ffrog fer blaen heb lewys) gwn ac weithiau clogyn i'r merched. Roedd clocsiau deirgwaith yn rhatach nag esgidiau a chododd pris y ddau yn sylweddol yn ystod y ganrif. Arferai cyn-henadur dalu am wlân neu liain bob blwyddyn er mwyn gwneud gwasgodau neu 'shirtings' ar gyfer y naw neu'r deg tlotaf yn y dref ar ddydd Gŵyl yr Holl Saint cyn dyfodiad y gaeaf.

Darparwyd dillad gwydn, rhad a syml i garcharorion erbyn diwedd y ganrif. Cyflenwyd y brethyn gan werthwr lleol a fyddai hefyd yn trefnu i'r dillad gael eu gwneud. Roedd gan un carcharor gwryw siacedi wedi'u leinio a chrysau â botymau, trowsus, dillad isaf gwlanen, côt fawr gynfas, gynau gwely cotwm ac esgidiau. Prynwyd capiau, hancesi, ffedogau a ffrogiau 'shift' i'r carcharorion benywaidd.

Ymosodwyd ar Robert Pierce, tlotyn o Lanfair Dyffryn Clwyd, yn Rhuthun gan dincer a chyfnewidwyd eu dillad. Roedd gan y ddau gotiau a gwasgedi gwlanen, roedd gan un ohonynt grys gwlanen a'r llall grys lliain, roedd gan y ddau drowsus yr un, pâr o hosanau a phâr o esgidiau ac roedd gan un ohonynt wig a hances boced siec.

Gwisgai'r cyfoethogion beisiau sidan a sers, gynau gwlanen 'mantuan' a hetiau ffasiynol. Gwisgai'r dynion ddillad lliwgar a wnaed o ddefnyddiau ecsotig, les a gemwaith. Roedd watshis a chadwyni aur a byclau esgidiau arian yn arwydd o lwyddiant economaidd. Byddai Peter Moyle ysw. wedi gwneud cryn argraff ar ei geffyl gwyn, â'i gleddyf aur a modrwy ddeimwnt.

Hamdden

Roedd gweithgareddau gwatgar yn boblogaidd iawn, megis ymladd ceiliogod yn y Llew Gwyn, a noddwyd gan y teulu Myddelton, a dalodd am waith adeiladu sylweddol yno ym 1752; a baetio teirw yn Sgwâr y Farchnad, dan reolaeth Eglwys Sant Pedr, a oedd yn berchen y tennyn. Chwaraeai oedolion a phrentisiaid gêm o'r enw 'pump', yn aml ar y Sul, i gyfeiliant rhegfeydd ar y bont dros gafn y felin ac ar y wal ger y briffordd rhwng Ysgol Rhuthun a Wern Fechan. Cynhelid helfa flynyddol yn Rhuthun, gan esgor ar gystadleuaeth frwd rhwng tafarndai'r Cross Keys a'r Llew Gwyn, clybiau gwleidyddol a chredyd a 'chlwb y ddafad ddu'. Clywyd sŵn y delyn yn y Crown ym mis Medi 1767. Cynhaliwyd cinio i ddathlu dydd Gŵyl Dewi a chyfarfu grŵp o'r enw Cymru Dyffryn Clwyd yn y Llew Gwyn. Hefyd, yn ogystal â'r gwestai a'r tafarndai, ceid nifer o dai coffi yn y dref.

Cyfarfodydd Rhuthun

Denwyd llawer o bobl i Ruthun pan gynhaliwyd y llysoedd a'r etholiadau a datblygodd tymor cymdeithasol. Cynhaliwyd 'Ruthin Assemblies' ac fe'u hysbysebwyd yn y *Chester Courant* o'r flwyddyn 1770 ymlaen; cynhaliwyd tri yn ystod gaeaf 1781 a phedwar arall ym 1788-89. Roedd yr 'Assemblies' yn cynnwys rhaglen gymdeithasol ac roedd y cynulliad a gynhaliwyd yn ystod y gaeaf 1759 yn cynnwys rhaglen saith diwrnod o hyd.

Cynhaliwyd cyfarfodydd sirol a lleol yn Rhuthun i ystyried materion y dydd. Ym 1770 cynhaliwyd dau gyfarfod cyhoeddus yn y Crown i drafod yr angen am wyrcws. Ym 1776 cyfarfu pwysigion y dref yn y Cross Keys i sefydlu cymdeithas er mwyn erlyn troseddwyr.

Amodau economaidd y dydd oedd testun cyfarfod a gynhaliwyd ym 1780. Trafodwyd yr angen am archifdy a chyfleusterau ychwanegol gan 'fonheddwyr, rhydd-ddeiliaid a chlerigwyr Sir Ddinbych' ym 1781. Ym 1782 a 1784 gwleidyddiaeth genedlaethol oedd testun y cyfarfodydd wrth i'r bonedd lleol fynegi eu gwrthwynebiad i lywodraeth William Pitt ym 1784. Diau fod neuadd y sir yn Rhuthun yn atseinio i'r drafodaeth a oedd yn ysgubo'r genedl wrth i Pitt a'r Brenin herio Tŷ'r Cyffredin cyn ennill etholiad cyffredinol yn y pen draw.

O 'Fwrdeistref Boced' i Fwrdeistref Fodern: Rhuthun yn y Bedwaredd Ganriff ar Bymtheg

Arnold Hughes

Newidiodd tref Rhuthun yn sylweddol yn ystod y ganrif, er i'w phoblogaeth ostwng yn raddol tua'r diwedd. Gwelwyd y newidiadau hyn mewn nifer o feysydd ym mywyd cyhoeddus a phreifat y dref. Edwinodd grym gwleidyddol Arglwyddiaeth Rhuthun yn raddol yn sgil diwygiadau gwleidyddol yn San Steffan ac wrth i arweinyddiaeth wleidyddol a chymdeithasol amgen ddod i'r amlwg, un â chanddi gysylltiad cryf iawn â thwf anghydffurfiaeth, gan esgor ar ddosbarth canol Cymreig a oedd yn fwyfwy addysgedig, llafar a hunan-hyderus. Ar yr un pryd, o ganlyniad i ddeddfwriaeth genedlaethol yn ogystal â mentergarwch lleol, cafwyd nifer o ddiwygiadau pwysig er mwyn gweddnewid yr hyn a oedd yn dref ganoloesol i bob pwrpas, yn fwrdeistref fodern â goleuadau nwy ar y strydoedd, dŵr trwy bibell, system garthffosiaeth fodern, gwell ffyrdd a'r teleffonau cyntaf. Cysylltwyd Rhuthun â'r rhwydwaith rheilffyrdd cenedlaethol ym 1862 gan arwain at ganlyniadau economaidd a chymdeithasol hirdymor. Ehangwyd y ddarpariaeth addysg ac iechyd hefyd mewn ymateb i ddiwygiadau cenedlaethol, a gweddnewidiwyd arferion hamdden hyd yn oed yn sgil cyflwyno gweithgareddau chwaraeon poblogaidd newydd, a'r mwyaf amlwg o'u plith oedd pêl-droed.

Y Dref a'i Phobl

Ni fu llawer o newidiadau yn y dref ei hun a'i phoblogaeth yn ystod y ganrif ac fe arhosodd Rhuthun yn debyg iawn i'r hyn a fu ers canrifoedd – tref farchnad fechan, yr oedd ei thrigolion yn gwneud bywoliaeth trwy wasanaethu anghenion yr ardal wledig amgylchynol.

Y Dref

Yn gyffredinol, roedd disgrifiadau cyfoes o'r dref yn bur ffafriol. Roedd ei lleoliad ar fryn, ei strydoedd pictiwrésg ac adeiladau hardd, wedi ennill edmygedd teithwyr cynnar; disgrifiwyd Rhuthun fel 'tref dda' yn y Cambrian Travellers' Guide (1813). Fodd bynnag, ddeugain mlynedd yn ddiweddarach, honodd Robert

Rhuthun c1850

Castell Rhuthun c1826

Roberts, yn goeglyd braidd, fod y dref yn 'trim, prim and well-bred'. Yn ystod y ganrif roedd y rhan fwyaf o'r adeiladau, yn ddomestig ac yn fasnachol, yn eiddo i Ystad Castell Rhuthun, Ystad Wynnstay neu dirfeddiannwyr blaenllaw eraill.

Oherwydd na fu twf mawr yn y boblogaeth yn ystod y ganrif, a'r ffaith bod y boblogaeth wedi gostwng erbyn diwedd y ganrif, nid oedd angen datblygiadau trefol ar raddfa fawr hyd y cyfnod yn dilyn y Rhyfel Byd Cyntaf. Yn hytrach, llenwyd bylchau yn y strydoedd presennol neu adeiladwyd tai newydd yn lle'r adeiladau hŷn i gwrdd ag anghenion y dref. Yn sgil dyfodiad y rheilffordd ym 1862-64, gwelwyd rhwyfaint o ehangu trefol wrth i ffyrdd newydd gael eu hadeiladu i gysylltu'r orsaf rheilfordd â chanol y dref – Stryd y Farchnad, neu er mwyn cysylltu Borthyn â Stryd y Ffynnon, trwy adeiladu Ffordd y Parc a Ffordd yr Orsaf. Fel y dengys mapiau yr Arolwg Ordnans 1874 a 1912, nid oedd angen fawr ddim datblygiadau eraill yn ystod y cyfnod hwn. Arweiniodd y penderfyniad i symud gwerthwyr defaid o'r strydoedd i farchnad anifeiliaid bwrpasol, at greu stryd newydd arall ym 1883 – Ffordd Newydd a enwyd wedyn yn Ffordd Wynnstay, ar ôl Syr Watkin Williams-Wynn o Wynnstay – a oedd yn berchen ar y rhan fwyaf o'r tir. Yn y 1890au, datblygwyd Stryd y Mwnt, oddi ar Stryd y Farchnad. Ac eithrio'r datblygiadau hyn prin y gwelwyd unrhyw newidiadau eraill. Ni ddaeth dim o'r cynllun i ddatblygu cymuned breswyl ddosbarth-uchel ar hyd Wernfechan tua 1886, er i ddau dŷ sylweddol gael eu codi yno – Dedwyddfa ac Elm Villa (Coetmor erbyn hyn).

Gweithgareddau Economaidd

Yn y ddeunawfed ganrif roedd y diwydiant trin llin yn bwysig iawn, ond erbyn oes Victoria roedd Rhuthun wedi dychwelyd unwaith yn rhagor i fod yn dref farchnad fechan yn gwasanaethu anghenion yr ardal amaethyddol amgylchynol. Cynhaliwyd marchnadoedd anifeiliaid prysur ddwywaith yr wythnos – dydd Llun a dydd Sadwrn – a phum ffair deuddydd o hyd yn ystod y flwyddyn. Arferai pobl y dref brynu cynnyrch y ffermydd a gwerthai'r ffermwyr eu da byw a'u cynnyrch ym marchnadoedd y dref gan brynu bwyd, dillad, esgidiau a nwyddau eraill gan siopwyr niferus Rhuthun – fferyllwyr, haearnwerthwyr, cigyddion a groseriaid; a chrefftwyr – cryddion, hoelwyr, cyfrwywyr, dilledyddion a hetwyr, yn fwyaf arbennig. Yr unig fentrau diwydiannol sylweddol oedd dau gwmni potelu dŵr awyredig a oedd yn defnyddio dŵr artesiaidd y dref. Sefydlwyd cwmni Ellis, Stryd Mwrog, ym 1825, a symudodd i'w adeilad modern a mwy o faint, ym 1856,

Sgwâr y Farchnad c1880

pan oedd yn cyflogi tua 50 o bobl. Sefydlwyd y cwmni llai sef y 'Ruthin Soda Water Company' (neu'r Cambrian) ym 1864, a'r prif gyfranddalwyr oedd teulu Thomas Gee o Ddinbych. Roedd gwaith potelu llai o faint yn nhafarn The Hand Inn yn Stryd y Ffynnon hefyd. Ymhlith rhai o'r gweithgareddau diwydiannol llai roedd cwmnïau cynhyrchu hoelion a gwaith brics; mae Lôn Cae Brics, ger Ffordd Dinbych, yn enw a gadwyd hyd heddiw.

Darparwyd gwasanaethau proffesiynol gan nifer o feddygon a chyfreithwyr ac ambell i gyfrifydd ac arwerthwr. Dechreuodd gwasanaethau bancio yn y dref pan agorwyd cangen Rhuthun o'r 'Chester and North Wales Trustee Savings Bank', a oedd yn agor am ddwy awr yr wythnos ym 1817. Sefydlwyd y Banc Cynilion hwn yn Rhuthun er mwyn annog cynildeb a hybu lle diogel i gadw cynilion trigolion dosbarth gweithiol y dref. Ym 1837, agorwyd cangen o'r 'North and South Wales Bank' yn Rhuthun a chyrhaeddodd y 'National Provincial Bank' ym 1876, i gynnig gwasanaethau bancio llawn.

Fel yn achos trefi bychain eraill yn y cyfnod hwn, roedd busnesau eraill, ar wahân i siopau, hefyd i'w canfod wrth ymyl tai, yn ogystal â nifer o dafarndai. Amrywiai nifer y tafarndai yn ystod y ganrif, rhwng 20 a 35. Oherwydd costau cludo cwrw

Siop Pendre 1899

yn ystod y cyfnod hwn, roedd y grefft o fragu a gwerthu cwrw yn parhau i ffynnu a chofnodwyd nifer o fragwyr yn y cyfrifiadau a gynhaliwyd bob deng mlynedd. Roedd o leiaf dau ofaint yn y dref, ym mhen isaf Stryd y Ffynnon ac ym mhen uchaf Stryd y Prior. Roedd y gwaith o brosesu lledr wedi'i gyfyngu i ardal Stryd Mwrog, lle'r oedd pum tanerdy ar un tro, ond roeddynt oll wedi cau erbyn y 1890au; roedd cryddion niferus Rhuthun, fodd bynnag, yn gweithio ym mhob rhan o'r dref, er bod eu niferoedd wedi gostwng yn wyneb cystadleuaeth gan nwyddau o'r ffatrïoedd.

Y Bobl

Nid yw'r cyfrifiad cenedlaethol cyntaf, a gynhaliwyd ym 1801, yn datgelu fawr ddim wrthym na chyfanswm poblogaeth plwyf Rhuthun: roedd 1,115 o bobl yn byw mewn 343 annedd. Roedd y cyfrifiadau diweddarach yn fwy manwl ac yn rhoi llawer mwy o wybodaeth am bobl y dref.

Poblogaeth Rhuthun (cyfrifiadau bob 10 mlynedd)

1821 1,244 (plwyf Rhuthun)

1831 3,375 (bwrdeistref seneddol)

1841 3,333 (bwrdeistref seneddol)

1851 1,333 (plwyf) 3,373 (bwrd. sen.)

1861 1,195 (plwyf) 3,208 (bwrdeistref seneddol)

1881 1,130 (plwyf) 3,014 (bwrdeistref seneddol)

1891 987 (plwyf) 2,760 (bwrdeistref seneddol)

1901 2,643 (bwrdeistref ddinesig)

Ganed y rhan fwyaf o'r bobl a oedd yn byw yn y fwrdeistref seneddol yn y dref, roedd y mwyafrif yn byw yn ardal Llanfwrog a Llan-rhudd, gerllaw plwyf Rhuthun. O blith y gweddill, roedd y mwyafrif yn hannu o ardaloedd eraill yn Sir Ddinbych; deuai cyfran llai o rannau eraill o Gymru ond hyd yn oed erbyn 1891, roedd lleiafrif bychan, ond cynyddol, wedi'u geni yn Lloegr ac roedd llond dwrn yn frodorion o Iwerddon a'r Alban. Arhosodd y dref yn Gymraeg ei hiaith i bob pwrpas drwy gydol y ganrif; roedd dros 90 y cant o'r boblogaeth yn ddwyieithog a hyd yn oed ym 1891 roedd lleiafrif sylweddol yn siaradwyr uniaith Gymraeg.

Trwy gydol y ganrif, roedd cymdeithas Rhuthun wedi'i gwahanu i raddau helaeth gan gyfoeth a statws cymdeithasol, ffaith a nodwyd gan Roberts yng nghanol y 1850au. Dywedodd fod 'arglwydd a meistr cyffredinol y dref' yn parhau i fyw yn y castell: ([Ruthin] 'Still had its castle inhabited and its owner "their lord and master generally"'.)Yn ei farn ef, roedd pobl Rhuthun yn daeog iawn i'w meistri ('extremely subservient to their superiors. Mr. West, the owner of the Castle, had but to beckon and down went every knee at once.')

Roedd un teulu o dirfeddiannwyr – er nad oedd ganddynt deitl – yn tra-arglwyddiaethu ar gymdeithas Rhuthun ar hyd y ganrif – y teulu Myddelton, sef y teulu West a Cornwallis West yn ddiweddarach ac, ar ôl 1895, Cornwallis-West (er eglurder, defnyddir Cornwallis-West yma). Fel y nodwyd mewn pennod flaenorol, roedd teulu Myddleton o'r Waun wedi cael gafael ar Arglwyddiaeth Rhuthun a Dyffryn Clwyd yn ystod yr ail ganrif ar bymtheg ac, yn dilyn marwolaeth Richard Myddelton yr Ieuafyn ddi-etifedd ym 1797, rhannwyd yr ystad helaeth, yn dilyn camau cyfreithiol hirwyntog a chwerw, rhwng ei dair chwaer. Cafodd Charlotte y tiroedd yn y Waun; cafodd Maria ystadau Dyffryn Ceiriog, a chafodd Harriet arglwyddiaeth Rhuthun ym 1819. Gadawodd Harriet (1780-1848), a oedd yn ddi-briod, ei hystad i'w chwaer, Maria a'i gŵr, y Gwir Anrhydeddus Richard West, a oedd hefyd yn nai iddi. Roedd cyfoeth yr ystadau hyn yn seiliedig yn bennaf ar eiddo – rhenti ffermydd a threfi – gyda pheth incwm yn deillio o hawliau mwynau, yn bennaf yn ardal Wrecsam. Y cyfoeth sylweddol hwn, a fyddai'n edwino'n raddol neu'n cael ei wastraffu yn ystod y ganrif, a alluogodd Harriet i godi plasdy crand neo-Gothig ar safle hen gastell y dref ym 1826. Ychwanegwyd at yr adeilad hwn gan deulu ei chwaer yng nghanol y 1850au.

Ar ôl symud i Ruthun o Gastell y Waun, cartref y teulu, daeth y teulu West yn ganolog i élite cymdeithasol y dref a'r ardal, gan ddylanwadu'n uniongyrchol ar y gorfforaeth fwrdeistrefol leol ac, yn llai llwyddiannus, ar yr ymgeiswyr a ddewiswyd i wasanaethu fel Aelodau Seneddol etholaeth Bwrdeistrefi Dinbych. Daliodd aelodau y teulu Cornwallis-West eu gafael hefyd ar dŷ trefol yn Eaton Square, Llundain, ac roeddynt yn berchen ar eiddo yn Hampshire a mannau eraill, trwy briodas. Er i rym gwleidyddol y teulu edwino'n sylweddol yn ystod y ganrif, talwyd gwrogaeth i'r aelodau drwy gydol y cyfnod hwn, fel y gwelwyd yn yr areithiau gwasaidd a anfonwyd atynt o dro i dro gan Gyngor y Dref a rhai o'i thrigolion amlycaf.

Ar yr un pryd, er gwaethaf safle cymdeithasol aruchel y teulu Cornwallis-West, a gyrhaeddodd ei anterth ym 1899 ar achlysur ymweliad Tywysog Cymru, pan fu'r dref gyfan yn dathlu, nid oedd y teulu yn gwbl amddifad o'i gyfrifoldeb cymdeithasol a chyfrannodd at amryw o elusennau gan ostwng rhenti'r ffermwyr-denantiaid yn ystod dirwasgiad amaethyddol y 1890au hyd yn oed. Erbyn dechrau'r ugeinfed ganrif roedd y teulu'n gwario llawer mwy na'i incwm a bu'n rhaid i'r etifedd olaf, George, werthu'r Castell a'r ystad.

Erbyn degawdau olaf y ganrif gwelwyd symudiad cyffredinol o hen drefn élite y tirfeddiannwyr at élite cymdeithasol newydd nad oedd yn seiliedig ar eiddo a etifeddwyd, ond yn hytrach ar lwyddiant proffesiynol a masnachol – datblygodd dosbarth canol newydd o gyfreithwyr, gweinidogion yr efengyl, athrawon ysgol

Wyrcws Rhuthun, Rhyddfan c1960

a masnachwyr, a oedd yn aml yn siaradwyr Cymraeg, ac wedi'u gwreiddio yn y gymuned anghydffurfiol yn hytrach na'r Eglwys sefydledig.

Mae tystiolaeth y cyfrifiad hefyd yn datgelu lle'r oeddynt yn byw. Nid yn annisgwyl, tueddai meddygon a chyfreithwyr y dosbarth proffesiynol i fyw yn y tai gwell o'r cyfnod Sioraidd yn Stryd y Castell, Stryd y Llys a Stryd y Ffynnon, drwy gydol y ganrif. Roedd perchnogion siopau, yn enwedig dilledyddion a haearnwerthwyr, yn tueddu i fyw yn Sgwâr y Farchnad, lle'r oedd y rhan fwyaf o'r busnes, gan fyw uwchben eu siopau fel arfer. Cyn adeiladu Neuadd y Farchnad, rhan o adeilad newydd Neuadd y Dref ym 1863, roedd y rhan fwyaf o'r cigyddion ym mhen uchaf Stryd Clwyd, islaw Tŷ Exmewe.

Islaw'r perchnogion tir cyfoethog a'r dosbarth canol llwyddiannus, roedd haenau cymdeithasol eraill. Roedd yr economi leol yn dibynnu ar wasanaeth nifer o grefftwyr hunangyflogedig a gweithwyr yn sector adwerthu'r dref; ac roedd nifer mwy o bobl yn cael eu cyflogi mewn swyddi is – gwaith labro i'r dynion, a swyddi fel morwynion yn achos y merched. Arferai'r gwragedd tlotaf wneud gwaith glanhau a golchi dillad, er mai ychydig iawn o dystiolaeth a geir o buteindra (eithriad yw'r wraig a ddisgrifiodd ei hun fel 'Putain' yng Nghyfrifiad 1891!)

Tlodion Rhuthun

Roedd dau fath o dlodi yn Rhuthun: tlodi cronig a thlodi tymhorol. Yn ystod y rhan fwyaf o'r ganrif, arferai'r trigolion tlotaf fyw mewn tai poblog yn yr 'ierdydd' neu'r 'cyrtiau'a oedd yn arwain o'r prif strydoedd – cofnodwyd 26 ohonynt mewn ymchwiliad meddygol i achos o deiffoid ym 1872. Yn aml roedd y mannau hyn yn gysylltiedig â thafarndai, megis Park Place, Iard y Queen's Head ym mhen isaf Stryd y Ffynnon ger Wernfechan, neu Iard y Swan, lle saif Capel y Tabernacl heddiw. Nid yw Iard Crispin yn slym budr erbyn hyn, yn hytrach mae'n faes parcio, ond mae'r enw wedi aros hyd heddiw. Nid oedd y tlodion wedi'u cyfyngu i'r ardaloedd slym hyn, gan eu bod yn amlwg yn Stryd Mwrog er enghraifft.

Yn is i lawr y ris gymdeithasol yr oedd y bobl hynny a oedd yn cael eu hystyried yn swyddogol yn dlodion: byddai nifer ohonynt yn byw yn Nhloty Undeb Rhuthun ar ôl 1837. Lleolwyd y Wyrcws ger cornel Stryd y Rhos a Stryd Llanrhudd (y tu ôl i Elusendai Llan-rhudd). Roedd tlodion eraill yn parhau i dderbyn 'cymorth allanol' gan y plwyf ac yn byw mewn mannau eraill yn y dref a'r pentrefi a oedd yn perthyn i'r Undeb. Ar gyrion y gymdeithas roedd dosbarth o grwydriaid o'r tu allan, a fyddai'n pasio heibio i'r dref a'r plwyfi cyfagos, naill ai o'u gwirfodd neu oherwydd iddynt gael eu bygwth yn swyddogol.

Roedd economi wledig o'r fath yn agored iawn i ansicrwydd economaidd yn sgil ansefydlogrwydd masnachol neu newidiadau yn y tywydd; roedd diweithdra tymhorol yn y gaeaf a thlodi a oedd yn gysylltiedig a hynny yn nodweddion amlwg ac yn destun gweithgareddau elusennol. Er ei bod yn fwrdeistref hynafol, hyd yn oed mor ddiweddar â chanol y bedwaredd ganrif ar bymtheg, roedd mwyafrif trigolion y dref yn gweithio fel llafurwyr neu weision amaethyddol ac roedd nifer o ffermydd o fewn ffiniau'r fwrdeistref ac ar ei chyrion hyd yn oed yn yr ugeinfed ganrif.

Fel y nododd Fletcher, erbyn diwedd y ganrif bu lleihad sylweddol yn nifer y tlodion, sef y rhai hynny a oedd yn derbyn cymorth allanol yn ogystal â'r rheini a oedd yn Nhloty yr Undeb; patrwm mudo'r tlodion sydd i gyfrif am hyn yn hytrach na mwy o gyfleoedd gwaith, oherwydd parhaodd y dirwasgiad amaethyddol mawr ar yr adeg hwn. Adeiladwyd y Tloty i gynnig lloches i tua 200 o bobl yn unig, dim ond 121 o breswylwyr a oedd yno ym 1861 gan ostwng i 64 erbyn 1891 – dim ond 21 ohonynt a oedd yn enedigol o fwrdeistref Rhuthun. Roedd 110 o dlodion yn derbyn cymorth allanol yn Rhuthun ym 1856, ond roedd eu niferoedd wedi lleihau i 9 (yn ôl yr hunan-ddisgrifiadau) yng nghyfrifiad 1891. Mae'r cyfrifiad hefyd yn datgelu bod y Tloty yn darparu yn bennaf ar gyfer plant amddifad, pobl ag anableddau meddwl a'r henoed, ac nid oedd unrhyw deuluoedd yn byw yno. Yn ôl y gyfraith, roedd yn rhaid rhoi cymorth dros nos i grwydriaid. Er bod amodau yn ddiau yn llym i'r ddau fath o dlodion, roedd cyfradd Cymorth y Tlodion a'r taliadau i dlodion yn Sir Ddinbych yn uwch nag yr oeddynt ar draws Cymru yn gyffredinol.

Nid oedd y dref yn anghydymdeimladol tuag at y tlawd, er gwaethaf y dymuniad i gadw Treth y Tlodion mor isel â phosibl. Cyn i'r Tloty gael ei adeiladu, roedd cymwynaswyr wedi gwaddoli tri elusendy i'r fwrdeistref – Rhuthun (ger Eglwys Sant Pedr), Llanrhudd (Stryd Llanrhudd) a Llanfwrog (heibio i Eglwys Sant Mwrog), gan gynnig llety a chynhaliaeth i 24 o ddynion a gwragedd oedrannus. Roedd casgliadau cyhoeddus i'r tlodion yn cael eu hyrwyddo'n rheolaidd gan Gyngor y Dref a chodwyd arian hefyd yn y perfformiadau elusennol blynyddol yn yr Ystafelloedd Ymgynnull. Arferai unigolion mwy cefnog, megis teuluoedd y Cornwallis-West ac Ellis, roi glo am ddim i'r tlodion a rhannwyd bara fel rhan o weithgareddau elusennol y Nadolig. Arferai Cyngor y Dref gynnig gwaith dros dro i'r tlodion, er enghraifft, i glirio eira yn ystod tywydd garw.

Ni chyfyngid haeloni'r dref i lefel leol. Hyd yn oed yn y 1810au roedd Cyngor y Dref wedi deisebu Senedd San Steffan i roi'r gorau i'r fasnach gaethwasiaeth ac ym 1830 anfonwyd deiseb arall gan fwrdeisiaid Rhuthun a Dinbych yn gofyn am ddiddymu caethwasiaeth yn gyfan gwbl.Yn ystod y 1880au, ymatebodd y cyhoedd i'r apeliadau cenedlaethol am gymorth i'r newynog yn India ac i gondemnio gweithredoedd anfad yr Ymerodraeth Ottoman yn erbyn yr Armeniaid Cristnogol. Cynhaliwyd cyfarfod cyhoeddus mawr, lle'r oedd pwysigion a chlerigwyr lleol yn bresennol ac anfonwyd deiseb i'r Senedd.

Roedd y gweithwyr hefyd yn helpu eu hunain trwy gymdeithasau buddiannol, a oedd yn rhoi taliadau i'r aelodau yn ystod profedigaeth neu salwch, yn gyfnewid am daliadau wythnosol.

Prif Alwedigaethau yn Rhuthun 1841 (Cromfachau 1891)

Gweision/Morwynion	333	(152+)	Gweision Fferm	166	(25)
Hoelwyr	19	(2)	Cryddion	75	(13)
Cigyddion	17	(13)	Yn byw ar incwm preifat	72	(32)
Garddwyr	17	(17)	Teilwriaid	39	(40)
Tafarnwyr	17	(20)	Seiri	29	(18)
Llifwyr	12	(1)	Labrwyr Cyffredinol	20	(124)
Groseriaid	12	(36)	Gofaint	12	(3)

1891 Galwedigaethau Eraill Yn Rhuthun 1891

Y Fasnach Adeiladu	57	Gweithwyr rheilffordd	18
Gwniadwragedd/Hetwyr	54	Glanhäwragedd	18
Proffesiynol/rheolwyr	53+	Tlodion	9

Trawsnewid Crefyddol: O'r Eglwys i'r Capel

Bu newidiadau sylweddol yn Rhuthun a'r rhan fwyaf o Gymru yn ystod y bedwaredd ganrif ar bymtheg wrth i anghydffurfiaeth ysgubo'r wlad ac er na ddilewyd yr Eglwys Sefydledig, tanseiliwyd ei goruchafiaeth gymdeithasol, gwleidyddol a chyfreithiol. Er gwaethaf y mymryn lleiaf o oddefgarwch a chryn atgasedd, tyfodd y mudiad anghydffurfiol fesul tipyn yng Ngogledd Cymru gan ddiosg ei safbwynt ceidwadol yn raddol i ddod yn gwbl greiddiol i lwyddiant gwleidyddol y Rhyddfrydwyr yng Nghymru o 1868 ymlaen. O hynny ymlaen, prin y gellid gwahanu anghydffurfiaeth a Rhyddfrydiaeth. Yr un fyddai patrwm y newid crefyddol yn Rhuthun hefyd.

Ar ddechrau'r ganrif, yr Eglwys sefydledig oedd oruchaf mewn sawl maes, a cheid nifer o gyfyngiadau ar y rheini nad oeddynt yn Anglicaniaid yn eu bywyd sifil yn ogystal â'u bywyd crefyddol. Roedd yn rhaid iddynt hefyd dalu treth i'r eglwys yn y trefi a degymau yn y wlad, er mwyn cynnal y glerigiaeth a'r eglwysi, yn ogystal â chynorthwyo'r tlodion. Yn anochel, arweinodd y trethi hyn at anniddigrwydd, yn enwedig erbyn adeg cyfrifiad crefyddol 1851, pan gyfrifwyd mai 28 y cant yn unig o boblogaeth Rhuthun a oedd yn Anglicaniaid. Diddymwyd treth eglwys y trefi gan lywodraeth Gladstone ym 1868, ond rhoddodd William Cornwallis-West ychydig o dir i Eglwys Sant Pedr i ddigolledu'r Eglwys gan fod y dreth amhoblogaidd hon wedi dod i ben ynghynt. Fodd bynnag, arweinodd yr ymgyrch yn erbyn taliadau'r degwm at anghydfod hir, a adwaenid fel 'Rhyfel Degwm Dyffryn Clwyd' (1886-1891) ac ni ddaeth i ben yn llwyr hyd 1920 pan ddatgysylltwyd yr Eglwys yng Nghymru.

Mae gwreiddiau anghydffurfiaeth yn ardal Rhuthun yn dyddio'n ôl i'r Diwygiad Piwritanaidd a'r mudiadau a'u dilynodd. Y cyntaf i herio'r Eglwys sefydledig yng nghyfnod y Stiwartiaid oedd yr Ymneilltuwyr, sef yr Annibynwyr a'r Crynwyr. Cawsant eu herlid yn ddidrugaredd yn ystod teyrnasiad Siarl II, ac ymddangosai eu bod wedi diflannu o'r tir yn ardal Rhuthun hyd y cyfnod modern mwy diweddar. Er i'r Crynwyr barhau yn lleiafrif bychan yn Rhuthun, ail-ymddangosodd yr Annibynwyr erbyn diwedd y ddeunawfed ganrif fel un o'r pedwar prif sefydliad anghydffurfiol yn y dref.

Un o'r *Crynwyr* mwyaf blaenllaw ac uchel ei barch yn yr ardal oedd John Jones, y 'pobydd o Grynwr', a defnyddiwyd ei adeilad ar Sgwâr y Dref fel Tŷ Cyfarfod bychan yn ogystal. Ymunodd â'r Crynwyr ym 1823 ac ef oedd y cyntaf i wrthod talu treth yr Eglwys, gan arwain at atafael ei eiddo. O ganlyniad, bu'n rhaid i'r Crynwyr gyfarfod yn nhŷ Jones, gan deithio i Ddinbych yn ddiweddarch. Nid oeddynt yn fawr mwy na grŵp teuluol, a daeth mudiad y Crynwyr i ben pan adawodd Jones dref Rhuthun; ond dychwelodd rai blynyddoedd yn ddiweddarach a chafodd ei gladdu, ynghyd â'i wraig a Chrynwr arall, yn y fynwent fach o flaen yr hen Gapel Anwes (Ysgoldy Stryd y Rhos) yn Stryd y Rhos ym 1874. Pan gafodd y capel ei ddymchwel ac adeiladwyd ystad tai ar y safle yn y 1970au, cawsant eu hail-gladdu ym mynwent Llanrhudd.

Ailymddangosodd yr *Annibynwyr* hefyd yn Rhuthun yn dilyn canrif o absenoldeb, oherwydd ym 1672 y rhoddwyd trwydded i John Roberts gynnal gwasanaethau mewn tŷ rhywle yn y dref. Cafodd achos yr Annibynwyr ei adfywio ar droad y bedwaredd ganrif ar bymtheg, ac arferai'r dilynwyr gyfarfod lle bynnag y gallent a sefydlwyd yr achos yn ffurfiol ym 1802 a phum mlynedd yn ddiweddarach, penodwyd y Parchedig Benjamin Evans yn weinidog cyntaf yr achos. Ar ôl symud i Porth y Dŵr, cafwyd safle ar Stryd y Ffynnon, lle codwyd Capel Pendref ym 1827. Erbyn hyn adroddwyd bod ganddynt gynulleidfa o bron i 300, gyda 70 ohonynt yn byw yn y dref. Ychwanegwyd y ffasâd de hardd Tysganaidd ym 1875 a hwn yw'r capel hynaf yn y dref sy'n parhau i gael ei ddefnyddio'n rheolaidd.

Ymsefydlodd y tri enwad anghydffurfiol arall yn ardal Rhuthun ar droad y bedwaredd ganrif ar bymtheg. Daeth 'cysylltiad' y *Methodistiaeth Calfinaidd* Cymreig ag Eglwys Loegr i ben mewn cyfarfod hanesyddol yn y Bala ym 1795. Yn dilyn cyfnod hir o elyniaeth pan alltudiwyd eu pregethwyr rhag gweinyddu'r sacramentau, sefydlwyd conffederasiwn y Methodistiad Cymreig a chafwyd cydnabyddiaeth swyddogol gan y wladwriaeth, gan eu galluogi i sefydlu eu haddoldai eu hunain, yn hytrach na chyfarfod mewn tai preifat, ysguboriau, neu hyd yn oed yn yr awyr agored. Erbyn y cyfnod hwn, roedd Methodistiaeth Calfinaidd (y cyfeirir ato'n gyffredinol fel Methodistiaeth) yn bylchu cefnogaeth yr Eglwys, yn dilyn diwygiad crefyddol mawr yn Ne Cymru a chyrchau cenhadol ar gefn ceffyl i Ogledd Cymru gan arweinwyr Methodistiaeth Calfinaidd yng Nghymru – Howell Harris a'r Parchedig Daniel Rowland.

Yn ôl R.H. Evans agorwyd capel Stryd y Rhos yn 1789 (1802 yn ôl plac ar yr adeilad). Cyn hyn bu'n rhaid i droedigion cynnar y Methodistiaid fynychu capel ym Montuchel, ond ar ôl agor Capel y Rhos ym 1802 llwyddodd Methodistiaeth o ddifrif dan weinidogaeth y Parchedig Thomas Jones, ond y gweinidog cyntaf o bwys oedd y Parchedig John Mills. Erbyn y 1830au cynnar roedd tua 160 o'r aelodau yn byw yn y dref, ond roedd rhwng 1,200 a 1,500 o'r ardaloedd o amgylch yn mynychu gwasanaeth dydd Sul. Erbyn cyfrifiad crefyddol mis Mawrth 1851, roedd amcangyfrif ceidwadol bod 170 yn mynychu'r gwasanaeth boreol a 373 yn yr hwyr. Yn ogystal, roedd 167 o blant yn mynychu'r ysgol Sul yn y prynhawn. Llwyddodd Methodistiaeth nid yn unig i ennill nifer o gefnogwyr yn Rhuthun ei hun, ond gwasanaethai Capel y Rhos fel 'mam' eglwys i'r capeli llai a sefydlwyd yn y pentrefi cyfagos, nodwedd a oedd yn gyffredin i gapeli enwadau eraill y dref.

Yn Rhuthun a Gogledd Cymru roedd twf *Methodistiaeth Wesleaidd* yn ddyledus yn bennaf i ymdrechion cenhadol dyn lleol, Edward Jones (1778-1837) Fferm Bathafarn, a ddisgrifiwyd fel 'tad' y mudiad yng Nghymru. Ymunodd Jones â'r achos pan oedd yn gweithio mewn melin cotwm yn Lloegr a dychwelodd adref i Ruthun i ymgymryd â gwaith cenhadol yno ac ar draws Gogledd Cymru. Huriodd ef a chyd Wesleywr, John Davies, ystafell gyfarfod uchben tafarn y Prince of Wales ar Stryd Clwyd (Fechan). Cafodd ei ordeinio ym 1802 ac yn ystod y flwyddyn honno sefydlodd y Wesleaid eu capel cyntaf yn y dref, sef Capel y Ffin, yn Stryd y Felin. Ar gyfartaledd roedd rhyw 250 o bobl yn mynychu gwasanaethau'r Sul yng nghanol y 1830au. Codwyd capel newydd yn Stryd y Farchnad ym 1869, stryd a oedd newydd ei hadeiladu. Enwyd y capel yn Bathafarn i gofio am Edward Jones, ac ail-leolwyd ei garreg fedd y tu allan i'r capel pan ddymchwelwyd ei gapel a'r fynwent yn Leek, Swydd Stafford, ac ail-gladdwyd ei weddillion mewn man arall.

Ymsefydlodd y pedwerydd enwad anghydffurfiol hefyd yn ystod yr un cyfnod, er nad oedd ganddo gynifer o ddilynwyr yn ardal Rhuthun. Roedd gan y *Bedyddwyr* hanes hir yn dyddio'n ôl i'r ail ganrif ar bymtheg, ond bu'n rhaid aros hyd tua 1791 iddynt godi eu capel bychan yn Stryd Mwrog. Cyn hyn, arferai'r gynulleidfa fechan gyfarfod yn nhŷ gwehydd o'r enw Edward Jones, gwehydd. Yn y 1830au roedd y gynulleidfa tu 110 gyda rhyw 400-500 o'r ardal o amgylch yn mynychu.

Yn sgil llwyddiant anghydffurfiaeth, yn enwedig y Methodistiaid Calfinaidd, bu'n rhaid codi capeli mwy o faint yn Rhuthun. Yn gyntaf, adeiladwyd ail gapel, Sebuel, yn Stryd Mwrog ym 1867; ac yna codwyd Tabernacl yn Stryd y Ffynnon i gymryd lle capel Stryd y Rhos ym mis Ebrill 1891 ar gost o tua £3,500. Yn y pen draw, aeth Sebuel hefyd yn rhy fach ac adeiladwyd capel mwy o faint, Bethania, wrth ei ymyl ym 1896-97, gyda lle i 450 o addolwyr.

Yn ogystal â dymuniad dealladwy i gael eu haddoldai eu hunain er mwyn dilyn eu deongliadau o'r Ysgrythur, mae'n werth nodi dau reswm arall a oedd i gyfrif am boblogrwydd anghydffurfiaeth. Yn gyntaf, ychwanegwyd at yr 'hwyl' crefyddol gan ansawdd y pregethu yn y Gymraeg, ac ni allai'r glerigiaeth Anglicanaidd syber gystadlu â hyn. Honnir bod y Parchedig Bulkeley Owen Jones, Warden Rhuthun, wedi cwyno am anallu ei Eglwys i gystadlu â'r pregethu diwygiadol ar Ddol Tŵr (lle saif yr orsaf betrol ger Pont Howkyn heddiw), a glywai'n glir o Gloestrau'r Eglwys. Taniwyd y brwdfrydedd hwn hefyd gan yr emynau a'r canu, ac ni allai'r Eglwys gystadlu â'r rhain ychwaith. Ar y llaw arall, ar yr adeg hwn ym 1860, roedd Jones yn ymladd brwydr wahanol gyda'i braidd ei hun wrth iddo ymdrechu'n aflwyddiannus i newid cynllun a defodau Eglwys Sant Pedr, ymdrechion a ystyrid yn 'Puseyaidd', neu'n perthyn i'r Eglwys Uchel, gan fwyafrif y gynulleidfa.

Is-gangen llai a byrhoedlog o'r Methodistiaid Calfinaidd oedd *Cyfundeb yr Iarlles Huntingdon.* Roedd y gynulleidfa anadnabyddus hon yn weithgar tua chanol y bedwaredd ganrif ar bymtheg a chynhaliai ei gwasanaethau yng Nghapel Anwes Stryd y Rhos.

Erbyn diwedd y bedwaredd ganrif ar bymtheg roedd nifer yr anghydffurfwyr Saesneg eu hiaith wedi cynyddu i'r fath raddau fel eu bod angen eu haddoldy eu hunain.Yn y lle cyntaf, rhoddodd Cyngor y Dref ganiatâd iddynt rentu'r Ystafell Ymgynnull yn Stryd y Farchnad ym 1885; fodd bynnag, diolch i noddwr hael, cafwyd arian i dalu am Eglwys Bresbyteraidd Saesneg ar wahân ar ffordd fwyaf newydd y dref, Ffordd Wynnstay, ym 1892-93. Yn wreiddiol, roedd yr Eglwys yn perthyn i Henaduriaeth Gymraeg Dyffryn Clwyd, ond ymunodd â Henaduriaeth (Saesneg) Sir Gaer, Fflint a Dinbych yn ddiweddarach.

Tabl: Cynulleidfaoedd Capeli Rhuthun 1905 (Comisiwn ar yr Eglwys yng Nghymru, 1905)

Llanfwrog (Bedyddwyr)	150	'Gwrandawyr' Bathafarn (Wesleaidd)	160
Bethania (Meth. Cal.)	398	Galltegfa (Annibynnwyr)	60
Tabernacl (Meth. Cal.)	307	Saesneg (Meth. Cal.)	125
Pendref (Annibynwyr)	240		

Daeth y gymuned grefyddol hynaf, y *Pabyddion*, hefyd i'r golwg unwaith yn rhagor ym 1854, ar ôl canrifoedd o ormes a mynd i ebargofiant ymron, diolch i ymdrechion teulu Pabyddol o Iwerddon, y McGowans, a ymsefydlodd yn Rhuthun y flwyddyn honno gan sefydlu eglwys yn eu cartref yn Stryd y Ffynnon ar gyfer y llond dwrn o Babyddion yn y dref. Yn ddiweddarach, cawsant gynnal eu gwasanaethau wythnosol mewn hen gwt sinc ym mhen isaf Stryd y Rhos, diolch i Mrs. Mary Cornwallis-West (a oedd yn Brotestant, ond yn hannu o Swydd Mayo, fel y teulu McGowan), a chawsant ddefnyddio'r hen ysgol iau yn Stryd Mwrog, a adeiladwyd tua 1852 ar gyfer plant gweithwyr Ystad Castell Rhuthun. Dathlwyd yr offeren wythnosol, yn gyntaf gan offeiriaid Jeswit o'r Wyddgrug ac yna o Athrofa Diwinyddol

Tremeirchion. Pan werthwyd Ystad y Castell ym 1921, prynwyd yr hen ysgol gan gymwynaswr arall ac fe'i rhoddwyd i'r Eglwys Gatholig, a'i henwodd yn Eglwys 'Our Lady Help of Christians'.

Yn olaf, daeth dau sefydliad crefyddol arall i Ruthun ar ddiwedd y ganrif, ill dau mewn ymateb i fwlch tybiedig yn narpariaeth y weinidogaeth grefyddol i'r dosbarthiadau cymdeithasol is yn y dref. Honnodd gweinidog capel Tabernacl ym 1893 nad oedd tua 1,200 -1,800 o bobl y dref (tua hanner y boblogaeth) yn mynychu unrhyw addoldy, er gwaethaf ysbryd diwygiad cyfunol yr eglwysi a'r capeli ar hyd y ganrif flaenorol. Daeth crefydd ffurfiol yn nodwedd a oedd yn perthyn i'r dosbarth canol a'r dosbarth gweithiol 'parchus' a mynegwyd pryder a beirniadaeth ynglŷn â'r nifer mawr o bobl a oedd yn 'loetran' ar gorneli strydoedd a Phont Howkyn bob dydd Sul. Teimlid bod y grwpiau a anwybyddid yn cael eu gelyniaethu gan awyrgylch a ffurfioldeb yr addoldai sefydliedig a bod angen dewisiadau eraill mwy anffurfiol a llai bygythiol. Daeth *Byddin yr Iachawdwriaeth,* a sefydlwyd gan William Booth ym 1865, am resymau tebyg, i Ruthun ym 1883, pan roddodd Cyngor y Dref ganiatâd i'r dilynwyr rentu'r Ystafell Ymgynnull i gynnal gwasanaethau. Symudodd y mudiad i'w adeilad ei hun yn Stryd Clwyd, sef y 'gaer' neu'r 'fortress' ym 1891. Ymatebodd yr Eglwys Anglicanaidd hefyd gan sefydlu *Cenhadaeth Byddin yr Eglwys* (Church Army Mission) yn hen Gapel Anwes Stryd y Rhos tua'r flwyddyn 1890.

Datblygiadau Addysgol

Prin iawn oedd y ddarpariaeth addysgol yn Rhuthun ar ddechrau'r ganrif. Roedd addysg gynradd yn gyfyngedig iawn ac roedd yr ysgol ramadeg elusennol ('Ruthin School' yn ddiweddarach) ar gyfer bechgyn yn unig ac yn cynnig dim ond dwsin o ysgoloriaethau i blant o blwyfi Rhuthun a Llanelidan dderbyn addysg am ddim. Lleolwyd yr ysgol wreiddiol yng Nghloestrau Eglwys Sant Pedr, ond fe'i symudwyd i safle mwy ar Ffordd yr Wyddgrug ym 1893.

Roedd addysg gynradd yn wreiddiol o dan reolaeth Eglwys Loegr. Daeth Ysgol Borthyn yn ysgol 'Genedlaethol' (Anglicanaidd) yn y 1830au, ond cynhaliwyd 'ysgol ysgubor' ar safle'r ysgol bresennol mor gynnar â 1738. Codwyd ysgol bwrpasol a thŷ ar gyfer yr ysgolfeistr ar y safle ym 1816, ond yn dilyn canfyddiadau anffafriol comisiwn seneddol 1847 i gyflwr addysg yng Nghymru (y 'Llyfrau Gleision' bondigrybwyll) aeth y gymuned leol ati i godi arian ar gyfer ysgol 'briodol', sef yr adeilad presennol, ym 1849-50. Roedd 208 o ddisgyblion, bechgyn a merched, ar y gofrestr ond amrywiai'r ddarpariaeth addysgol dros amser ac roedd presenoldeb yn aml yn wael a'r dysgu yn ddifater. Yn aml iawn, nid oedd yr athrawon wedi derbyn unrhyw hyfforddiant ffurfiol ac roedd yn rhaid defnyddio disgybl-athrawon yn fynych.

Robert Roberts ('Y Scolar Mawr'), cymeriad dawnus ond diffygiol, oedd y prifathro ym 1854-56 a sylwodd fod y safonau uchel blaenorol wedi gostwng cyn ei ddyfodiad. Roedd lefelau presenoldeb chwarter yr hyn a ddisgwylid mewn tref o faint Rhuthun; ymhellach, roedd y nifer bychan a oedd yn dod i'r ysgol 'o'r math isaf, yn annisgybledig a heb eu dysgu' ('the lowest order, undisciplined and under-taught') gan roi enw drwg i'r ysgol, i'r graddau bod plant yn cael eu hanfon i'r ysgol gynradd anenwadol a sefydlwyd yn ddiweddarach yn Stryd y Rhos. Roedd ffioedd yn aml yn ddyledus, ac i goroni'r cyfan, nid oedd pwyllgor rheoli'r eglwys, ac eithrio'r Warden, y Parchedig J. Bulkeley Owen, yn dangos fawr o ddiddordeb. Llwyddodd Roberts i newid y sefyllfa a chafodd adroddiad da gan yr arolygwyr. Parhaodd yr ysgol i wella yn ystod y ganrif. A bod yn deg ag Ysgol Borthyn, roedd problemau tebyg yn wynebu nifer o ysgolion eraill yn ystod y blynyddoedd hyn gan nad oedd presenoldeb yn orfodol hyd 1876, ac roedd yn rhaid talu am addysg hyd 1891. Hefyd, roedd y pwysau ar blant ifanc i gynorthwyo ar y ffermydd adeg y cynhaeaf yn broblem ychwanegol mewn tref fel Rhuthun.

Arweiniodd twf anghydffurfiaeth yn Rhuthun a Gogledd Cymru yn fwy cyffredinol, at alw am sefydlu ysgol gynradd nad oedd yn Anglicanaidd i ddarparu addysg anenwadol. Dim ond yn sgil diwygiadau addysgol cenedlaethol, y gwelwyd addysg yn ehangu wrth i'r wladwriaeth a'r awdurdodau lleol, trwy drethi sirol, ddisodli'r gwaddolion elusennol. Sefydlwyd Ysgol Stryd y Rhos yn y 1840au fel ysgol gynradd anenwadol, a ffafriwyd gan rieni anghydffurfiol; un o blith nifer o ysgolion 'Prydeinig' a sefydlwyd yn y cyfnod hwn. Cyn i'r ysgol newydd gael ei chodi ym 1845, defnyddiwyd y Capel Anwes ar Stryd y Rhos. Yn yr un modd, amrywiol iawn oedd y ddarpariaeth o safbwynt safonau dysgu.Talwyd am yr adeilad gwreiddiol gan Eglwyswr, sef George Johnson o Neuadd Llanrhudd, ac eraill, ac fe'i disgrifiwyd fel 'adeilad haearn twt ei ymddangosiad' ym 1856. Yn ddiweddarach, codwyd yr adeilad carreg presennol ac erbyn diwedd y ganrif roedd yno 193 o ddisgyblion. Arfer brawychus braidd oedd cynnal arholiadau cyhoeddus yn Neuadd y Sir yn Rhuthun.

Mae Cyfarwyddiaduron Masnach yn rhestru nifer o ysgolion preifat bychain neu 'academïau' yn Rhuthun yn ystod y bedwaredd ganrif ar bymtheg hefyd, a gynhelid yng nghartrefi'r perchnogion. 'Ysgolion merched' ('Dame schools') oedd y mwyafrif ohonynt, yn cael eu cynnal gan ferched bonheddig gan ddarparu addysg ar gyfer merched y masnachwyr a'r bobl broffesiynol mwy cefnog ac uchelgeisiol yn gymdeithasol. Roedd gan rai ohonynt le ar gyfer byrddwyr, fel yn achos ysgol Elizabeth Lloyd yn Nantclwyd y Dre. Nifer bychan o'r perchnogion oedd ag unrhyw gymwysterau addysgol a chanolbwyntiai'r cwricwlwm ar sgiliau addysgol a chymdeithasol sylfaenol, er mwyn cynorthwyo merched i ddysgu gwerthoedd a galluoedd dosbarth-canol.

Mae'n debyg mai'r gorau o blith y sefydliadau preifat hyn oedd Academi Clwyd Bank, yn Stryd Clwyd, dan reolaeth Joseph David Jones, gŵr a chanddo brofiad dysgu ac unigolyn uchel ei barch yn y dref oherwydd ei dalentau cerddorol (mae plac er cof amdano ar yr adeilad heddiw). Roedd y Parchedig Thomas Kirk hefyd yng ngofal 'Ysgol Golegol' ('Collegiate School') yn Stryd y Castell. Rhestrir y ddau mewn Cyfarwyddiadur Masnach ar gyfer y flwyddyn 1868, ac mae cyfarwyddiaduron eraill yn cynnwys enwau nifer o ysgolion preifat eraill yn Rhuthun ar wahanol adegau, a oedd yng ngofal gwragedd: yn Stryd y Castell, Stryd Welch (Stryd y Ffynnon yn ddiweddarach), Borthyn, Stryd y Llys, Stryd y Farchnad, Stryd Mwrog a Wernfechan.

Menter addysgol a oedd yr un mor bwysig ar ddechrau'r bedwaredd ganrif ar bymtheg oedd mudiad yr ysgol Sul. Er y caiff ei gysylltu'n bennaf â chapeli anghydffurfiol, roedd yr eglwys sefydledig hefyd yn dysgu sgiliau darllen sylfaenol yn ystod gwersi Beiblaidd. Sefydlwyd yr ysgol Sul cynharaf yn Llanfwrog, sef 'Ysgol y Clochdy', tua 1800, dan ofal y rheithor yng nghlochdy'r Eglwys ac mewn ysgubor a oedd yn rhan o Tŷ Gwyn gerllaw. Denai'r ysgolion Sul gannoedd o ddisgyblion, yn oedolion yn ogystal â phlant oedran ysgol. Yn ôl cyfrifiad crefyddol a gynhaliwyd ym mwrdeistref Rhuthun ym 1847, roedd 260 yn mynychu ysgolion Sul Anglicanaidd a 273 yn mynychu ysgolion Sul y pedwar enwad anghydffurfiol. Er bod y pwyslais ar ddysgu'r Beibl a darllen yn unig, a'r adeiladau – capeli neu ystafelloedd eglwysi – yn cael eu hystyried yn anaddas ar gyfer dysgu gan arolygwyr, llwyddodd yr ysgolion hyn i wella llythrennedd yn y gymuned a chynorthwyo i gynnal y Gymraeg, ar adeg pan oedd grymoedd cymdeithasol ac economaidd yn dechrau ei thanseilio fel mewn sawl rhan arall o Gymru.

Nid tan 1888 pan basiwyd Deddf Addysg Ganolradd Cymru y cafodd merched y dref a'r ardal eu hysgol uwchradd eu hunain. Ar 23 Medi 1899 addaswyd hen gartref y cyn-faer Marcus Louis, Parc Brynhyfryd, ar ffordd yr Wyddgrug, yn Ysgol Sir y Merched, gan dderbyn 30 o ferched yn gyntaf. Er mai nifer bychan o ddisgyblion oedd yno ar y dechrau, roedd y maes llafur yn eang, ac yn paratoi merched ar gyfer amryw o yrfaoedd, yn hytrach na chadw tŷ.

Arweiniodd yr un Ddeddf at sefydlu Cyd-bwyllgor Addysg dan ofal y Cyngor Sir, â chyfrifoldeb am sefydlu pum ysgol uwchradd i fechgyn yn Sir Ddinbych hefyd, ond eithriwyd tref Rhuthun oherwydd bod yr Ysgol Ramadeg yn dymuno cael ei heithrio. O ganlyniad, roedd yn rhaid i fechgyn deithio i'r ysgol ramadeg newydd yn Ninbych.

Yn sgil deddfwriaeth bellach sefydlwyd dau sefydliad trydyddol yng Ngogledd Cymru. Rhoddodd trigolion Rhuthun gefnogaeth gref i sefydlu coleg hyfforddi athrawon, gan godi £2,000 mewn cyfarfod cyhoeddus. Agorwyd drysau 'Y Coleg Normal', Bangor, fel y cafodd ei adnabod, ym 1862, fel sefydliad anghydffurfiol a datblygodd yn brif coleg hyfforddi athrawon Gogledd Cymru. Roedd dirfawr ei angen oherwydd bod diffyg athrawon ysgol hyfforddedig. Oherwydd newidiadau ym mholisi'r llywodraeth genedlaethol cafodd y Coleg 'Normal' ei hariannu gan y wladwriaeth yn ogystal â chyfraniadau gwirfoddol.

O fewn dau ddegawd roedd pobl Gogledd Cymru yn pwyso am goleg ar lefel prifysgol, ac roedd Rhuthun ac unarddeg tref arall yn cystadlu yn erbyn ei gilydd i gynnig cartref i'r sefydliad newydd. Yn ei gyfarfod yng Nghaer, penderfynodd y panel dyfarnu, a oedd yn cynnwys tri dyn, y dylid lleoli Coleg Prifysgol Gogledd Cymru ym Mangor hefyd. Roedd Cyngor Tref Rhuthun yn argyhoeddedig bod maer Dinbych, un o'r trefi a oedd yn cystadlu yn erbyn Rhuthun, wedi siarad yn erbyn cais y dref; enghraifft arall o'r elyniaeth hirsefydlog rhwng y ddwy dref gyfagos.

Erbyn diwedd y bedwaredd ganrif ar bymtheg roedd darpariaethau sylfaenol addysg gynradd ac uwchradd wedi'u hen sefydlu yn Rhuthun a sefydliadau addysgol trydyddol yng Ngogledd Cymru yn fwy cyffredinol.

Datblygiadau ym Maes Cludiant

Adeiladwyd mwyafrif y prif ffyrdd tyrpeg, sef yr hyn sy'n cyfateb i'n traffyrdd ni heddiw, yn ystod ail hanner y ddeunawfed ganrif, pan gysylltwyd Rhuthun â Dinbych, yr Wyddgrug, Wrecsam, Corwen, Cerrigydrudion a thu hwnt, ac â rhannau eraill o Ogledd Cymru ac ar draws y ffin i Loegr. Sefydlwyd yr ymddiriedolaeth dyrpeg olaf yn Sir Ddinbych ym 1859, ac erbyn hynny roedd rheilffyrdd ar fin eu disodli. Diddymwyd ffyrdd tyrpeg erbyn diwedd y bedwaredd ganrif ar bymtheg a chafodd y cwmïau eu digolledu gan y llywodraeth genedlaethol. Daeth y cyngor sir newydd yn gyfrifol am ffyrdd Sir Ddinbych ym 1890, ac roedd bwrdeistrefi megis Rhuthun yn talu am gynnal a chadw ffyrdd lleol. Roedd y ffyrdd tyrpeg wedi gwella cyflymder a chostau cludiant yn aruthrol â'r coetsus mawr a'r 'flying waggons', felly roedd y daith o Ruthun a Dinbych i Gaer yn cymryd llai na chwe awr, hyd yn oed cyn dyfodiad y rheilffyrdd.

Cafodd tref Rhuthun, fel y rhan fwyaf o Ogledd Cymru, ei hosgoi'n llwyr yn oes y camlesi; er y cafwyd cynlluniau aflwyddiannus i gysylltu Rhuthun â Rhuddlan a'r môr trwy gamlas ym 1770 a 1807; ar sail y gred fod yna waddodion mwynau y gellid eu masnachu yn ardal Rhuthun. Roedd y prosiectau hyn yn cynnwys yr un

Gorsaf Rhuthun c1900

math o optimistiaeth afrealistig a fyddai'n tanio ail oes y rheilffyrdd yn ail hanner y bedwaredd ganrif ar bymtheg.

Y fenter bwysicaf oedd dyfodiad y rheilffyrdd yn ystod y 1860au, pan welwyd ail don o adeiladu rheilffyrdd, gan gysylltu'r prif rwydwaith rheilffyrdd â nifer o is-ganghennau, fel yn achos Gogledd Cymru. Roedd disgwyl pethau mawr o'r rheilffyrdd newydd hyn a rhuthrodd buddsoddwyr lleol, yn cynnwys y tirfeddiannwyr mawr, y byddai'r rheilffyrdd yn croesi eu tiroedd, a phobl broffesiynol a masnachwyr, yn Rhuthun a mannau eraill yn Nyffryn Clwyd, i brynu cyfranddaliadau. Mewn gwirionedd, ni wnaeth yr un ohonynt unrhyw elw gan na lwyddwyd i ddechrau ar fwyafrif y cynlluniau neu cawsant eu gorfodi i werthu i Gwmni'r 'London and North Western' o fewn rhai blynyddoedd yn unig.

Cyrhaeddodd Rheilffordd Dyffryn Clwyd dref Dinbych o'r Rhyl ym 1860 a ddwy flynedd yn ddiweddarach cysylltodd Rheilffordd hirddisgwyliedig Dinbych, Rhuthun a Chorwen, dref Rhuthun â Dinbych a phrif linell y 'London and North Western Railway' yn y Rhyl. Bernid bod maint sylweddol adeilad yr orsaf, a oedd yn debyg ond nid yn union yr un maint ag un Dinbych, pencadlys Rheilffordd Dyffryn Clwyd, yn addas ar gyfer pencadlys y llinell newydd ac yn adlewyrchu optimistiaeth direswm y buddsoddwyr ac aelodau'r cyhoedd yn Rhuthun. Dewiswyd 1 Mawrth, Dydd Gŵyl Dewi, i lansio'r gwasanaeth newydd, a gwelwyd y dref i gyd yn dathlu a thyrfaoedd yn heidio o'r ardaloedd gwledig cyfagos. Dathlwyd yr achlysur gyda gorymdeithiau, areithiau, band milwrol a chlychau'n canu, mwynhawyd gwledd arbennig gan y prif gyfranddalwyr a the-parti gan blant y dref, yn ogystal â thaith am ddim ar y trên i Ddinbych, ac ysgrifennwyd a chanwyd cerdd pur ofnadwy i nodi'r achlysur.

Daeth y dref ynghyd i ddathlu unwaith yn rhagor pan dorrwyd y dywarchen gyntaf gan Florence West o Gastell Rhuthun, ar yr estyniad i'r llinell i Gorwen, ond ni chyrhaeddodd yno tan fis Hydref 1864. Roedd y llinell hwn hefyd yn cysylltu Rhuthun â rhwydwaith Rheilffordd y 'Great Western'. Erbyn hyn roedd saith gorsaf rhwng Dinbych a Chorwen. O'r diwedd, ym 1867, cwblhawyd rheilffordd yr Wyddgrug a Chyffordd Dinbych, gan gysylltu Rhuthun â Chaer trwy Ddinbych a'r Wyddgrug. Roedd Dinbych dim ond pymtheng munud i ffwrdd bellach ac roedd rhai trenau uniongyrchol i'r Rhyl, taith o ddeugain munud, ac i Gaer, taith tua dwy awr o hyd, lle ceid cysylltiadau â'r prif linell yn Crewe a thu hwnt. Roedd Corwen tua pumdeg a phum munud i ffwrdd. Rhedai hyd at wyth trên y dydd yn ystod yr wythnos erbyn diwedd y bedwaredd ganrif ar bymtheg.

Bu dau brosiect rheilffordd aflwyddiannus hefyd, sef ymgais i gysylltu Rhuthun â Wrecsam trwy Landegla ym 1860 (yn dilyn llwybr ffordd bresennol yr A525 yn eithaf agos), a chynllun i ymestyn y rheilffordd bresennol trwy adeiladu llinell gul, yn gyntaf, o Ruthun i Gerrigydrudion ac yna, yn fwy uchelgeisiol, i gysylltu â rheilffyrdd cul eraill trwy Pentrefoelas i Fetws-y-coed a thu hwnt. Yn achos y cyntaf o'r rhain, na aeth ymhellach na'r cam cynllunio (yr un oedd hanes cynnig tebyg ym 1919), y bwriad oedd lleoli'r orsaf yn Stryd Llanrhudd; ond dechreuodd y gwaith ar linell cangen Cerrig ym 1879. Fodd bynnag, aeth y cwmni i'r wal o ganlyniad i anghydfod cyfreithiol rhwng y cyfarwyddwyr a'r contractwyr, ac wedi i'r cyfranddalwyr cyffredin wrthod gwneud unrhyw daliadau pellach, hyd nes y byddai'r cyfarwyddwyr yn gwneud yr un fath, daeth y gwaith i ben ddwy flynedd yn ddiweddarach. Cafodd offer a deunyddiau dros ben eu gwerthu mewn arwerthiant yn Nhafarn y Porthmyn, Rhewl.

Roedd canghennau llai yn yr ardal yn arwain at chwareli calchfaen yn Rhewl (Craig y Ddwyart, a oedd yn eiddo i Gastell Rhuthun), Nantclwyd (Pen y Graig, a oedd yn eiddo i'r teulu Naylor-Leyland) a Chraig Lelo, ger Gwyddelwern. Roedd y mathau hyn o reilffyrdd yn parhau i weithio hyd ddechrau'r 1960au.

Cafodd datblygiad y rheilffyrdd effaith fawr ar dref Rhuthun. Yn gyntaf, arweiniodd at newidiadau i gynllun y dref, gan arwain at y newid cyntaf yng nghynllun stryd canoloesol y dref. Roedd llinell unigol y rheilffordd arferol yn cyrraedd Rhuthun o gyfeiriad y gogledd, a hynny oherwydd gwrthwynebiad y teulu Cornwallis-West, nad oedd yn dymuno gweld y rheilffordd yn croesi ei parcdir ar draws Pont Howkyn (Cae Ddôl heddiw) ac arweiniodd hyn at greu tair stryd newydd. Roedd yr orsaf a'r iard nwyddau fawr wedi'u cysylltu â sgwâr y dref gan Stryd y Farchnad, un o dair ffordd newydd. Roedd Ffordd y Parc ym mynd o amgylch y dref o gyfeiriad y gorllewin i'r gogledd, gan gysylltu â iard yr orsaf. Roedd Ffordd yr Orsaf yn estyniad i Ffordd y Parc hyd at waelod pen isaf Stryd y Ffynnon. Codwyd tai ar hyd y tair ffordd hyn yn ddiweddarach.

Arweiniodd y rheilffyrdd at nifer o ddatblygiadau arwyddocaol eraill, a drafodwyd gan Fletcher. Roedd yn bosibl i unigolion deithio yn gynt ac yn rhatach ar y rheilffyrdd ac i fannau pellach. Ym marn Fletcher, arweiniodd hyn at 'allfudo' y boblogaeth ddiwaith ac at ostyngiad yn nifer y tlodion lleol wrth i bobl ifanc symud i'r canolfannau diwydiannol a threfol newydd (yn wir, roedd y llywodraeth wedi ei gwneud yn ofynnol i gwmnïau rheilffyrdd hwyluso mudo o'r fath trwy gynnig cyfleoedd teithio rhad, er yn anghyfforddus, i'r teithwyr). Roedd y ffermwyr a'r masnachwyr ar eu hennill hefyd gan fod modd iddynt ddenu prynwyr o'r trefi a oedd yn datblygu ac anfon anifeiliaid o Orsaf Rhuthun i farchnadoedd a oedd yn bellach i ffwrdd (roedd hyd yn oed cilffordd arbennig yn yr orsaf ar gyfer llwytho'r anifeiliaid).

Er i'r rheilffyrdd arwain at ostyngiad yng nghost llawer o nwyddau, yn enwedig nwyddau trwm megis glo, brics, calch a phorthiant anifeilaid (a ddeuai o ffatri newydd William Lever yn Port Sunlight), daeth â nwyddau rhatach a gynhyrchwyd yn y ffatrïoedd i mewn i'r dref gan arwain at gystadleuaeth a fyddai'n tanseilio diwydiannau lleol yn y pen draw, yn enwedig dillad a phrosesu lledr.

Ar y llaw arall, roedd y rheilffyrdd yn cynnig cyfle i ddiwydiant newydd Rhuthun, sef potelu dŵr mwynol, gyrraedd marchnadoedd mwy pellennig ym Mhrydain a hyd yn oed dros y môr yn yr ymerodraeth a oedd yn ehangu. Daeth cwmni Ellis a chwmni 'Ruthin (Cambrian) Mineral Water Company', i ddibynnu'n helaeth ar y rheilffordd i ddosbarthu eu cynnyrch.

Bu'r rheilffordd hefyd yn fodd i ddenu twristiaid i Ruthun ac ardaloedd eraill yng Ngogledd Cymru ar raddfa llawer mwy nag ar ddiwedd y ddeunawfed ganrif, yn ystod oes y ffyrdd tyrpeg. Amlygwyd hyn gan y cynnydd yn nifer y llefydd i aros ac ymddangosiad teithlyfrau â chynnwys mwy poblogaidd, y cyhoeddwyd rhai ohonynt gan y cwmnïau rheilffyrdd. Cynhyrchodd William Davies a dau ddyn busnes lleol, Lewis Jones ('Rhuddenfab': argraffydd, bardd a hanesydd lleol) a Theodore Rouw (Fferyllydd o Tŷ Exmewe a gŵr blaenllaw ym materion y dref) arweinlyfrau ar Ruthun a'r cyffiniau. Dywedodd Rouw fod ei waith yn ymateb i'r mewnlifiad sylweddol o ymwelwyr yn ystod y blynyddoedd diwethaf ('considerable influx of visitors of late years'); dywedodd Lewis Jones yr un fath yn ei arweinlyfr yntau.

Cafodd ceir nemor ddim effaith ar Ruthun yn ystod y bedwaredd ganrif ar bymtheg; dim ond rhai teuluoedd cyfoethog (megis y teulu Cornwallis-West o Gastell Rhuthun) a fyddai wedi bod yn berchen ar y ceir cyntaf, ac ni chafodd cerbydau nwyddau unrhyw effaith hyd ddechrau'r 1920au. Datblygiad llawer mwy cyffredin ei apêl o ganlyniad i welliannau ar y ffyrdd oedd y beic. Ymddangosodd y beiciau peni-ffardding cyntaf yn y 1880au, Llywodraethwr y Carchar oedd y cyntaf i fod yn berchen ar un; ac fe'u dilynwyd gan yr hen feiciau cynnar (y 'bone-shakers'). Gyda dyfodiad y beiciau dwy-olwyn safonol â theiars niwmatig, tyfodd poblogrwydd beiciau ymhlith y dosbarth canol a daeth teithio ar feic yn fwyfwy poblogaidd. Sefydlwyd y Clwb Teithio ar Feic ('The Cyclists Touring Club' (CTC)) ym 1883, gan hybu teithiau ar feic a chymeradwyo llefydd i aros ar gyfer ei aelodau, yn cynnwys Gwesty'r Castell yn Rhuthun, a ddisgrifiwyd fel 'pencadlys' lleol. Tref yr Wyddgrug oedd y cyntaf i sefydlu clwb beicio yn ardal Rhuthun ac achoswyd cynnwrf mawr yn yr ardal pan ddaeth criw o feicwyr, yng ngwisgoedd eu clwb, i Ruthun ym 1890. Ar ôl teithio o amgylch strydoedd y dref cawsant eu croesawu gan y maer, a mwynhau te yng Ngwesty'r Castell. Bu'r clwb yn ymweld â'r dref yn gyson yn ystod y blynyddoedd dilynol, ac erbyn hynny roedd trigolion Rhuthun hefyd yn prynu beiciau. Arwydd o hyn oedd agor siop feics 'Gittins and Beeches' ar gornel Sgwâr Sant Pedr a Stryd y Farchnad tua 1900.

Nid oedd dyfodiad math newydd o drafnidiaeth yn golygu tranc y ceffyl a chert ac roedd galw mawr am geffylau ar hyd y ganrif. Roedd angen cerbydau o hyd i gario pobl yn ôl ac ymlaen o'r pentrefi niferus o amgylch Rhuthun nad oeddynt wedi'u cysylltu â'r rheilffordd, ac at y gwahanol orsafoedd ar hyd llinellau'r rheilffyrdd; roedd angen wageni i gario nwyddau a chynnyrch i mewn ac allan o ierdydd y gorsafoedd niferus rhwng Dinbych a Chorwen; yn benodol, yr eitem bwysicaf a gludwyd oedd glo a dyna brif gynhaliaeth y rheilffyrdd lleol.

Darparu Gwasanaethau Dinesig

Arweiniodd deddfwriaeth genedlaethol a balchder dinesig at gamau i 'foderneiddio' Rhuthun yn ystod oes Victoria. Gwelwyd y datblygiadau dinesig hyn mewn sawl maes: Neuadd y Dref newydd (yn cynnwys Neuadd Farchnad ac Ystafelloedd Ymgynnull); goleuadau nwy ar y strydoedd; cyflenwad dŵr trwy bibell; system garthffosiaeth y dref; brigâd dân ddinesig; a dechrau'r system delef-fôn. Hefyd, roedd dyhead i ddisodli nwy â goleuadau trydan.

Yn symbolaidd ac yn ymarferol, roedd dymchwel hen Neuadd y Dref, a oedd wedi sefyll yng nghanol Sgwâr y Farchnad am ddwy ganrif, a chodi adeilad newydd yn ei lle, yn cynrychioli'r penderfyniad i weddnewid Rhuthun o fwrdeistref yn perthyn i ddiwedd y canol oesoedd i fwrdeistref fodern. Adlewyrchwyd pwysigrwydd y weithred hon yn y dathliadau cyhoeddus a gynhaliwyd i gyd-fynd â gosod carreg sylfaen y Neuadd y Dref newydd ar 27 Hydref 1863, gan y maer R.G. Ellis. Ni chwbl-hawyd yr adeilad ei hun am ddwy flynedd arall, a chafwyd wythnos o ddathliadau cyhoeddus i ddathlu'r achlysur hwnnw. Cyfarfu Cyngor y Dref yno am y tro cyntaf ar 28 Medi 1865. Y rheswm am yr arafwch wrth gwblhau'r gwaith oedd gor-wariant o £1,500 ar y gost amcangyfrifedig o £3,500, ac yn ystod y cyfnod hwn aeth y con-tractwyr yn fethdalwyr. Dyluniwyd yr adeilad ar ffordd gymharol newydd Stryd y

Hen Neuadd y Dref c1860

Neuadd y Dre Newydd a Neuadd y Farchnad

Farchnad, gan y penseiri Poundley a Walker o Lerpwl, ac roedd yr adeilad trawiadol ar arddull Puginaidd neo-Gothig ffasiynol, yn adleisio neuaddau tref mwy crand o lawer yn y dinasoedd mawr a oedd ar yr adeg hwn yn symbolau o falchder dinesig.

Cyn yr argyfwng ariannol, y bwriad oedd defnyddio islawr yr adeilad fel stordy arfau i Wirfoddolwyr Sir Ddinbych, yn ogystal â swyddfeydd ar gyfer y cyngor a chlerc y dref ac Ystafell Ymgynnull, ystafell newyddion, a Chyfnewidfa Ŷd (mae medaliwn carreg ar ffurf ysgub o wenith i'w weld ar flaen yr adeilad hyd heddiw). Bu'n fwriad i alw'r stryd yn Stryd y Gyfnewidfa hyd yn oed. O ganlyniad, arhosodd masnachwyr ŷd ar Sgwâr y Farchnad a strydoedd eraill yn y dref. Byddai'r Ystafell Ymgynnull yn chwarae rhan bwysig ym mywyd cymdeithasol y dref o hynny ymlaen.

Sefydlwyd gwaith nwy Cwmni Nwy Rhuthun, cwmni preifat a oedd yn eiddo i gyfranddalwyr lleol ym 1850 i ddarparu tua 40 o oleuadau stryd i'r dref. Ym 1878 cawsant eu hymestyn ymhellach ar hyd Stryd Mwrog a Stryd Llanrhudd. O ganlyniad, daeth nwy ar gael i ddefnyddwyr yn y cartref. Fe wnaeth y cwmni nwy arddangos lamp drydan ar Sgwâr y Dref mor gynnar â mis Tachwedd 1879, ond er iddo gael ei edmygu fel arwydd o foderniaeth yn y dref, cafodd ei wrthod ar yr adeg hwnnw ac ar ddau achlysur gwahanol ar sail y gost.

Cyfeirir at ddyfodiad y systemau dŵr a charthffosiaeth mewn man arall yn y bennod hon, ond yn gynharach yn y 1820au roedd y Gorfforaeth wedi suddo ffynnon ddofn ar Sgwâr y Dref, rhwng y swyddfa bost heddiw a Chofeb Peers, at ddefnydd y cyhoedd. Rhoddwyd y gorau i'w defnyddio pan gyflwynwyd dŵr trwy bibell. Gerllaw hen neuadd y dref safai peiriant pwyso y dref (ac un arall ar Wernfechan (a adwaenid fel 'Y Peiriant'/'The Machine'), a ddarparwyd ym 1829 i bwyso glo a nwyddau swmpus eraill. Yn yr un modd â thollau'r farchnad, cafodd ei rentu i weithredwyr preifat yn ystod arwerthiant blynyddol.

Y Gwasanaeth Post. Ehangwyd a chyflymwyd y gwasanaeth hwn hefyd pan fabwysiadwyd y 'post ceiniog' ym 1840 ac ymestynnwyd y rhwydwaith rheilffyrdd; yn gyntaf ar hyd arfordir Gogledd Cymru ym 1848 ac yna ar hyd Dyffryn Clwyd ym 1860-62. Roedd cert bost Rhuthun yn cysylltu â'r Fflint hyd 1913, a defnyddid cert a thrên o'r Rhyl o 1862. Symudodd y swyddfa bost o rhif 2 Stryd y Ffynnon i'w lleoliad presennol ym 1906. Yn hen iard y swyddfa bost, y tu ôl i Tŷ Gayla heddiw, y lleolid y cert bost a'r stabal. Roedd defnyddwyr busnes a domestig y system bost newydd ar eu hennill yn fawr o'r gwelliannau sylweddol hyn yn y cysylltiadau â gweddill Prydain.

Y Gwasanaeth Tân. Ar ôl derbyn cymeradwyaeth seneddol i sefydlu gwasanaethau tân bwrdeistrefol ym 1840, sefydlwyd Brigâd Dân Rhuthun y flwyddyn ganlynol gan fasnachwyr lleol, y fwrdeistref gyntaf i wneud hynny yng Ngogledd Cymru. Ariannwyd y fenter gan gyfuniad o ardoll ar drethdalwyr, taliadau am ateb galwadau a chasgliadau gwirfoddol, a goruchwyliwyd y cyfan gan Bwyllgor Brigâd Dân Cyngor y Dref. Er gwaethaf yr offer cyntefig, roedd Cornwallis-West o Gastell Rhuthun, wedi'i blesio gan y gwasanaeth i'r fath raddau fel iddo gytuno i roi peiriant y Castell ar fenthyg i'r frigâd yn ôl yr angen. Roedd Brigâd Dân Rhuthun yn adnabyddus yn lleol ac yn genedlaethol erbyn y 1890au, diolch yn bennaf i ymdrechion cynghorydd tref a fferyllydd lleol, Theodore Rouw, a gyflwynodd ymarferiadau tân newydd a edmygwyd gan lawer. Anrhydeddwyd Rowe â'r teitl Capten y Frigâd; ond y capteiniaid gwirioneddol oedd R.G. Royce, a'i olynydd William Green. Roedd gan y Frigâd ddau is-gapten ac wyth dyn tân, pob un ohonynt yn wirfoddolwyr, ond parhaodd yr offer yn sylfaenol iawn – periant a bwmpiwyd â llaw ac a dynnwyd gan asyn, ac a oedd yn cael trafferth i droi corneli gan fod ganddo echylydd sefydlog. Er y gofynnwyd i'r Cyngor am injan dân 'stêm' (pympiau a weithiwyd gan ager), ni chafwyd y peiriant hwn hyd 1906. Roedd yr injan dân yn cael ei chadw ar y safle y drws nesaf i'r Neuadd Farchnad newydd.

System Deleffon. Tua'r flwyddyn 1897, cafodd Rhuthun ei gysylltiadau teleffon preifat cyntaf. Cysylltodd y cynghorydd a'r cyfreithiwr lleol, Marcus Louis, ei siambrau yn Stryd y Ffynnon â'i gartref yn Brynhyfryd Park ar Stryd y Rhos. Cysylltodd y cigyddion lleol, y teulu Williams, eu dwy siop hwythau yn Stryd y Ffynnon a Stryd Clwyd. Cyn y gellid cysylltu Rhuthun â system gyfnewidfa, roedd angen wyth tanysgrifiwr. Pan lwyddwyd i gyrraedd y nod hwn, rhoddodd Cyngor y Dref ei gymeradwyaeth i godi pyst a gwifrau teleffon ar draws y dref, gan alluogi'r dref i gysylltu â'r rhwydwaith teleffon rhanbarthol.

Cafwyd gwelliannau i'r strydoedd hefyd, yn enwedig o ganol y 1870au, pan orchuddiwyd ffos drafferthus Stryd Mwrog (Ffrwd Arfon) (1878); o 1877 ymlaen, rhoddwyd wynebau tarmacadam ar y strydoedd, a orchuddiwyd cyn hynny â cherrig wedi'u malu neu gerrig crynion, a chodwyd palmentydd ychwanegol. Tua'r un adeg penderfynodd Cyngor y Dref o'r diwedd y dylid darparu platiau enwau strydoedd a rhifau tai.

Er nad oedd yn adeilad corfforaethol, cafodd y gwaith o godi meindwr ar dŵr Eglwys Sant Pedr ym 1860, fel rhan o gynllun i foderneiddio'r eglwys, ei ystyried fel tystiolaeth bellach o ddyhead y dref i foderneiddio. Enghraifft arall o hyn oedd y cloc cyhoeddus newydd – Cloc Coffa Peers ar Sgwâr y Dref, a godwyd i goffáu hanner canrif o wasanaeth gan Joseph Peers fel Clerc Heddwch y sir.Talwyd am y gwaith gan danysgrifiadau cyhoeddus ym 1883 (talodd Peers am y cloc ei hun).

Iechyd Cyhoeddus

Sylfaenol iawn oedd darpariaethau iechyd a lles yn Rhuthun yn Oes Victoria. Er bod y wladwriaeth les ym mhell iawn yn y dyfodol, yn raddol cafodd mesurau eraill eu cyflwyno gan y llywodraeth ym meysydd glanweithdra dinesig a gofal iechyd yn ystod y cyfnod hwn. Pasiodd llywodraethau canolog diwygiadol gyfres o ddeddfau dros y degawdau gyda'r nod o atal clefydau heintus a gariwyd gan ddŵr, megis colera a teiffws; yn ogystal â gwella cyfleusterau dinesig megis goleuadau stryd. Roedd y clefydau hyn yn bla yn y dinasoedd a oedd yn ehangu'n gyflym, ond roeddynt hefyd yn fygythiad i drefi bychan a oedd hefyd yn prysur ehangu. Ni chafodd tref Rhuthun ei bygwth cymaint ag eraill gan i'r boblogaeth aros yn eithaf sefydlog yn ystod y ganrif, llwyddwyd i osgoi colera ac un achos o deiffws a gafwyd.

Roedd cyfleusterau meddygol yn brin iawn yn ystod y cyfnod hwn, er bod nifer go dda o feddygon yn gwasanaethu Rhuthun, a nifer ohonynt yn byw ac yn gweithio yn y fwrdeistref. Heblaw am gymorth y meddygon a'r llawfeddygon hyn, nid oedd unrhyw sefydliad tebyg i ysbyty yn y dref, a'r agosaf o'i fath oedd Inffyrmari Dinbych. Nid oedd yr un o'r cyfleusterau hyn ar gael am ddim, ond sefydlwyd sawl cymdeithas fuddiannol yn y dref i gynnig buddion yn gyfnewid am daliadau wythnosol. Trafodwyd y posibilrwydd o sefydlu ysbyty bwthyn gan Gyngor y Dref ym 1885, ond ni ddaeth dim o hyn. O ganlyniad, ystyrid bod gwaith ataliol yr un mor bwysig â iacháu wrth geisio gwella darpariaethau ym maes iechyd.

Comisiynodd Cyngor y Dref adroddiad ar ddraenio yn y dref ym 1852 a sefydlodd Bwyllgor Glanweithdra ddwy flynedd yn ddiweddarach. Penodwyd arolygydd 'niwsans' rhan amser, sef siarsiant heddlu'r dref, er mwyn cynorthwyo arolygydd y dref i sicrhau bod rheoliadau cenedlaethol a bwrdeistrefol yn ymwneud â chasglu a gwaredu carthion yn cael eu dilyn gan y boblogaeth a oedd yn aml yn amharod i gydweithio. Awgryma cyfanswm yr amser a dreuliodd y cyngor i geisio perswadio pobl i gydymffurfio, hyd yn oed mor ddiweddar â chanol y 1890au, fod nifer o drigolion y dref yn gyndyn i weld gwelliannau yn y maes hwn.

Yn dilyn sawl epidemig colera, cyflwynodd y llywodraeth ddeddfwriaeth yn y 1850au a'i gwnaeth yn orfodol i awdurdodau lleol gyflwyno dŵr trwy bibell a systemau draenio cywir. Roedd y gorfforaeth wedi talu am godi pwmp yn y dref ar Sgwâr y Farchnad ger hen Neuadd y Dref yn y 1820au, ynghyd â phwmp arall yn Wernfechan. Er gwaethaf rhywfaint o wrthwynebiad lleol, ffurfiwyd Cwmni Dŵr Rhuthun yn y 1850au trwy fuddsoddiad preifat i gyflenwi dŵr trwy bibell i'r dref, o'r bryniau uwchben Bathafarn. Dyma fyddai ffynhonnell dŵr yfed y dref o hynny ymlaen, gan gymryd lle afon Clwyd a ffynhonnau preifat, a leolid yn aml ger carthbyllau, gan fod y ddwy ffynhonnell yna mewn perygl o gael eu llygru.

Cyflwynwyd grid carthffosiaeth ddinesig yn y 1870au i gymryd lle'r carthbyllau drewllyd a allai fod yn beryglus. Cyn i'r gwaith gael ei gwblhau, roedd Cyngor y Fwrdeistref hefyd wedi pasio rheoliadau i wella'r system bresennol o waredu carthion, a oedd yn dibynnu ar gerti agored a gasglai cynnwys y tomenni sbwriel a oedd ar wasgar o amgylch y dref a'i gludo i safleoedd ar gyrion y dref. Rhoddodd Ystad Castell Rhuthun y tir ar gyfer yr hyn a elwid yn 'fferm garthion', yn y caeau i'r gogledd o'r orsaf rheilffordd lle nad oedd unrhyw dai yn ystod y cyfnod hwn, rhywbeth hanfodol gan fod y dull o 'drin' carthion amrwd yn golygu fawr mwy na chyfres o ffosydd i sychu'r carthffrydiau. Casglwyd mathau eraill o sbwriel ar gerti hefyd a'u cludo i un o ddwy domen ar gyrion y dref; roedd un o'r rhain ar Lôn Gwernydd (Lôn Cae Brics), ar y ffordd i Ddinbych a'r llall, yn ôl Lewis Jones, yn yr ardal a elwir heddiw yn Lôn Speiriol (credai fod y gair speiriol yn tarddu o sbwriel).

Datblygiad arall a welwyd ar ddiwedd oes Victoria oedd darparu swyddogion iechyd a byrddau iechyd lleol, y talwyd amdanynt gan arian cyhoeddus. Rhan o ddyletswyddau'r swyddogion iechyd hyn oedd casglu data am afiechydon a marwolaethau yn y dref; yr ymgais gyntaf i gadw cofnodion ystadegol cywir. Datgela'r cofnodion sydd wedi goroesi fod iechyd cyhoeddus yn Rhuthun ymhlith y gorau yn Sir Ddinbych ac roedd nifer o'r afiechydon angheuol a gofnodwyd yn debyg i afiechydon yr oes hon, heblaw fod y ddarfodedigaeth (neu'r diciâu) yn llawer mwy cyffredin. Er bod gorboblogi yn cael ei gydnabod yn berygl i iechyd mewn rhan o'r dref, nid oedd cysylltiad uniongyrchol â'r afiechyd. Y dyb oedd fod tai o ansawdd gwael, tai llaith ac oer, yn fwy tebygol o achosi afiechyd. Mater arall a oedd yn destun pryder i iechyd cyhoeddus oedd nifer y tai llety yn y dref; oherwydd y pryder cenedlaethol y gallai heintiau ymledu o'u herwydd, roedd yn ofynnol i dai llety gael eu cofrestru a'u harchwilio'n rheolaidd. Roedd perchnogion unrhyw dai nad oeddynt yn cael eu rhedeg yn dda, yn cael eu herlyn yn rheolaidd.

Cafwyd anghydfod tebyg am gyfnod hir gyda pherchnogion y lladd-dai, yr oeddynt oll wedi'u lleoli yn y dref, fel arfer y tu ôl i dai, ac roedd nifer ohonynt yn torri rheoliadau hylendid yn rheolaidd. Roedd yr arfer o werthu anifeiliaid ar strydoedd y dref yn ystod y marchnadoedd wythnosol hefyd yn destun cryn wrthwynebiad gan y rheini a oedd yn byw ar y strydoedd hyn, ac roedd y sŵn yn ogystal ag arogl a baw'r anifeiliad yn peri tramgwydd. O ddechrau'r ganrif, roedd moch rhydd, y cwynwyd amdanynt ar y pryd gan Edward Pugh, yr arlunydd a aned yn Rhuthun, yn ei Cambria Depicta, yn destun is-ddeddfau i'w cadw dan reolaeth neu byddent yn cael eu cadw a'u perchnogion yn cael eu dirwyo. Problem arall hirhoedolog oedd yr arfer cyffredin o gadw moch yn yr ierdydd cefn a'r ffaith eu bod, pan nad oeddynt yn crwydro'r strydoedd, yn llygru ffynonellau dŵr yfed cyfagos, yn ogystal â chael ei lladd yn achlysurol. Cafodd tafarndai'r Anchor a'r Boar's Head eu herlyn am ladd moch yn anghyfreithlon yn y modd hwn, a lleisiwyd cryn anniddigrwydd am yr achosion tebyg a gafwyd yn y triongl rhwng Sgwâr y Farchnad, Stryd Clwyd Uchaf a phen uchaf Stryd Clwyd.

Er nad oedd cysylltiad uniongyrchol â iechyd cyhoeddus, roedd y penderfyniad i orfodi perchnogion tai i osod cafnau a landeri ar eu heiddo, ac adeiladu palmentydd, hefyd o gymorth i wneud bywyd yn fwy dymunol i bobl y dref.

Yn raddol, ac yn aml yn wyneb gwrthwynebiad gan rai cynghorwyr, yn ogystal â'r cyhoedd, llwyddodd yr awdurdodau dinesig i wneud tref Rhuthun yn lle mwy dymunol a iachach i fyw ynddi.

Cyfraith a Threfn

Trwy gydol y bedwaredd ganrif ar bymtheg, ac eithrio llond dwrn o sefyllfaoedd anhrefnus yn dilyn canlyniadau etholiadau, a arweiniodd at alw'r cwnstabliaid arbennig, roedd tref Rhuthun yn lle cymharol heddychlon a diogel i fyw ynddi; a hyn, er gwaethaf y ffaith mai llond dwrn o heddweision a oedd yn y dref i gadw'r heddwch. Wrth sôn am y dref yng nghanol y 1850au, gwnaeth Robert Roberts y sylw deifiol canlynol '...unmarried ladies ... flocked to the town to seek shelter within its quiet streets.' Mân droseddau oedd mwyafrif yr achosion a gofnodwyd, yn aml yn ymwneud â meddwdod ag ymddygiad afreolus, ac nid oedd hyn yn annisgwyl o ystyried y marchnadoedd a'r ffeiriau mynych a'r holl dafarndai a oedd yn y dref. Roedd troseddau treisgar yn llawer mwy anghyffredin ac ni chafwyd unrhyw achos o lofruddiaeth.

Plismona'r Dref

Hyd nes y pasiwyd Deddf Diwygio'r Corfforaethau Dinesig ym 1835, cyfrifoldeb y gorfforaeth fwrdeistrefol yn unig oedd plismona. Roedd y dref wedi'i rhannu yn bedwar ward (Stryd Mwrog, Stryd Clwyd, Stryd y Castell a Stryd y Ffynnon), â phob un ohonynt yn cael ei blismona gan gwnstabl tref di-dâl, a ddewiswyd yn flynyddol o blith y bwrdeisiaid, ac a oedd yn atebol i Gyngor y Dref (Corfforaeth). Roedd Deddf 1835 yn cynnwys darpariaeth i Bwyllgorau Gwarchod yr Heddlu i benodi a rheoli heddlu'r dref. Roedd Deddf Heddlu Sirol 1839 yn caniatáu Ynadon Heddwch i sefydlu heddluoedd sirol a sefydlodd Sir Ddinbych ei heddlu ei hun y flwyddyn honno, er gwaethaf cwynion am y gost i'r trethdalwyr, nad oedd nifer ohonynt yn byw yn y trefi, lle'r oedd cyfran anghymesur o'r troseddau yn digwydd. Daeth y gwaith o blismona tref Rhuthun yn gyfrifoldeb i'r sir a chyflogwyd swyddogion heddlu proffesiynol. Yn ystod gweddill y ganrif, roedd gan Rhuthun lond dwrn o heddweision dan oruchwyliaeth arolygydd. Roeddynt wedi'u lleol ym mhen isaf Stryd Clwyd i ddechrau, o fewn yr hen garchar, ond ym 1891 adeiladwyd gorsaf heddlu bwrpasol gerllaw Neuadd y Sir, yn Stryd y Llys, lle cynhelid y llysoedd.

Gweinyddu Cyfiawnder

Cyn i'r system gyfiawnder gael ei diwygio, rhennid yr awdurdodaeth rhwng Pentreflys y Faenor, a oedd yn ymdrin â mân droseddau ac ardalwyr y Fwrdeisdref, a oedd yn mwynhau statws Ynadon Heddwch mewn perthynas â'r mân droseddau a gyflawnwyd yn y dref. Eisteddai'r ynadon Sir yn y Sesiwn Chwarter a'r Sesiwn Fach i wrando ar fân droseddau, a chynelid Llys y Sesiwn Fawr, dan ofal barnwr, i wrando ar droseddau mwy difrifol. Ym 1839, daeth y Brawdlysoedd, dan arweiniad barnwr, yn gyfrifol am ymdrin â throseddau difrifol yng Nghymru a daeth tref Rhuthun yn lleoliad brawdlys Sir Ddinbych.

Cosb

Rhuthun oedd lleoliad carchar y sir hefyd, a sefydlwyd yn y 1770au. Lleolwyd y carchar ym mhen isaf Stryd Clwyd, ac fe'i hystyrid yn fodel o'i fath o ran y driniaeth gymharol waraidd a dderbyniai'r ffeloniaid. Ehangwyd yr adeilad yn sylweddol ym 1866-68; gan ddilyn esiampl flaengar Carchar Pentonville, Llundain, unwaith yn rhagor. Roedd Cyweirdy y drws nesaf i'r carchar lle anfonwyd crwydriaid a mân-droseddwyr, a gorfodwyd iddynt ymgymryd â gwaith corfforol i dalu am eu lle; yn yr un modd â'r carcharorion yn y carchar drws nesaf. Un o nodweddion carchar y sir, a nodwyd gan y Comisiynwyr Seneddol yn eu Hadroddiad ym 1834, oedd y melinau traed, a oedd yn cael eu gweithio gan y carcharorion i dynnu dŵr i'w ddefnyddio yn y carchar. Roedd yn cynnwys mesurydd i ddangos faint o ddŵr a dynnwyd, ac roedd hwn i'w weld gan y cyhoedd y tu allan i iard y carchar. Cafodd un o olion yr hen drefn o gosbi pobl yn gyhoeddus, sef cyffion y dref, nad oeddynt yn cael eu defnyddio bellach, eu tynnu o Sgwâr y Farchnad ym 1853.

Daeth y carchar yn Garchar Ei Mawrhydi, Rhuthun, ym 1877, pan ddaeth dan reolaeth y Swyddfa Gartref. Cynlluniwyd y carchar i ddal llawer mwy o garcharorion nag a ddaliwyd yno, dim ond 51 o garcharorion a gofnodwyd yno yng Nghyfrifiad 1851 – 39 dyn a 12 menyw; ac roedd eu nifer wedi gostwng i 21 erbyn 1891. Dim ond dau o'r carcharorion, yn ystod y blynyddoedd dan sylw, a oedd yn hannu o Ruthun ei hun. Roedd y rhain yn cynnwys ffeloniaid a ddyfarnwyd yn euog yn Sir y Fflint a Sir Feirionnydd ar ôl 1878, pan gaewyd eu carchardai sirol.

Bywyd Cymdeithasol

Pa fath o weithgareddau cymdeithasol yr oedd pobl Rhuthun yn cymryd rhan ynddynt yn ystod y ganrif? Roedd rhai gweithgareddau wedi hen sefydlu yn y dref; datblygodd eraill yn ystod y ganrif; a diflannodd eraill yn gyfangwbl yn sgil newid cymdeithasol, megis baetio teirw y tu allan i'r hen Bull Inn ar Sgwâr y Farchnad, adeilad a ddymchwelyd pan adeiladwyd Stryd y Farchnad, ac arfer a waharddwyd yn genedlaethol ym 1835.

Fel tref farchnad, roedd llawer o weithgareddau cymdeithasol Rhuthun yn troi o amgylch y marchnadoedd a gynhaliwyd ddwywaith yr wythnos a'r pum ffair flynyddol, pan fyddai canol y dref yn llenwi â phobl o'r pentrefi cyfagos yn ogystal â'r dref ei hun. Yn ogystal â gwerthu anifeiliaid a nwyddau, arferai diddanwyr stryd teithiol ymweld â'r dref. Roedd y gwestai a'r tafarndai niferus yn nodweddion amlwg yn y dref ac yn sicr yn cynnig cyfleoedd hamdden i wahanol ddosbarthiadau cymdeithasol, er bod llawer yn gwgu fwyfwy ar ymddygiad o'r fath. Erbyn y 1880au, cafwyd pwysau cynyddol gan adain anghydffurfiol fwyfwy dylanwadol yn y gymdeithas, i geisio rheoli yfed, a rhoddwyd hwb i'r ymgyrch hon gan benderfyniad llywodraeth Gladstone i gyflwyno 'opsiwn lleol' a oedd yn rhoi caniatâd i ynadon reoli oriau agor y tafarndai. Arweiniodd twf y mudiad dirwest at agor ystafelloedd darllen coco yn Stryd y Ffynnon ym 1879 ac yn Sefydliad Llanfwrog yn y 1890au. Ynddynt, darperid papurau newydd, deunydd darllen a gemau dyrchafol i ddynion ifanc mewn ymgais i'w dargyfeirio o'r tafarndai. Awgryma methiant yr Ystafelloedd Coco o fewn rhai blynyddoedd na lwyddwyd i ddisodli arferion cymdeithasol hŷn.

Roedd dylanwad crefydd ar fywyd cymdeithasol hefyd yn amlwg yn y gweithgareddau niferus a drefnid gan y capeli a oedd yn prysur ehangu, yn ogystal â'r eglwysi. Roedd llawer o amser rhydd yr aelodau yn troi o amgylch y capeli oherwydd, yn ogystal â dau wasanaeth ar y Sul a'r ysgol Sul, cynhelid sawl cyfarfod ychwanegol gyda'r nos yn ystod yr wythnos, ynghyd â chymanfaoedd a chymanfaoedd canu achlysurol. O ran gweithgareddau llai crefyddol, trefnid cyfarfodydd cymdeithasau llenyddol i oedolion, ac eisteddfodau a thripiau ysgol Sul blynyddol i'r trefi glan-môr i blant, unwaith yr oedd y rheilffordd yn cysylltu Rhuthun â'r arfordir yn y Rhyl. Ar y llaw arall, cafodd digwyddiadau cymdeithasol newydd, megis dawnsfeydd, eu gwrthwynebu'n llym gan aelodau Capel MC Stryd y Rhos, a gwnaed ymgais i wahardd dawnsio yn yr Ystafelloedd Ymgynnull adeg y Nadolig, yn ogystal â bygwth diarddel aelodau a fu mewn dawns ym Mharc Bathafarn ym mis Chwefror 1884.

Bu twf yn nifer aelodau'r dosbarth canol Cymraeg anghydffurfiol a oedd yn dod yn fwyfwy llythrennog hefyd yn hwb i argraffu a chyhoeddi yn Rhuthun, a rhoddwyd pwyslais ar farddoniaeth grefyddol a chyhoeddiadau barddonol Cymraeg. Sefydlodd y Parchedig Thomas Jones o Ddinbych, gwenidog cyntaf Capel y Rhos, y wasg argraffu gyntaf yn ei gartref yn Stryd y Ffynnon ym 1808, ond symudodd i Ddinbych y flwyddyn ganlynol. Parhaodd llwyddiant y diwydiant argraffu ar hyd y ganrif. Yr argraffydd a chyhoeddwr pwysicaf oedd Isaac Clarke (1824-75), cyhoeddwr nifer o lyfrau Cymraeg, a gŵr a sicrhaodd yr hawl cyntaf i gyhoeddi barddoniaeth hynod boblogaidd 'Ceiriog' (John Ceiriog Hughes) ac a gydnabyddir fel cyhoeddwr cyntaf yr anthem genedlaethol ym 1858. Yn ogystal, bu Clarke yn hyfforddi nifer o argraffwyr a chyhoeddwyr eraill, yn eu plith Lewis Jones (Rhuddenfab) (1835-1915), a gymerodd yr awenau oddi wrtho fel prif argraffydd/gyhoeddwr ac awdur y dref.

Er na fu gan tref Rhuthun ei bapur newydd ei hun, ac eithrio'r cyhoeddiad Saesneg misol byrhoedlog, *Ruthin Illustrated Magazine*, a gyhoeddwyd rhwng 1879 a c.1883, ac a oedd yn rhoi mwy o sylw i eitemau diwylliannol yn hytrach na gohebu gwleidyddol, roedd nifer o bapurau newydd Saesneg a Chymraeg, o Ddyffryn Clwyd a thu hwnt, yn cael eu dosbarthu'n helaeth yn y dref. Roedd y rhain yn cynnwys colofnau golygyddol a gohebiaethau gwleidyddol o bwys, ynghyd â newyddion lleol, cenedlaethol a rhyngwladol. Ymhlith y rhain roedd y cyhoeddiadau Saesneg, *Caernarvon and Denbigh Herald* (1831) a'r *Denbighshire Free Press* (o 1882), a chyhoeddiad Thomas Gee o Ddinbych, *Baner ac Amserau Cymru* (1857), lladmerydd rhanbarthol o bwys i anghydffurfiaeth radical a chenedlaetholdeb, a gyhoeddwyd ddwywaith yr wythnos o 1861. Roedd y prif enwadau crefyddol hefyd yn cyhoeddi eu cyfnodolion crefyddol eu hunain, ac roedd rhai ohonynt yn ymdrin ag amrywiaeth eang o bynciau o ddiwedd y ddeunawfed ganrif, ac a ddarllenwyd yn helaeth gan y rheini a oedd yn mynychu capeli'r dref.

Er nad oedd unrhyw lyfrgelloedd cyhoeddus yn y dref cyn sefydlu Cyngor Sir Ddinbych ym 1889, roedd nifer o lyfrgelloedd benthyca tanysgrifiol yn y dref; defnyddiodd Robert Roberts ddau o'r rhain yng nghanol y 1850au.

Ymgais gynnar i ddyrchafu deallusrwydd a moesau dynion ifanc, clercod a chynorthwywyr siopau yn bennaf, oedd y Ruthin Young Men's Society for the Diffusion of Useful Knowledge, a sefydlwyd ym mis Gorffennaf 1844 mewn cyfarfod cyhoeddus dan gadeiryddiaeth y Warden, y Parchedig Richard Newcome. Rhoddwyd casgliad o lyfrau i'r gymdeithas, a fu gynt yn eiddo i'r 'Gymdeithas Ddarllen' a oedd wedi dod i ben. Cynhaliodd y gymdeithas drafodaethau difrifol ar bynciau moesol pwysig; yn ogystal â darlithoedd cyhoeddus o natur uchelfrydig debyg. Nid yn annisgwyl, daeth y gymdeithas i ben o fewn rhai blynyddoedd; yn rhannol oherwydd nad oedd hawl gan ferched i ymuno.

Cymdeithas arall fyrhoedlog, a sefydlwyd ym 1886, mewn ymgais i hybu diwylliant a datblygiad y dref, oedd y London-Ruthin Association. Yn ôl ei sylfaenwyr, y gobaith oedd darbwyllo brodorion Rhuthun a oedd yn byw yn y brifddinas i hyrywyddo a chodi arian er mwyn gwarchod treftadaeth hanesyddol y dref, gan annog datblygiadau modern megis baddonau nofio ar yr un pryd. Er i'r gymdeithas dderbyn cefnogaeth nifer o arweinwyr y dref yn y lle cyntaf, ychydig iawn a gyflawnwyd ac wedyn daeth y gymdeithas yn rhan o Gymdeithas Sir Ddinbych yn Llundain.

Fel mewn mannau eraill ym Mhrydain yn ystod ail hanner y ganrif, cafodd dynion ifanc eu hannog i gymryd rhan mewn pob math o weithgareddau chwaraeon. Roedd bowlio a phumoedd yn weithgareddau a oedd wedi hen sefydlu, ac roeddynt yn cael eu chwarae ar safle'r hen gastell hyd 1826, pan ailgodwyd y castell. Symudwyd y lawnt fowlio y tu ôl i Gorphwysfa ar Stryd y Castell, lle mae ei holion i'w gweld hyd heddiw.

Sefydlwyd nifer o glybiau chwaraeon cyfranogol newydd yn y dref. Roedd y rhain yn cynnwys tennis, criced ac, yn bwysicaf oll, pêl-droed. Wedi'r cyfan, yn Neuadd Nantclwyd y dyfeisiwyd tennis ym 1873, ond parhaodd yn weithgaredd i aelodau'r dosbarth uchaf ac yna'r dosbarth canol. Roedd gan Rhuthun glwb criced i 'fonheddwyr' mor gynnar â 1849, ac arferai bechgyn yr Ysgol Ramadeg chwarae ar Gae Llo. Fodd bynnag, pêl-droed, heb os, oedd y gamp fwyaf poblogaidd, o ran y niferoedd a oedd yn ei chwarae a'i gwylio. Ar ôl sefydlu'r Gymdeithas Bêl-droed ym 1863, ymledodd y gamp yn gyflym ac yn y 1880au roedd sawl tîm yn Rhuthun a oedd yn cymryd rhan yng nghyngrair bêl-droed Gogledd Cymru. Ceir adroddiadau bod hyd at 1,500 o bobl yn dod i wylio gemau pwysig y gynghrair (sef tua hanner trigolion y dref!) a bu wyth chwaraewr lleol yn chwarae i'r tîm cenedlaethol.

Roedd rasio ceffylau hefyd yn boblogaiddall; mae cae rasio, rhwng Borthyn a Heol y Parc heddiw, i'w weld ar fap Dawson o Ruthun ym 1832 a chynhelid rasys ceffylau hyd at y 1850au. Nid yw'r cae rasio'n ymddangos ar fap Arolwg Ordnans 1874 o Ruthun, ond yn 1884 cynhelid rasys ceffylau blynyddol unwaith yn rhagor am nifer o flynyddoedd ar gaeau'r Castell, sef Cae Ddôl heddiw.

Yn ystod y 1870au roedd Cymdeithas Arddwriaethol Rhuthun hefyd yn weithgar, ac roedd yn nodedig am ei gwaith da i hybu arbenigedd garddwriaethol. Ar lefel sirol, roedd sioe amaethyddol flynyddol yn annog gwelliannau tebyg mewn arferion ffermio.

Rhoddir cipolwg diddorol ar chwaraeon plant mewn llythyr gwyno a ysgrifennwyd ym mis Ebrill 1884 ac ymateb llym Cyngor y Dref. Cwynai'r llythyr am y plant a oedd yn chwarae marblis, topiau a gweithgareddau eraill ar Gae Ddôl ar brynhawniau Sul, yn hytrach na mynd i'r Ysgol Sul. Ym mis Rhagfyr, mabwysiadodd Cyngor y Dref fesurau llym i reoli gweithgareddau a ystyrid yn 'niwsans' cyhoeddus; yn eu plith, gemau plant digon diniwed eu hymddangosiad – chwarae pêl-droed, hedfan barcutiaid, troi topiau, llithro, chwarae marblis, bando a 'tipkat' ar strydoedd y dref.

Roedd enw da tref Rhuthun am gerddoriaeth gorawl wedi hen sefydlu yn y bedwaredd ganrif ar bymtheg a phan agorwyd yr Ystafelloedd Ymgynnull yn adeilad newydd Neuadd y Dref ym 1863, daeth yn ganolfan boblogaidd i gynnal perfformiadau cerddorol a dramatig. Roedd y rhan fwyaf o'r gerddoriaeth yn amatur, ond cynhelid datganiadau achlysurol gan gantorion opera o'r tu hwnt i Ogledd Cymru. Roedd Undeb Gerddoriaeth Rhuthun yn weithgar ar wahanol adegau, ac yn cynnal perfformiadau cyhoeddus, yn bennaf yn ystod misoedd y gaeaf – y 'tymor'. Sefydlodd R. Harris-Jones, dilledwr amlwg yn y dref, gôr adnabyddus, a ddaeth yn fuddugol yn Eisteddfod Genedlaethol Wrecsam ym 1884. Hefyd, roedd Cymdeithas

Gorawl Rhuthun a'r Cylch, a chanddi 150 o leisiau, yn weithgar yn ystod y 1890au, a bob Pasg byddai'n perfformio gweithiau gan Handel a chyfansoddwyr eraill. Cafwyd ymgais gynharach i sefydlu Undeb Gerddorfaol Rhuthun o blith y bobl ifanc. Am gyfnod, roedd Eglwys Llanfwrog hefyd yn cynnal gŵyl gerddorol flynyddol.

Ymddangosai Mrs. Cornwallis-West yn aml mewn perfformiadau dramatig ysgafn, a gynhelid tua chyfnod y Nadolig, a gwahoddwyd lleiafrif breintiedig i Gastell Rhuthun i fwynhau dawnsfeydd a phartïon hwyrol. Cynhaliodd y teulu Naylor Leyland ddawns fawreddog yn yr Ystafelloedd Ymgynnull ym 1873; ac yn ddiweddarach trefnodd y Rhyddfrydwyr a'r Ceidwadwyr eu dawnsfeydd neu bartïon hwyrol eu hunain yno i godi arian neu ddathlu buddugoliaethau etholiadol. Cynhelid digwyddiadau o'r fath i godi arian ar gyfer anghenion tlodion lleol yn ystod y gaeaf hefyd. Trefnwyd sioeau adloniadol yn yr Ystafelloedd Ymgynnull yn ogystal, ac ymhlith y perfformwyr roedd y 'Ruthin Negro Minstrels' a darllenwyr meddyliau.

Cynhelid gwahanol fathau o 'adloniant' am ddim yn yr awyr agored yn ystod misoedd yr haf; weithiau byddai unigolion megis baledwyr teithiol yn perfformio neu cynhelid gorymdeithiau gan undeb y cryddion; y cymdeithasau buddiannol a barnwyr y Brawdlys i eglwys Sant Pedr; ymarferion a pharedau gan aelodau lleol 6ed Bataliwn Gwirfoddolwyr y Reifflwyr Sir Ddinbych (RWF), â'u bandiau drwm a chwibanogl a'u hiwnifformau trawiadol (gwnaed penderfyniad doeth i newid yr iwnifformau llwyd Prwsiaidd a helmedau am iwnifformau fflamgoch a chapiau pluog ym 1879), dan arweiniad swyddogion o blith haenau cymdeithasol uchaf y dref, yn fwyaf nodedig yr Uwchgapten William Cornwallis-West a'r teulu Gregson Ellis o Blas Newydd, Stryd Mwrog. Un o uchafbwyntiau'r flwyddyn, i blant a masnachwyr y dref yn enwedig, oedd gwersyll haf yr iwmyn ar Gae Ddôl, pan gynhelid paredau a symudiadau cyffrous gan y marchfilwyr; dan orchymyn y bonedd lleol megis y Cyrnol Naylor Neyland a J.F. Jesse o Neuadd Llanbedr.

Mae'r holl weithgareddau hyn yn ein hatgoffa nad oedd Rhuthun yn lle marwaidd, anghofiedig yn ystod oes Victoria, ond yn hytrach, yn dref a oedd yn agored i'r byd ehangach a'i syniadau a phleserau.

Bywyd Gwleidyddol

Yng nghyd-destun democratiaeth dorfol yr oes heddiw, mae'n anodd amgyffred pa mor annemocrataidd a chyfyng oedd cyfranogaeth wleidyddol yn y gorffennol. Hyd at hanner olaf y bedwaredd ganrif ar bymtheg, ychydig iawn o ddynion oedd â'r hawl i bleidleisio ac ni chafodd menywod eu cynnwys mewn etholiadau seneddol, fel etholwyr nac ymgeiswyr, hyd 1918. Roedd pleidleisio yn gyfyngedig iawn mewn trefi megis Rhuthun cyn pasio'r Ail Ddeddf Ddiwygio ym 1867; hyd yn oed wedi Deddf Ddiwygio 1832, dim ond 320 o bleidleiswyr a oedd yn y dref; ac roedd yr ymgeiswyr yn gyfyngedig i aelodau o'r élite gwleidyddol. Roedd bwrw pleidlais yn weithred beryglus ynddi'i hun; cyn Deddf Pleidlais Gudd 1872, roedd yn rhaid i bleidleiswyr fwrw eu pleidlais yn gyhoeddus ac o ganlyniad, wynebent ddialedd economaidd am bleidleisio yn erbyn tirfeddiannwyr pwerus. Gelwid yr arfer hwn 'Y sgriw'.

Cynrychiolid pobl Rhuthun ar dair lefel wleidyddol – dinesig, seneddol a sirol. Y bedwaredd lefel, Festri'r Eglwys, fel y gwelir yn y bennod olaf, oedd corff rheoli Eglwys Loegr o fewn y plwyf, ond roedd hefyd yn gyfrifol am agweddau ar weinyddiaeth seciwlar, megis rheoli treth y tlodion. Aeth yn llai pwysig wrth i'r ganrif fynd yn ei blaen.

Fel y nodwyd yn y penodau blaenorol, ers teyrnasiad Iago I, roedd Rhuthun wedi mwynhau hunan-lywodraeth ddinesig dan gorfforaeth fwrdeistrefol etholedig, yn cynnwys dau henadur etholedig ac un-ar-bymtheg cynghorydd neu 'ddynion o gyfalaf'. Ar yr un pryd, roedd pŵer Arglwyddiaeth Dyffryn Clwyd, a oedd ym meddiant y teulu Myddelton o Gastell y Waun, yn caniatáu i'r arglwyddiaeth ymyrryd yn y broses o ddewis henaduriaid a bwrdeisiaid er mwyn sicrhau y gwarchodid ei buddiannau. Adroddodd y Comisiynwyr Seneddol ym 1834 fod 'arglwyddes y faenor', Miss Harriet Myddelton, yn rheoli'r henaduriaid a'r cynghorwyr i bob pwrpas.

Parhaodd y sefyllfa hon hyd y pasiwyd Deddf y Corfforaethau Dinesig 1835, a oedd yn mynd law yn llaw â Deddf Ddiwygio Seneddol ehangach 1832; y ddwy wedi'u hanelu at ehangu cynrychiolaeth seneddol a mynd i'r afael â'r cam-ddefnydd o fwrdeistrefi 'pwdr' a 'phoced' a oedd dan reolaeth tirfeddiannwyr pwerus. Roedd yr un Ddeddf yn cynyddu nifer yr henaduriaid i bedwar, yn pennu tymhorau tair-mlynedd o hyd i'r deuddeg cynghorydd etholedig, ac yn caniatáu un maer, i'w ethol yn flynyddol. Y maer cyntaf i'w ethol ym 1836 oedd George Adams, a oedd â chysylltiad agos â Chastell Rhuthun. Gwasanaethodd 32 o ddynion eraill fel Maer yn ystod y ganrif, yn cynnwys William Cornwallis-West am ddau dymor yn 1886-88.

Gwnaed y gwaith o reoli'r bwrdeisiaid, sef etholwyr dinesig a seneddol Rhuthun, yn haws gan eu nifer cyfyngedig a phŵer yr Arglwyddiaeth i ychwanegu at eu nifer. I fod yn deg, roedd Rhuthun yn un o blith nifer o 'fwrdeistrefi poced'. Tua'r flwyddyn 1830, dim ond 95 o fwrdeisiaid a restrir, ac roedd deg ohonynt yn farw. Dim ond ym 1832 y dilëewyd bwrdeisiaid nad oeddynt yn breswylwyr, â hawliau pleidleisio, a oedd yn berchen ar eiddo yn y dref. Dengys dadansoddiad o'u galwedigaethau bod 32 masnachwr; 11 gweithiwr proffesiynol; 21 o unigolion â theitlau a phedwar tirfeddiannwr arall yn eu plith. Eto i gyd, roedd sawl labrwr a glanhawr stryd yn eu plith; roedd teyrngarwch i'r teulu Myddelton yn bwysicach na dosbarth cymdeithasol. Fodd bynnag, roedd pob un o'r henaduriaid a'r meiri yn aelodau o'r dosbarth proffesiynol bychan o gyfreithwyr a meddygon a siopwyr cyfoethocach.

Yn sgil ehangu cyfranogaeth wleidyddol yn yr etholiadau dinesig, daeth yn bosibl i faterion newydd, yn ogystal ag arweinyddiaeth wleidyddol newydd ymddangos, er na ddiddymwyd pŵer y Castell ar unrhyw gyfrif. Gwasanaethodd William Cornwallis-West fel cynghorydd etholedig a hefyd, fel y nodwyd, fel maer Rhuthun, ond ni lwyddodd natur blwyfol gwleidyddiaeth fwrdeistrefol i gadw diddordeb y teulu a bu'n rhaid i West ymddiswyddo ym 1890, am iddo fethu â mynychu cyfarfodydd y cyngor yn ddigon rheolaidd. Yn ôl cofnodion Cyngor y Dref a cholofnau'r Denbighshire Free Press, y prif faterion dan sylw oedd gwelliannau dinesig; ac achosodd rhai ohonynt raniadau ymhlith y cynghorwyr, fel arfer ar sail y gost; gwrthwynebai lleiafrif ohonynt ddiwygiadau angenrheidiol megis goleuadau stryd, dŵr trwy bibell a system garthffosiaeth fodern. Roedd rhaniadau eraill yn adlewyrchu gwrthdaro o ran personoliaeth yn gymaint a gwahaniaethau polisi.

Roedd grŵp arall o faterion cysylltiedig yn adlewyrchu'r bwlch ehangach yn y gymdeithas rhwng yr anghydffurfwyr a'r Anglicaniaid, er bod llawer o gydweithio rhyngddynt hefyd. Ar ddiwedd y bedwaredd ganrif ar bymtheg, roedd gan yr anghydffurfwyr ladmerydd di-flewyn-ar-dafod ac ymosodol, sef T. H. Roberts, diacon gyda'r Bedyddwyr a chynghorydd tref, a oedd yn gwrthwynebu rhoi unrhyw fath o nawdd gan y Cyngor i'r Eglwys; megis talu am gynnal y cloc ar dŵr Eglwys Sant Pedr.

Yn sgil gweddnewidiad yng ngwleidyddiaeth genedlaethol yn ail hanner y ganrif, daeth cynghorwyr y dref hefyd yn fwyfwy pleidiol, wrth i'r aelodau ddatgan eu teyrngarwch i'r Rhyddfrydwyr neu'r Ceidwadwyr, a sefydlodd ganghennau yn y dref, yn hytrach nag ochri'n reddfol â'r teulu West yn y Castell, a oedd hefyd wedi trosglwyddo ei deyrngarwch gwleidyddol o'r Torïaid i'r Rhyddfrydwyr o dan William Cornwallis-West.

Ail haen cynrychiolaeth wleidyddol oedd gwleidyddiaeth seneddol, hawl a oedd yn dyddio'n ôl i oes Harri'r VIII, pan roddwyd dwy sedd i Sir Ddinbych yn senedd San Steffan: un i'r sir ac un i brif drefi neu fwrdeistrefi'r sir. Tref Rhuthun, ynghyd â'r Waun, Dinbych a Holt, oedd y 'bwrdeistrefi seneddol' gwreiddiol. Dirywiodd sefyllfa'r Waun yn ddiweddarach, ond yn sgil twf sylweddol yn y boblogaeth rhoddwyd statws bwrdeistref seneddol i Wrecsam ym 1833. Roedd gan y sir ddau aelod ar ôl 1832 ond ym 1885, rhannwyd y sir yn ddwy, a daeth Dyffryn Clwyd yn rhan o Orllewin Sir Ddinbych.

Ni thyfodd etholaeth seneddol Rhuthun rhyw lawer yn dilyn y Ddeddf Ddiwygio gyntaf a hyd yn oed wedi ehangu hawliau pleidleisio'n sylweddol yn y ddwy Ddeddf Ddiwygio dilynol ym 1867 a 1884, crebachu a wnaeth pwysigrwydd pleidleisiau Rhuthun wrth i dref Dinbych dyfu'n gynt na Rhuthun ac roedd y tair bwrdeistref yn fychan iawn o'u cymharu â Wrecsam a oedd newydd ei rhydd-freinio. Bellach roedd gan Rhuthun 520 o bleidleiswyr; ond roedd gan Dinbych 824, Wrecsam 1,256 a Holt 185. Rhoddodd Deddf Ddiwygio 1884 y bleidlais i bleidleiswyr gwledig yn bennaf felly prin iawn oedd yr effaith ar bleidleisio yn Rhuthun.

Er gwaethaf diwygiadau seneddol, arhosodd sedd Bwrdeistrefi Dinbych, â dau eithriad, yn eiddo preifat tirfeddiannwyr lleol trwy gydol y ganrif. Y prif ymgeisydd am y sedd oedd y teulu Myddelton o'r Waun, a ddaeth i ystyried y sedd fel ei eiddo ei hun, yn union fel yr oedd y teulu Williams-Wynn o Wynnstay yn ystyried sedd sirol Dinbych. Fodd bynnag, dinistriwyd undod y teulu, yn rhannol o ganlyniad i ddadlau chwerw ers tro byd ynghylch rhannu'r ystad ar ôl 1797; ond yn fwy penodol oherwydd y gystadleuaeth wleidyddol rhwng gwŷr dwy aelod o'r teulu – Maria a Charlotte. Ym 1802, llwyddodd yr Anrhydeddus Frederick West, gŵr Maria, i ennill y sedd ar ran y Toriaid, trwy'r dulliau arferol o nawddogaeth, gorfodaeth a chymhellion, ond yn anfodlon a than bwysau, ildiodd ei sedd i Robert Myddelton Biddulph o'r Waun, ei gefnder a gŵr Charlotte. Ym 1818, rhoddodd West ei gefnogaeth i ymgeisydd arall, sef John Hamilton Maurice, Is-iarll Kirkwall, gan orfodi etholiad a enillwyd gan Kirkwall o bum pleidlais – 105 i 100. Yn yr ornest nesaf, ym 1820, cefnogodd y teulu Myddleton o'r Waun John Wynne Griffiths yn erbyn Frederick West, ac fe'i drechwyd o 131 i 92 pleidlais. Roedd West yn enillydd dadleuol ym 1826, pan ad-enillodd y sedd, er iddo ddod yn gyfartal â Joseph Ablett, enwebiad y teulu o'r Waun. Ym 1830, ad-enillodd Biddulph ieuengaf y sedd heb ornest a chafodd ei ethol yn ddiwrthwynebiad yn etholiad olaf yr hen drefn.

Ni newidiodd y sefyllfa'n sylweddol yn dilyn y Ddeddf Ddiwygio. Dewiswyd yr ymgeiswyr gan lond dwrn o'r tirfeddiannwyr ac roeddynt hefyd yn rheoli'r bleidlais trwy'r dull traddodiadol, hyd yn oed os cafodd y maniffestos (a gyhoeddwyd, yn ddiddorol iawn, yn y Gymraeg yn ogystal â Saesneg) ac a oedd yn ymdrin â materion ehangach, eu cyhoeddi yn rhai o'r papurau newydd lleol ac ar ffurf taflenni. Dengys y gyfres o etholiadau cywilyddus hyn fod yr holl ymgeiswyr, (er bod teulu y Waun yn cefnogi'r Chwigiaid a theulu Rhuthun yn cefnogi'r Toriaid), yn cynrychioli carfan fechan o dirfeddiannwyr breintiedig; nifer bychan iawn o'r pleidleiswyr a wnaeth fwrw eu pleidlais, roedd yr etholwyr o dan bwysau a chymhellion ariannol ac ychydig iawn o fwrdeisiaid cyffredin y tair tref a oedd ag unrhyw lais gwirioneddol i wneud penderfyniadau o ran polisi. Roedd materion gwleidyddiaeth genedlaethol yn parhau'n ymylol. Er y byddai'r bleidlais a'r arweinyddiaeth anghydffurfiol yn cryfhau yn ystod y degawdau dilynol, aelodau o'r bonedd oedd yr ymgeiswyr seneddol o hyd i bob pwrpas.

Felly enillodd John Madock y sedd i'r Chwigiaid ym 1832-35, ond aeth y sedd yn ôl i ddwylo'r Tori, Wilson Jones, rhwng 1835 a 41. Daliodd y Torïaid eu gafael yn y sedd hyd 1868 pan gafodd y Rhyddfrydwyr lwyddiant etholiadol ysgubol. Yn gyntaf, enillwyd etholiadau 1841 a 1846 gan Townshend Mainwaring, tirfeddiannwr lleol pwysig o Galltfaenan, Henllan, ond collodd yr enwebiad i Geidwadwr arall, sef Frederick Richard West o Gastell Rhuthun ym 1847. Bu farw West pan oedd yn dal y swydd honno ac adenillwyd y sedd gan Mainwaring, hyd etholiad 1868, pan ddrylliwyd grym y tirfeddiannwyr, dros dro yn unig, yn sgil llwyddiant y Rhyddfrydwyr.

Roedd Watkin Charles James Williams, 'Rhyddfrydwr Newydd', yn fab i glerigwr o Lansannan, yn llawfeddyg ac yn ddiweddarach yn fargyfreithiwr amlwg, yn hytrach nag yn aelod o'r bonedd. Er ei fod yn Eglwyswr, roedd o blaid datgysylltu yng Nghymru ac felly sicrhaodd bleidlais yr anghydffurfwyr. Ildiodd ei sedd ym 1880, ond parhaodd yn nwylo'r Rhyddfrydwyr o dan Syr Robert Alfred Cunliffe, Bart., aelod amlwg o'r bonedd yn y sir, a wasanaethodd fel Uchel Siryf Sir Ddinbych ac AS Bwrdeistrefi'r Fflint cyn sefyll yn etholaeth Bwrdeistrefi Dinbych am y trydydd tro. Adenillodd y Ceidwadwyr y sedd ym 1885, pan enillodd tirfeddiannwr aristocrataidd arall, yr Anrhydeddus George Kenyon, gan ddal ei afael ar y sedd am ddeng mlynedd. Pan ildiodd y sedd ym 1895, llwyddodd ei olynydd, William Tudur Howell, bargyfreithiwr ac Eglwyswr a aned yn Sir Gaernarfon, i gynyddu mwyafrif Kenyon – gan adlewyrchu'r symudiad cenedlaethol o'r Rhyddfrydwyr i'r Ceidwadwyr mewn ymateb i benderfyniad Gladstone i hybu Ymreolaeth Iwerddon.

Awgryma adroddiadau papurau newydd y cyfnod fod pleidlais Dorïaidd gref yn Rhuthun, lle tynnwyd cerbyd Howell o amgylch y dref gan gefnogwyr y blaid (nid oedd trigolion Coedpoeth yn rhannu'r brwdfrydedd hwn, a thaflodd y glowyr gerrig at ei gerbyd wrth iddo deithio i Wrecsam). Ailfabwysiadwyd Kenyon a chafodd ei ailethol ym 1900. Bu'r sedd yn nwylo'r Ceidwadwyr hyd iddi gael ei diddymu ym 1918. Cafodd yr etholwyr anghydffurfiol Rhyddfrydol mwy o lwyddiant yng Ngogledd Cymru yn gyffredinol ac yn seddau sirol Dinbych.

Yn ystod degawdau olaf y ganrif, gweddnewidiwyd trefniadaeth y ddwy brif blaid, er bod yr ymgeiswyr yn parhau i fod yn aelodau o'r bonedd. Sefydlodd y Ceidwadwyr a'r Rhyddfrydwyr rwydweithiau cenedlaethol a lleol, a changhennau sirol a rhanbarthol yn Sir Ddinbych. Aethpwyd ati i sefydlu canghennau i ferched hefyd, roedd gan 'Primrose League' y Toriaid ei 'Habitations' lleol, megis yn Rhuthun a Llanfair Dyffryn Clwyd, ac yn yr un modd, roedd y Gymdeithas Menywod Rhyddfrydol Cenedlaethol (the Liberal National Women's Association) yn cefnogi'r prif blaid yn Rhuthun; cynhaliwyd partïon hwyrol a gweithgareddau eraill i godi arian gan y ddwy gymdeithas. Lleolwyd swyddfa cangen y Ceidwadwyr yn Stryd y Castell a'r Rhyddfrydwyr yn Stryd y Prior, lle sefydlwyd y Gynghrair Gwrth-Ddegwm gan Thomas Gee ac eraill ym 1886.

Rhoddwyd sylw i faterion gwleidyddol ehangach a fwy lleol gan yr holl ymgeiswyr: y pwnc cenedlaethol pwysicaf, ar ôl y Drydedd Ddeddf Ddiwygio 1884 a roddodd y bleidlais i'r rhan fwyaf o ddynion, oedd Ymreolaeth Iwerddon. Roedd hwn yn fater a oedd yn rhannu'r arweinyddiaeth ac aelodau lleol y Blaid Ryddfrydol, ac arweiniodd at rwyg wrth i Joseph Chamberlain adael i sefydlu'r blaid Ryddfrydol Unoliaethol.

Roedd Rhyddfrydwyr Sir Ddinbych hefyd yn rhanedig, gyda rhai yn cefnogi Gladstone ac Ymreolaeth ac eraill yn cefnogi'r Unoliaethwyr a oedd o blaid y Protestaniaid o dan arweiniad Chamberlain. Safodd William Cornwallis-West fel ymgeisydd Rhyddfrydol a oedd yn gwrthwynebu Ymreolaeth, ond ni chafodd ei enwebu i sedd seneddol Gorllewin Dinbych. Yn ystod y blynyddoedd hyn, gwrthwynebai'r ymgeiswyr Ceidwadol Ymreolaeth, gan ennill cefnogaeth yr anghydffurfwyr trwy amddiffyn y gymuned Brotestannaidd yng Ngogledd Iwerddon. Roedd materion cenedlaethol eraill, megis 'Masnach rydd' yn erbyn 'Diffyndollaeth' ym maes polisi economiadd, neu faterion rhyngwladol, yn llai pwysig na'r pwnc hollysol hwn.

Y materion eraill a oedd yn destun cryn angerdd yn Sir Ddinbych oedd y taliadau degwm i Eglwys Loegr a diwygio tir. Arweiniodd y cyntaf at gyfres o wrthdrawiadau, rhai ohonynt yn dreisgar, rhwng ffermwyr a oedd yn gwrthwynebu'r drefn ac asiantwyr yr Eglwys a oedd yn ceisio cymryd stoc yn niffyg y taliadau degwm. Disgrifiwyd yr achosion hyn yn ddramatig iawn fel 'Rhyfel Degwm Dyffryn Clwyd', a pharhaodd yr anfodlonrwydd trwy gydol ail hanner y 1880au, gan ddyfnhau'r hunaniaeth grefyddol a chenedlaethol.

Yn sgil ei chysylltiadau economaidd a chrefyddol cryf â'r ardaloedd hyn, cafodd tref Rhuthun yn anorfod ei thynnu i ganol yr anghydfod. Digwyddodd enghraifft drwgenwog o hyn ym 1888, pan aeth y 'gwrth-ddegymwyr' ati i osod delw gwellt o Reithor Llanfwrog, y Parchedig J.F. Reece, ar gefn cert a dynnwyd gan asyn o amgylch y dref cyn ei roi ar dân.Ymosodwyd arnynt gan gefnogwyr yr Eglwys ac arweiniodd y cyfan at ymladd ac achos llys; credir bod y ddwy garfan wedi bod yn goryfed ar y pryd.

Erbyn diwedd y ddegawd, roedd y sefyllfa wedi tawelu a nifer o'r ffermwyr wedi talu; roedd awdurdodau'r Eglwys hefyd yn ymddwyn yn llai llym a chytunodd nifer o glerigwyr i ostwng y degymau i adlewyrchu anawsterau economaidd y cyfnod. Er mai ffenomenon yn perthyn i'r ardaloedd gwledig oedd hon, yn anorfod roedd nifer o drigolion Rhuthun yn uniaethu ag eglwyswyr neu anghydffurfwyr a chynhaliwyd sawl cyfarfod tanllyd yn y dref ar adegau.

Pwnc arall a oedd yn peri pryder i'r gymuned amaethyddol leol oedd diwygio tir. Roedd mwyafrif y ffermwyr yn denantiaid ar ystadau mawrion yr ardal ac asgwrn y gynnen oedd sicrwydd daliadaeth a chydnabod gwelliannau a wnaed gan y tenantiaid. Er y cafwyd ymgais i efelychu Cynghrair Dir Iwerddon, a oedd yn brwydro dros ddiwygiadau tebyg, ystyrid bod ei dulliau yn llawer rhy dreisgar i'r gymuned amaethyddol heddychlon a Phrotestannaidd Gymreig ac, yn y pen draw sefydlwyd Comisiwn Tir Cymru yn y 1890au i ymdrin â'r materion a'u hunioni. Eto i gyd, roedd yn rhaid i bleidleiswyr ddewis rhwng gwahanol dirfeddiannwyr i'w cynrychioli yn San Steffan.

Mater gwleidyddol arall o bwys yn lleol oedd darpariaeth addysg uwchradd yng Nghymru. Ar y mater hwn, ceid cytundeb traws-bleidiol ac, fel y nodwyd mewn adran flaenorol, sicrhawyd darpariaeth addysg uwchradd ac addysg bellach o'r 1860au. Roedd diwygio llywodraeth leol, a drafodir isod, yn fater arall; ac er i'r ddwy brif blaid roi eu cefnogaeth eang i gynghorau etholedig ar lefel sirol, nid oeddynt yn cytuno ar union raddfa'r diwygiadau hynny.

Daeth y drydedd haen o gynrychiolaeth etholedig i fodolaeth ym 1888 pan grewyd cynghorau sir i ddisodli'r Sesiynau Chwarter hynafol, lle bu ynadon yn gweinyddu'r sir yn ogystal â rhedeg y llysoedd ynadon. Er mawr siom a dicter, un sedd yn unig a roddwyd i dref Rhuthun ar y corff newydd; eto i gyd, roedd yn ddigonol i esgor ar gystadleuaeth bleidiol fywiog pan gynhaliwyd yr etholiadau cyntaf ym mis Ionawr 1889. Roedd tri ymgeisydd yn sefyll (nid oedd gan un ohonynt fawr o obaith), yn bennaf ar faterion pleidiol ac anenwadol, ond yn fuan iawn trodd yn ornest rhwng y Ceidwadwyr a'r Rhyddfrydwr a rhwng yr eglwys a'r capeli, rhwng Warden Eglwys Sant Pedr, y Parchedig Buckeley Owen Jones a Robert Edwards, cyfreithiwr anghydffurfiol a chyngorydd tref Rhyddfrydol.

Mewn cyfnod byr iawn, newidiodd pwyslais yr ymgyrchu ac yn hytrach na chanolbwyntio ar nodweddion personol daeth hon yn ornest bleidiol ac enwadol. Cyhuddwyd Edwards o ddechrau 'ymgyrch anghydffurfiol' ('mounting a nonconformist campaign'); yn sicr roedd ei alwad cyhoeddus i ddymchwel y 'sgweieriaeth' Doriaidd (ac Anglicanaidd), a oedd hyd y cyfnod hwnnw wedi rheoli llywodraeth leol yn y sir trwy fonopoleiddio'r ynadaeth, yn chwarae ar elyniaeth grefyddol yn gymaint â gelyniaeth ddosbarth. Ymhellach, fel yn achos y Rhyddfrydwyr Cymreig yn fwy cyffredinol, pwysleisiodd Edwards ei nodweddion anghydffurfiol, gan feirniadu'r 'sgweieriaeth' am ei Seisnigrwydd, yn gymaint â'i hymlyniad at Anglicaniaeth, a'i diffyg ystyriaeth o fwyafrif yr etholwyr Cymraeg eu hiaith; aeth mor bell ag argymell pleidleisio dros 'Gymro', a phopeth arall yn gyfartal. Y bleidlais anghydffurfiol a oedd yn gyfrifol am lwyddiant Edwards. Nid oedd llawer o obaith i'r Warden wedi iddo ddatgan mai'r unig bobl a oedd yn gymwys i wasanaethu oedd cyn-ddisgyblion ysgolion preifat a chyn-fyfyrwyr colegau Rhydychen a Chaergrawnt, fel ef ei hun. Un o nodweddion newydd yr etholiad hwn oedd bod hawl gan drethdalwyr benywaidd fwrw pleidlais.

Yn sir Ddinbych ac mewn mannau eraill yng Ngogledd Cymru, enillodd y Rhyddfrydwyr fuddugoliaeth ysgubol, ac aethant ati i ddefnyddio eu mwyafrif ar gyngor sir Ddinbych i ethol Thomas Gee yn Gadeirydd; swydd yr oedd y Sefydliad yn disgwyl i William Cornwallis-West neu Syr Watkin Williams-Wynn ei chael, ond methodd y ddau â chael eu hethol yn henaduriaid. Roedd gan y mwyafrif Rhyddfrydol ar y cyngor yr hawl i enwebu henaduriaid; dyma sut y cafodd Rhuthun gynrychiolydd ychwanegol – John Jones, y dilledydd. Cynhaliwyd cyfarfod cyntaf y Cyngor Sir newydd yn Rhuthun yn Neuadd y Sir ar 23 Ionawr 1889 ac, o ganlyniad, cafodd swyddfeydd newydd y sir eu rhoi i Ruthun a'u hadeiladu ar Stryd y Farchnad.

Rhuthun yn y Cyfnod Modern

Roger Edwards a Gwynne Morris

Bu'r ugeinfed ganrif yn gyfnod o newid sylweddol i dref Rhuthun.Yn ystod y cyfnod hwn, dyblodd poblogaeth y dref bron iawn ac er i ffatrïoedd dŵr mwynol y bedwaredd ganrif ar bymtheg ddiflannu, tua diwedd y ganrif gwnaed ymdrech fawr i greu cyfleoedd gwaith ar gyrion y dref. Cafodd cau'r rheilffordd ym 1963 a dyfodiad moduron effaith ddramatig ar ddemograffeg, iaith a thirwedd economaidd y dref, yn enwedig ar ei swyddogaeth economaidd draddodiadol fel tref farchnad. Yn ystod y ganrif hon, collodd y dref ei statws fel canolfan gyfreithiol, ond enillodd, collodd ac yna adenillodd ei safle amlwg ym maes llywodraeth leol. Gwelwyd lleihad sylweddol yn nifer tafarndai'r dref, a fu mor niferus yn ystod y ganrif flaenorol, a daeth chwaraeon trefnedig yn fwyfwy poblogaidd. Collodd y dref nifer o'i dynion ifanc yn ystod y ddau Ryfel Byd a hefyd gwnaeth gyfraniad ariannol sylweddol i'r ymdrechion rhyfel cenedlaethol, yn enwedig yn ystod yr Ail Ryfel Byd. Bu newid mawr yng Nghastell Rhuthun wrth i linach y Myddelton-Cornwallis -West ddod i ben, a chafodd yr hen gartref urddasol ei droi'n sanatoriwm ac yna'n westy.

Newidiadau i Dref Rhuthun

Gwelwyd newidiadau mawr o ran poblogaeth a thai yn ystod yr ugeinfed ganrif wrth boblogaeth y dref a nifer y tai gynyddu'n gyflym.Ym 1901, dim ond 2,643 o bobl a oedd yn byw yn y dref ac roedd y nifer hwnnw wedi aros yn sefydlog; hanner can mlynedd yn ddiweddarach roedd y boblogaeth wedi cynyddu i 3,599 ac wedi cyrraedd 5,218 erbyn diwedd y ganrif.

Y rheswm pennaf am y newid hwn oedd tuedd gynyddol i Ruthun, yn ystod ail hanner y ganrif, ddod yn dref noswylio ac ymddeol. Hefyd, caewyd gorsaf reilffordd Rhuthun ym 1963, gan ryddhau tir ar gyfer gwelliannau i'r ffyrdd ac ailddatblygu. Gwnaeth hyn yn iawn am nifer y swyddi a gollwyd yn lleol, yn dilyn cau dau o brif gyflogwyr y dref, gan golli ymron i 200 o swyddi – sef ffatrïoedd potelu dŵr mwynol Cambrian ac Ellis. Ar yr un pryd, roedd pwysigrwydd y dref fel marchnad anifeiliaid yn parhau ac atgyfnerthwyd y statws hwnnw pan adleolwyd y ddwy farchnad da byw o ganol y dref i safle newydd ar ymyl ogleddol y dref ym 1992.

Er gwaethaf yr ystad ddiwydiannol ac adwerthu newydd ar hyd Lôn Parcwr, roedd yn rhaid i nifer o bobl y dref chwilio am waith ymhellach i ffwrdd, a hwyluswyd y symudiad hwn gan welliannau i'r ffyrdd a thwf cyflym ym marchnogaeth ceir preifat. Denodd atyniadau ffisegol y dref fath newydd o fewnfudo; teuluoedd amaethyddol a oedd wedi ymddeol yn rhannol o'r pentrefi cyfagos, ac yn fwy arwyddocaol o safbwynt diwylliannol, y mewnfudwyr niferus o'r ochr draw i Glawdd Offa, gan olygu bod llai na hanner poblogaeth y dref yn siarad Cymraeg erbyn diwedd y ganrif. Eto i gyd, ar yr un pryd, cafwyd sawl ymgais i ailddatgan hunaniaeth ddiwylliannol wreiddiol y dref, drwy ddeddfwriaeth genedlaethol a mentrau lleol.

Er mwyn ymdopi â'r twf hwn yn y boblogaeth, adeiladwyd llawer iawn o dai yn y dref yn ystod yr ugeinfed ganrif. Codwyd filas preifat ar hyd ffyrdd Wrecsam a Dinbych yn ystod y 1920au a'r 1930au a gwelwyd datblygiadau tebyg ar hyd Ffordd Maes Glas a St Meugan yn y cyfnod rhwng y ddau Ryfel Byd.

Ym 1926 cytunodd Cyngor y Dref i brynu tir ar gyfer adeiladu 24 tŷ cyngor newydd ar Ffordd Wrecsam a dechreuwyd ar y gwaith adeiladu ym mis Mehefin 1926. Enw'r ystad newydd oedd Maes-y-Dre. Derbyniwyd dros 60 o geisiadau i fyw yn y tai hyn a symudodd y trigolion cyntaf i mewn ym mis Ebrill 1927 gan dalu rhent o 8 swllt a 6 cheiniog yr wythnos.

Erbyn 1931 daeth yn amlwg bod angen ystad arall o dai cyngor a thrafodwyd rhinweddau Cae Samwn (Borthyn) a Thrwyn Swch (St Meugan) fel safle'r datblygiad newydd hwn am rai misoedd. Yn y pen draw, penderfynwyd codi'r ystad newydd yng Nghae Samwn ac enwyd yr ystad newydd yn Porth-y-Dre. Erbyn diwedd y degawd, roedd trydedd ystad wedi'i hadeiladu ar Gae Llo, dyma gychwyn Canol-y-Dre, a llenwyd y tai gan denantiaid o be ddisgrifiwyd fel 'slymiau' Stryd y Prior, Ffordd Llanfair a Stryd Mwrog, yn bennaf.

Yn dilyn yr Ail Ryfel Byd, dechreuwyd ar y gwaith o adeiladu tai pre-fab yng Nghae Seren; yn y lle cyntaf er mwyn darparu tai ar ôl y rhyfel i aelodau o'r lluoedd arfog a oedd yn dychwelyd o'r Rhyfel. Adeiladwyd hanner cant o pre-fabs ac, erbyn diwedd 1946, roedd 48 o'r rhain wedi eu gosod i denantiaid ar rent o 15 swllt yr wythnos. Yn ystod y flwyddyn honno, 1946, enillodd cwmni Buckles o Brestatyn gontract i adeiladu 84 tŷ 'parhaol', sef Parc-y-Dre. Aeth y gwaith adeiladu yn ei flaen yn araf ac ni symudodd y tenantiaid cyntaf i mewn hyd fis Chwefror 1948. Roedd y datblygiad hwn yn rhan o ymrwymiad y Llywodraeth Lafur yn y cyfnod wedi'r Rhyfel i ddarparu tai cymdeithasol rhad, a dilynwyd hwn yn y 1950au gan gynllun i adeiladu ystad dai Haulfryn, yn cynnwys dros 80 tŷ cyngor, ar ymyl ddwyreiniol y dref.

Ym 1966 dechreuwyd ar y gwaith o ddymchwel pre-fabs Parc-y-Dre, a oedd wedi rhoi gwasanaeth defnyddiol yn y cyfnod yn union wedi'r Ail Ryfel Byd. Y flwyddyn ganlynol, 1967, dechreuwyd adeiladu ystad Maes Hafod, i'r gorllewin o Ffordd Dinbych. Rhoddwyd 23 o dai ar rent yn y lle cyntaf, a cynyddodd y nifer hwnnw'n sylweddol dros y blynyddoedd nesaf. Yn fuan iawn, fodd bynnag, daeth diffygion i'r amlwg yn nhai Maes Hafod ac erbyn 1979 penderfynwyd dymchwel yr ystad a chodi tai yn eu lle. Adeiladwyd dros 70 o dai yn y pen draw ac ym 1991 ychwanegwyd ystad Llain Goch at ddatblygiad Maes Hafod. Erbyn 1982, roedd y gwaith o ddymchwel pre-fabs Parc-y-Dre wedi'i gwblhau, a chodwyd ystad Cae Seren ar y safle, sef enw'r cae gwreiddiol.

Datblygodd y sector tai preifat hyd yn oed yn fwy yn ystod ail hanner y ganrif. Yn y 1960au, 70au ac 80au hefyd, codwyd dros 500 o dai ar ystadau megis Erw Goch, Bryn Rhydd, Maes Cantaba a Bro Deg – a adeiladwyd ar gaeau Fferm y Castell a Fferm Cantaba– ynghyd â datblygiadau llai megis Parc y Castell, Ty'n y Parc, Y Parc, Maes Ffynnon (a godwyd ar safle ffatri dŵr mwynol enwog Ellis) a Min yr Afon. Yn ystod y 1980au, dechreuwyd ar ddatblygiad Parc Brynhyfryd, lle cafwyd un o ddarganfyddiadau archaeolegol mwyaf arwyddocaol Rhuthun yn yr ugeinfed ganrif, a drafodwyd mewn pennod gynharach. Gwelwyd datblygiadau pellach tua diwedd y ganrif yng Nghae Castan a Bryn Eryl, yr olaf ar safle hen erddi gwerthwyr ffrwythau 'The Machine'.

Yn ychwanegol at hyn, wrth i'r ganrif fynd yn ei blaen, gwelwyd nifer o newidiadau eraill yn ymddangosiad strydoedd Rhuthun.Yn ystod degawdau cyntaf y ganrif, adeiladwyd sawl adeilad pwysig newydd, y Swyddfa Bost ar y Sgwâr ym 1905, y Mart Amaethyddol ar Stryd y Farchnad y flwyddyn flaenorol a Swyddfeydd y Sir ar gyffordd Stryd y Farchnad a Ffordd Wynnstay ym 1908. Ym 1915, dymchwelwyd y bythynnod a'r gweithdai bychain a fu'n sefyll o amgylch Iard Crispin am ganrifoedd ac yn yr un ardal ym 1924, codwyd Modurdy'r Bont (Bridge Garage) ar safle rhes o hen fythynnod ar Ffordd y Parc. Ym Mhenbarras, diflannodd tafarn y 'White Bear' yn y 1920au a lledaenwyd y gyffordd a ystyrid yn 'drap marwol'– ymadrodd a ddefnyddiwyd yng nghofnodion Cyngor y Dref! Adeiladwyd Capel Bedyddwyr newydd ar Ffordd y Parc ym 1934, i ddisodli'r capel bychan ar Stryd Mwrog.

Yn ystod y 1960au cyflawnwyd y weithred gwbl gywilyddus o ddymchwel tafarn y 'Ship' ar Stryd y Rhos, adeilad a fu'n ffermdy ganoloesol ar ddechrau ei oes ac yn dafarn ac yn siop ar wahanol gyfnodau. Gwelwyd newid arall ar Stryd y Rhos ym 1964 pan ddymchwelwyd Ysgoldy Brynhyfryd, adeilad a wasanaethodd amryw o fudiadau crefyddol dros y blynyddoedd, gan olygu bod yn rhaid symud nifer o feddau i fynwent Llanrhudd. Hefyd ym 1965, ehangwyd Iard Crispin i gyfeiriad Cae Ddôl, er mwyn darparu mwy o lefydd parcio. Nodwedd arall a ddiflannodd o ganol tref Rhuthun ym 1969, oedd jeti llawr cyntaf Gwesty'r Wynnstay.

Agorwyd Cartref Henoed Awelon ar Lôn yr Ysgol ym 1970, gan roi llety i nifer o breswylwyr Rhyddfan, yr hen Wyrcws ar Stryd Llanrhudd, a ddymchwelwyd yn ddiweddarach. Yn ystod y 1970au hefyd adeiladwyd yr Orsaf Dân newydd ar Ffordd y Parc a chanolfan siopa Cwrt y Castell ar safle hen Swyddfeydd y Cynghor Dosbarth ar Stryd y Ffynnon. Yn ystod y 1980au adeiladwyd y Ganolfan Grefft, a drafodwyd mewn man arall, dymchwelwyd y dalwyr nwy ar Ffordd yr Orsaf a chafodd hen Felin y Dref ei haddasu yn dai. Trafodir dyfodiad yr archfarchnadoedd ar Ffordd yr Orsaf mewn man arall, ond un gwelliant dinesig ar ddiwedd y ganrif sy'n haeddu sylw oedd gosod goleuadau ar Feindwr Eglwys Sant Pedr ym 1998.

Erbyn diwedd yr ugeinfed ganrif roedd twf y boblogaeth wedi arwain at ddatblygiadau preswyl sylweddol ar ymylon deheuol a dwyreiniol y dref ar diroedd nas datblygwyd ynghynt, lle'r oedd dros hanner y boblogaeth yn byw erbyn hynny.

Ffyrdd a Chludiant

Ac eithrio'r ffyrdd yng nghanol y dref, a ddisgrifiwyd yn y bennod olaf, roedd trefn strydoedd Rhuthun wedi aros yn gymharol ddigyfnewid ers yr Oesoedd Canol. Ni chafwyd llawer o newidiadau yn ystod yr ugeinfed ganrif, ac eithrio'r holl ffyrdd newydd a oedd yn gysylltiedig â'r ystadau tai cyhoeddus a phreifat niferus, yn bennaf yn ail hanner y ganrif. Trwy gyd-ddigwyddiad, daeth un o'r prif newidiadau i drefn ffyrdd y dref o ganlyniad i gau'r rheilffordd. Ar ddiwedd y 1960au, cysylltwyd Wernfechan â Ffordd yr Orsaf, lle'r oedd y ffordd yn ymuno â chylchfan newydd a agorwyd ar ddiwedd 1967. Adeiladwyd cylchfan arall y dref ym 1961, ar Sgwâr Sant Pedr, ac fe'i hehangwyd ym 1985. Parhaodd y gwaith o osod tarmac ar ffyrdd a strydoedd y dref, gwaith a ddechreuwyd ym 1879, a lleisiwyd cwynion cyson am gyflwr y ffyrdd yng nghofnodion cyngor y dref. Gosodwyd wyneb tarmac ar Ffordd y Parc ym 1915 ac ar Stryd y Llys, stryd coblog olaf y dref, ym 1924.

Ni lwyddodd y coed, a ymddangosodd o amgylch y Sgwâr yn ystod blynyddoedd cyntaf y ganrif, i oroesi yn dilyn y cynnydd mewn moduron, ond arhosodd y coblau, a oedd yn dynodi siâp hen Neuadd y Dref ar y Sgwâr, hyd y 1960au. Plannwyd coed ar Stryd y Farchnad hefyd, ond erbyn troad y ganrif, dim ond dwy goeden a oedd yn dal i sefyll. Roedd llifogydd yn broblem rheolaidd ar strydoedd Rhuthun, yn enwedig yn ardaloedd Stryd Mwrog a Borthyn. Ym mhapur

Llifogydd Borthyn 1931

newydd y *Denbighshire Free Press* ceir dim llai na deg cyfeiriad gwahanol yn ystod y ganrif at broblemau a achoswyd gan lifogydd, y mwyaf adnabyddus ohonynt mae'n debyg oedd llifogydd 1931. Nid oedd yn anghyffredin i afon Clwyd orlifo i Gae Ddôl a'r Parciau, ond prif achos y llifogydd rheolaidd hyn oedd anallu Ffrwd Arfon, y ffos yn Stryd Mwrog, i ymdopi â'r holl ddŵr. Fodd bynnag, ni allai unrhyw beth gymharu â'r llifogydd a welwyd yn ystod gaeaf 2000, pan gyrhaeddodd y llifddŵr dafarn y Royal Oak yn Stryd Clwyd ac achosi'r fath ddifrod i ogledd-orllewin y dref. Y llifogydd hyn a sbardunodd Cynllun Atal Llifogydd yr unfed ganrif ar hugain, ond ni allai'r cynllun hwnnw hyd yn oed atal y llifogydd difrifol a welwyd yn natblygiad tai Glasdir yn 2012, pan gafodd tref Rhuthun sylw mawr ar fwletinau newyddion y Deyrnas Unedig.

Darparwyd y gwasanaeth bws cyntaf yn Rhuthun gan gwmni cludiant y 'Wrexham and District Transport Company' ym 1920, pan redai dau neu dri bws yn ddyddiol o Wrecsam ac yn ôl. Yn ddiweddarach y flwyddyn honno, rhedodd cwmni Crosville fysiau i'r Wyddgrug ac ym 1922 ehangwyd y gwasanaeth i Ddinbych ac i Fetws-y-coed. Yn sgil yr Ail Ryfel Byd, gwelwyd cynnydd aruthrol yn nifer y teithwyr ar fysiau Crosville ac ymddangosodd bysiau deulawr, yn lliw gwyrdd nodweddiadol y cwmni. Yn ystod y 1950au, fodd bynnag, bu gostyngiad yn nifer y teithwyr yn genedlaethol, o ganlyniad i'r cynnydd yn nifer y ceir preifat ac Argyfwng Suez ym 1956. Hyd yn oed ar ôl i wasanaethau newydd gael eu cyflwyno i ddisodli'r rheilffyrdd a gaewyd gan Fwyell Beeching, dirywiodd rhwydwaith cwmni Crosville. Sefydlodd Deddf Trafnidiaeth 1968 yr egwyddor bod angen rhoi cymhorthdal i wasanaethau gwledig a daeth Crosville yn rhan o'r 'National Bus Company'. Yn dilyn dad-reoleiddio ym 1986, aeth cwmni Crosville yn hen hanes erbyn canol y 1990au. Erbyn diwedd y ganrif roedd gwasanaethau bws lleol yn nwylo perchnogion unigol, yn bennaf o dan ymbarél brand Arriva.

Mae'n debyg mai cau gorsaf reilffordd Rhuthun oedd y digwyddiad unigol mwyaf arwyddocaol yn hanes cludiant y dref yn yr ugeinfed ganrif. Roedd rheilffordd Dinbych a Chorwen, a ddechreuodd redeg gwasanaethau ym 1862, wedi'i llyncu gan yr LNWR erbyn 1879, ac yna, yn ei dro, gan yr LMS erbyn 1923. Ystyrid yr orsaf yn ganolfan bwysig, fel yr awgrymai'r ddau blatfform yn ogystal â'r adeilad brics deulawr hardd.Yn ystod blynyddoedd cynnar y ganrif, roedd cynifer â phedwar ar ddeg o drenau yn gwasanaethu Rhuthun bob dydd, ond roedd y nifer hwn wedi gostwng i chwech erbyn 1939. Yn sgil cenedlaetholi'r gwasanaethau rheilffordd ym 1948 daeth y llinell yn rhan o 'British Railways', ond effeithiwyd ar y lein gan y gystadleuaeth yng nghludiant ar y ffordd a daeth y gwasanaeth teithwyr i Gorwen i ben ym 1953. Er parhaodd trennau nwyddau i fynd yno ac aeth trennau arbennig ('specials') drwy'r dref yn nhymor yr haf drwy gydol y 1950au. Erbyn dechrau's 1960au, cynnigwyd fod y rheilffordd rhwng Rhuthun a Chaer yn cael ei gau a caeodd yr orsaf yn gyfangwbl yn 1963. Codwyd y trac ym 1966, ac er i adeilad yr orsaf oroesi hyd 1968, cafodd ei ddymchwel i wneud lle ar gyfer gwelliannau ffordd. Ym 1974, dymchwelwyd pont reilffordd Stryd y Ffynnon i greu troad llydan o Stryd y Ffynnon i Ffordd yr Orsaf. Erbyn y 1980au, roedd y rhan helaethaf o safle'r hen orsaf yn gartref i Ganolfan Grefft Rhuthun a'r cyfan sydd ar ôl i awgrymu ei hen ddefnydd yw'r craen nwyddau sy'n sefyll ym maes parcio'r Ganolfan Grefft.

Arweiniodd y cynnydd yn nifer y ceir preifat, a gafodd gymaint o effaith ar wasanaethau bws a thrên, at broblemau eraill i dref farchnad fechan fel Rhuthun. Cyflwynwyd nifer o gynlluniau yn y 1960au a'r 1970au i gyflwyno trefn draffig unffordd yng nghanol y dref ond ni ddaeth dim byd ohonynt hyd 2013, pan ddynodwyd nifer o strydoedd yn rhai unffordd. Yn yr un modd, roedd parcio yn broblem fythol ac un o'r atebion erbyn diwedd y ganrif ym 1993 oedd creu Maes Parcio i Siopwyr ar Stryd y Farchnad a threfn parcio Talu ac Arddangos ar y Sgwâr ym 1995.

Addysg

Ar ddechrau'r Ugeinfed Ganrif, roedd tref Rhuthun yn gyfoethog iawn o ran darpariaeth addysgol. Yn ogystal â bod yn gartref i un o'r ysgolion ramadeg hynaf i fechgyn ac un o'r ysgolion uwchradd cynharaf i ferched yng Nghymru, roedd yno ddwy ysgol gynradd ffyniannus a llond llaw o ysgolion preifat 'un athrawes', ar safleoedd gwasgaredig gwahanol yn y dref.

Fel yr awgrymwyd mewn pennod flaenorol, cafodd y sefydliadau preifat hyn eu sefydlu fel rheol gan wragedd bonheddig, a chanddynt nemor ddim cymwysterau addysgol, os o gwbl. Mae Cyfarwyddiadur Masnach 1910 yn rhestru ysgolion o'r fath yn Borthyn, Nantclwyd y Dre a Stryd y Farchnad. O ganlyniad i'r newid agwedd at addysgu merched, mae'n bosibl i'r math hwn o sefydliad ddiflannu ymron yn llwyr wrth i'r ganrif fynd rhagddi. Nid oes unrhyw ysgol breifat o'r fath yn ymddangos yng Nghyfarwyddiadur Masnach 1932 ac ni agorwyd ysgol gan Miss Gladwyn Aldrich, merch i'r teulu adwerthu enwog o Ruthun, yn ei thŷ yn Ffordd Maes Glas hyd y 1940au. Erbyn y 1960au roedd yr ysgol honno wedi'i hailenwi yn Ysgol Arden ac yn y 1990au symudodd i Lanfair Dyffryn Clwyd, cyn iddi gau ym 1999.

Ymddengys fod symud Ysgol Rhuthun (Ruthin School) i'r safle ar Ffordd yr Wyddgrug ym 1893 wedi rhoi rhywfaint o hwb i'r ysgol. Ym 1910, bu farw'r prifathro, W.P. Whittington, wedi blynyddoedd o wasanaeth i'r ysgol ond nid ei olynydd, J.J. Williams, a gafodd effaith fawr ar yr ysgol, ond yn hytrach ei olynydd yntau, sef E.W. Lovegrove, a gymerodd yr awenau ym 1913. Roedd Lovegrove yn ddawnus iawn yn maes chwaraeon ac ef oedd yn gyfrifol am newid siâp y bêl yn Ysgol Rhuthun, gan roi'r gorau i chwarae pêl-droed a'i throi yn ysgol rygbi, a hynny er gwaethaf cryn wrthwynebiad.Ym 1923, agorodd yr Arglwydd Kenyon bafiliwn criced newydd yr ysgol fel Cofeb Ryfel i'r 37 o gyn-ddisgyblion a gollodd eu bywydau yn y Rhyfel Byd Cyntaf.

Yn dilyn ymddiswyddiad Lovegrove ym 1930, ymddengys fod yr ysgol wedi dirywio rhywfaint, oherwydd dim ond tua 30 o fechgyn a oedd ar y gofrestr erbyn 1936. Mae'n debyg mai'r lleihad hwn yn nifer y disgyblion a arweiniodd at drafodaethau newydd i ymgorffori'r ysgol yn nhrefn y wladwriaeth ym 1932. Cynhaliwyd trafodaethau tebyg pan symudodd yr ysgol i'r safle presennol yn y 1890au, ond unwaith yn rhagor, roedd y llywodraethwyr yn gwrthwynebu newid o'r fath.Ym 1934, prynodd Syr Crosland Graham o Lanychan, y cae y tu ôl i'r ysgol, ac fe'i gyflwynodd i'r ysgol bedair blynedd yn ddiweddarach, ar yr amod y byddai'n cael ei ddefnyddio at ddibenion addysgol yn unig; cymal a fyddai'n achosi rhai problemau i'r ysgol erbyn diwedd y ganrif, pan oedd y llywodraethwyr yn dymuno gwerthu darn o dir ar gyfer datblygiad tai. Erbyn y 1950au, mae'n debyg fod yr ysgol yn fwy adnabyddus am ei llwyddiant ar y meysydd chwaraeon na'i chyflawniadau academaidd. Erbyn canol y 1960au roedd nifer y disgyblion wedi codi rhyw gymaint, ac roedd tua 200 o fechgyn ar y gofrestr ond cyfran fach iawn ohonynt a oedd yn byw yn Rhuthun ei hun. Ym 1971, cyflwynwyd adran rhag baratoawl ac ym 1986 cyhoeddwyd y byddai merched yn cael eu derbyn i'r chweched dosbarth. Bedair blynedd yn ddiweddarach, ehangwyd yr egwyddor gydaddysgol i gynnwys merched dros wyth oed. Dathlodd yr ysgol ei saithcanmlwyddiant ym 1984, pan ddaeth y Frenhines a Dug Caeredin i ymweld â'r ysgol. Yn y 1990au denodd nifer cynyddol o fyrddwyr o Asia. Trawsnewidiwyd Ysgol Rhuthun yn yr unfed ganrif ar hugain, a hynny wrth i'r ysgol dderbyn cydnabyddiaeth academaidd cynyddol a llwyddiannau mewn arholiadau.

Yr ysgol wladol sy'n cyfateb i Ysgol Rhuthun, yw Ysgol Brynhyfryd, a leolir yn union gyferbyn â hi ar Ffordd yr Wyddgrug, ac a sefydlwyd yn wreiddiol ym 1899 fel Ysgol Sir y Merched, Rhuthun. Bu'r brifathrawes gyntaf, Anna Rowlands, wrth y llyw am dros 30 mlynedd ac roedd yn arweinydd addysgol ysbrydoledig, ac yn gaffaeliad gwerthfawr i fywyd dinesig y dref: hi oedd cynghorydd benywaidd cyntaf y dref ym 1920. Er gwaethaf diffyg lle, aeth yr ysgol o nerth i nerth dan ei harweiniad, ac roedd 200 o ddisgyblion ar y gofrestr erbyn 1938. Defnyddiwyd cytiau, a brynwyd o safle Gwersyll y Fyddin yng Nghinmel yn ystod y Rhyfel Byd Cyntaf, i ddatrys y broblem dros dro, ond roeddynt yn parhau i gael eu defnyddio hyd y 1990au! Roedd cludiant hefyd yn broblem. Arferai bechgyn o ardal Rhuthun a oedd wedi pasio'r arholiad 'ysgoloriaeth' deithio ar drên i'r ysgol ramadeg yn Ninbych, ac roedd tua traean y merched a oedd yn mynychu Ysgol y Sir yn Rhuthun yn cyrraedd ar y trên o ardaloedd Corwen a Dinbych.

Ymddeolodd Anna Rowlands ym 1930 a phenodwyd ei holynydd, Catherine Parry, yn brifathrawes dros dro yn unig. Roedd 'deuoliaethu', neu ddarpariaeth gydaddysgol, eisoes yn cael ei drafod a phenderfynwyd na fyddai pennaeth benywaidd yn briodol ar gyfer ysgol gydaddysgol. Bu Anna Rowlands yn bennaeth dros dro hyd 1938 pan wireddwyd y weledigaeth i sefydlu ysgol gydaddysgol. Adeiladwyd asgell newydd i ddarparu ar gyfer y disgyblion gwrywaidd newydd a chynyddodd nifer y disgyblion i 238 erbyn 1941. Ymddiswyddodd A.H. Williams, y pennaeth yn ystod y cyfnod pontio hwn, ym 1946 ac fe'i olynwyd gan y cymeriad egnïol, Bleddyn Lloyd Griffith, a gafodd effaith ddofn ar ddatblygiad yr ysgol.

O dan ei arweinyddiaeth ef, daeth yr ysgol yn ddwyochrog ym 1954 gan olygu bod holl blant yr ardal, dros 11 oed, yn mynychu'r ysgol, ni waeth a oeddynt wedi pasio'r arholiad ysgoloriaeth ai peidio. Er mwyn paratoi ar gyfer y broses hon, codwyd nifer o adeiladau newydd, yn cynnwys y bloc sy'n wynebu Ffordd yr Wyddgrug a champfa. Hon oedd ysgol ddwyochrog gyntaf Sir Ddinbych ac un o'r cynharaf yng Nghymru; newidiodd ei enw hefyd i Ysgol Brynhyfryd. Sicrhaodd y datblygiad hwn mai ychydig iawn o drafferthion cychwynnol a gafodd yr ysgol ym 1966 pan drodd yn ysgol gyfun, yn wahanol i nifer o'r hen ysgolion gramadeg eraill. Rhoddai Bleddyn Griffith cryn bwyslais ar lwyddiannau ym meysydd chwaraeon, drama a cherddoriaeth, yn ogystal â llwyddiant academaidd.

Erbyn i Owen Thomas gymryd yr awenau fel pennaeth yr ysgol ym 1969, roedd nifer y disgyblion wedi codi i 675 ac roedd diffyg lle yn parhau i beri anhawster. Er y cafwyd ymdrechion i ddarparu pwll nofio yn y dref mor gynnar â 1897, ni lwyddwyd i gael pwll nofio ar gyfer yr ysgol a'r dref hyd 1974 a hynny'n bennaf diolch i ymdrechion y prifathro. Roedd y penderfyniad i rannu cyfleusterau'r ysgol â'r dref yn fenter newydd ac yn rhan o'i athroniaeth bersonol ef. Gwelwyd newid arwyddocaol arall yn dilyn sefydlu ysgolion uwchradd cyfrwng Cymraeg yn Llanelwy, yr Wyddgrug a Wrecsam yn y 1960au. Ynghyd â Deddf yr Iaith Gymraeg 1967, a roddodd 'statws cyfartal' i'r Gymraeg, ymddangosodd symudiad cryf o blaid sicrhau bod y Gymraeg yn cael ei lle priodol mewn cymdeithas ddwyieithog. Wrth i nifer bach o ddisgyblion 'lleol' fynychu un neu ragor o'r ysgolion uwchradd Cymraeg hyn aeth Owen Thomas, ac yn fwyaf arbennig ei olynydd John Ambrose, ati i ymestyn y ddarpariaeth Gymraeg yng nghwricwlwm Brynhyfryd, er mwyn sicrhau bod yr ysgol yn adlewyrchu natur wirioneddol ddwyieithog y gymuned yr oedd yn ei gwasanaethu. Erbyn y 1990au cyfeiriwyd at yr ysgol yn aml fel enghraifft o'r modd y gallai ysgol ddwyieithog lwyddo. Cryfhaodd John Ambrose gysylltiadau'r ysgol â'r gymuned ymhellach, trwy nifer o brosiectau, megis Papur Newydd Llafar y Deillion.

Er gwaethaf y newidiadau syfrdanol ym myd addysg a hyrwyddwyd gan lywodraeth ganolog yn y 1990au, parhaodd Brynhyfryd i ffynnu. Erbyn diwedd y ganrif roedd 1,200 o ddisgyblion yn yr ysgol ac yn fuan wedi marwolaeth annhymig John Ambrose ym 1997, disgrifiwyd yr ysgol yn y *Western Mail* fel 'yr ysgol orau yng Nghymru', yn dilyn cyfres arall o ganlyniadau arholiadau allanol gwych. Felly, o fewn canrif, roedd Ysgol Brynhyfryd, fel y'i gelwid, wedi bod ar flaen y gad ym myd addysg ac wedi ennill clod cenedlaethol.

Bu dwy ysgol gynradd Fictoraidd y dref, Ysgol Borthyn ac Ysgol Stryd y Rhos, yr un mor llwyddiannus â'r sefydliadau uwchradd yn ystod yr ugeinfed ganrif.

Oherwydd eu hoedran, fodd bynnag, roedd diffyg lle a safon y cyfleusterau yn peri anawsterau parhaus. Prifathro Ysgol Borthyn rhwng 1900 a 1925 oedd W.G. Hodgson, cymeriad a chwaraeodd ran allweddol ym mywyd cerddorol y dref. Roedd yn ymwybodol iawn o natur hynafol rhai o gyfleusterau'r ysgol a llwyddodd i gael buarth chwarae i'r ysgol ym 1912, y rhoddwyd wyneb asffalt arno ym 1921. Gosodwyd goleuadau trydan yn yr adeilad ym 1917, ac erbyn hynny roedd adran fabanod ar wahân wedi'i sefydlu. Un o'r problemau a nodwyd yn yr arolygon blynyddol oedd maint y dosbarthiadau: roedd 70 o ddisgyblion yn un o'r dosbarthiadau ym 1915! Llwyddodd olynydd Hodgson, Evan Davies, a arweiniodd yr ysgol hyd 1948, i ddarbwyllo'r llywodraethwyr i brynu darn o Gae Samwn gan greu cae chwarae gwerthfawr i'r ysgol ym 1932. Ym 1983 unwyd yr adran fabanod â'r adran iau ac ym 1990 cwblhawyd y gwelliannau mewnol y bu cymaint o aros amdanynt.

Cafwyd adroddiadau am broblemau tebyg yn ymwneud â diffyg lle a dosbarthiadau rhy fawr yn Ysgol Stryd y Rhos ar hyd y ganrif. Roedd dros 200 o ddisgyblion ar y gofrestr ym mlynyddoedd cynnar y ganrif, ac ym 1904 adroddwyd bod un athro ac un cynorthwy-ydd yng ngofal 80 o ddisgyblion yn y dosbarth babanod. Arfer a oedd yn gyffredin i'r ddwy ysgol gynradd, sydd bellach wedi hen ddiflannu, oedd cyhoeddi canlyniadau arholiadau 'ysgoloriaeth' pob disgybl unigol ym mhapur newydd y *Denbighshire Free Press* yn flynyddol.

Dwysáwyd y problemau o ran diffyg lle yn Ysgol Stryd y Rhos pan agorwyd ysgol gynradd Gymraeg, Ysgol Penbarras, fwy neu lai ar yr un safle, ym 1984. Cynhaliwyd trafodaethau achlysurol ynglŷn â'r ddarpariaeth gynradd Gymraeg er 1956, ond ni chafodd Ysgol Penbarras ei hagor hyd 1984. Dim ond 58 o ddisgyblion a oedd ar y gofrestr i ddechrau, ond roedd y nifer hwn wedi codi ymhell dros 200 erbyn diwedd y ganrif, ac roedd y mwyafrif helaeth yn derbyn eu haddysg mewn ystafelloedd dosbarth symudol. Yn sgil y cynnydd yn y ddarpariaeth cyfrwng Cymraeg yn Ysgol Brynhyfryd a sefydlu Ysgol Penbarras, gellir dweud bod y ddarpariaeth addysgol yn Rhuthun yn wirioneddol adlewyrchu natur ddwyieithog y dref erbyn diwedd y ganrif.

Ni chafodd addysg i oedolion ei hesgeuluso yn Rhuthun yn ystod yr ugeinfed ganrif ychwaith. Roedd Cymdeithas Addysg y Gweithwyr ac yn ddiweddarach, Prifysgol Bangor a cholegau addysg bellach lleol, yn cynnal nifer o gyrsiau addysg amrywiol i oedolion, yn Llyfrgell Rhuthun ac yn Ysgol Brynhyfryd. Cyn codi oedran gadael yr ysgol ac ehangu cwricwlwm yr ysgolion uwchradd, cyflwynwyd addysg dechnegol yn Rhuthun yn Sefydliad Technegol Naylor Leyland ar Stryd y Ffynnon, a agorodd ym 1914, diolch i gymynrodd gan yr Arglwyddes

Naylor Leyland o Neuadd Nantclwyd. Defnyddiwyd y sefydliad hwn at ddibenion addysg dechnegol hyd at ddiwedd y 1960au.

Diwallid anghenion addysgol y dref yn arbennig o dda gan y Gwasanaeth Llyfrgell, a symudodd i adeilad yr Hen Garchar ym 1926, ar ôl dechrau digon ansicr a diffyg cartref parhaol. Yn dilyn Deddf Llyfrgelloedd Cyhoeddus 1919, daeth llyfrgelloedd dan reolaeth cynghorau sir ac yn y 1970au, ychwanegodd Cyngor Sir Ddinbych Wasanaeth Archifdy Sirol amhrisiadwy at y gwasanaeth hwn. Yn dilyn gwaith adnewyddu dyfeisgar, symudodd llyfrgell y dref i adeilad yr hen lys ar Stryd y Llys ym 1992.

Darpariaethau Lles a Gwasanaethau Dinesig

Mae'r tlodion gyda ni yn wastadol, neu felly y cawn ein harwain i gredu, ac roedd hyn yn sicr yn wir am dref Rhuthun yn yr ugeinfed ganrif. Er bod yr hen wyrcws wedi bodoli er 1837, roedd yr angen yn parhau am gegin gawl yn adeiladau'r Hen Ysgol Ramadeg ym 1909. Ym 1910, penderfynodd Bwrdd y Gwarcheidwaid, a oedd yn gyfrifol am weinyddu'r wyrcws hyd 1930, fod angen gwella cyfleusterau'r wyrcws a darparu gwell triniaeth feddygol. Bu'n rhaid aros tan 1916 hyd nes yr agorwyd Inffyrmiri'r Wyrcws, fel y'i gelwid, ar dir y drws nesaf i'r wyrcws ar Stryd Llanrhudd. Roedd yno ddwy ward yn cynnwys 16 gwely i ddynion a menywod, dwy ward breifat, ystafell famolaeth, ystafell lawdriniaeth ac adran pelydr-X. Roedd yr offer pelydr-X yn rhodd gan Syr Henry Tate (o gwmni Tate & Lyle), a oedd yn byw ar y pryd yn Pool Park. Cafodd cyfleusterau'r ysbyty newydd eu cynnig i'r Groes Goch yn fuan iawn fel cartref ymadfer ar gyfer milwyr clwyfedig. Bu rhai o'r milwyr clwyfedig hyn yn byw yn y wyrcws gan ddioddef cryn galedi.

Gelwid yr ysbyty yn Inffyrmiri Deddf y Tlodion hyd 1930, ac wedi hynny fe'i gelwid yn syml iawn yn Ysbyty Rhuthun. Un arwydd o werthfawrogiad y gymdogaeth o'r ysbyty hwn oedd mai dyma'r sefydliad a elwodd fwyaf o'r arian a godwyd ar gyfer elusennau lleol yn dilyn y gêm bêl-droed enwog yn erbyn Barnsley ym 1921, a drafodwyd mewn adran arall. Yn sgil sefydlu'r Gwasanaeth Iechyd Gwladol (GIG) ym 1948 daeth yr ysbyty yn Ysbyty Meddyg Teulu a chodwyd adeiladau newydd ar yr adeg hwnnw, ac yn ddiweddarach, i ychwanegu at y wardiau a darparu cyfleusterau mwy modern. Yn ystod y 1990au, sefydlwyd Ymddiriedolaethau GIG ac Ymddiriedolaeth Prifysgol Betsi Cadwaladr sydd bellach yn gweinyddu Ysbyty Cymunedol Rhuthun. Mae dyfodol yr ysbyty wedi bod yn destun cryn drafodaeth ers adeiladu Ysbyty Glan Clwyd yn y 1970au, ond mae teimladau cryf yn y dref o blaid ei gadw.

Gan droi at y Wyrcws, ceir cryn drafodaeth ymhlith haneswyr ynglŷn â phryd yn union y diddymwyd y sefydliadau hyn. Dywed rhai iddynt gael eu diddymu ym 1913, pan ddaethant yn fwy adnabyddus fel 'Sefydliadau Deddf y Tlodion', ond ym marn eraill, cawsant eu diddymu ym 1930, pan ddisodlwyd Byrddau'r Gwarcheidwaid gan Bwyllgorau Cymorth Cyhoeddus, a weinyddid gan gynghorau lleol, o dan amodau Deddf Llywodraeth Leol 1929. Beth bynnag yw'r enw swyddogol, 'Wyrcws' Rhuthun oedd yr enw a ddefnyddid gan bobl leol, hyd yn oed ar ôl newid yr enw'n swyddogol i 'Rhyddfan' yn dilyn cyflwyno'r Ddeddf Cymorth Cenedlaethol 1948. Difrodwyd ymron y cyfan o gofnodion Wyrcws Rhuthun, ond gwyddys bod nifer y preswylwyr wedi gostwng o 100 ar gyfartaledd yn ystod y bedwaredd ganrif ar bymtheg i llai na hanner y rhif hwnnw pan agorodd cartref Awelon ar gyfer 'yr henoed a'r corfforol anabl' ym 1970. Cafodd adeilad y wyrcws ei ddymchwel, a datblygwyd yr ardal yn gae chwarae ar gyfer Ysgol Stryd y Rhos ac Ysgol Penbarras. Y cyfan sydd ar ôl bellach yw un postyn carreg a safai yn y fynedfa wreiddiol, y gellir eu gweld ar Stryd Llanrhudd –yr olion olaf o gyfleusterau Oes Victoria ar gyfer y tlawd a'r anghenus yn Rhuthun.

Y goetsh fawr olaf 1913

Brigâd Dân, Sgwâr Sant Pedr c1912

Ymddengys fod Rhuthun yn dref gymharol iach ar hyd y rhan fwyaf o'r ganrif. Prin iawn yw'r cyfeiriadau yn adroddiadau'r Swyddog Meddygol dros Iechyd yn y *Denbighshire Free Press* at unrhyw faterion o bryder mawr, er bod epidemig y ffliw wedi taro'r dref ym 1919 a 1927 ac effeithiwyd yn andwyol ar bresenoldeb yn yr ysgolion yn sgil achosion o'r frech goch a'r pâs ym 1947. Gwasanaethid y dref yn dda gan ei meddygon teulu, a gwnaeth rhai ohonynt gyfraniad anrhydeddus hefyd at fywyd dinesig y dref. Roedd Dr Medwyn Hughes yn faer ar ddechrau'r ganrif, ac fe'i olynwyd ym 1908 gan Dr T.O. Jones. Daeth Dr Trevor Hughes (mab Medwyn Hughes) i'r brig yn etholiad y cyngor sir lleol ym 1945. Yn ddiweddarach yn ystod y ganrif, agorwyd meddygfeydd yn Stryd y Mownt (1965) ac ar safle'r hen waith nwy (Plas Meddyg, 1992). Roedd y rhain yn disodli hen feddygfeydd y meddygon teulu unigol a fu gynt ar wasgar o amgylch y dref. Ym 1955, agorwyd y Neuadd Ambiwlans ar Stryd y Prior. Gwirfoddolwyr y Groes Goch a Brigâd Ambiwlans Sant Ioan a oedd yn gyrru'r ambiwlansys, gan gymryd eu tro bob wythnos, ond disodlwyd y gwasanaeth hwn gan Wasanaeth Ambiwlans y GIG a oedd yn gweithredu o Orsaf yr Ambiwlans ar Lôn yr Ysgol o 1964 ymlaen.

Symudodd Swyddfa Bost Rhuthun i'w safle presennol ym 1905 blwyddyn wedi'r tân a ddinistriodd siop 'Hughes the Stores' ar yr un safle – bu'r safle hefyd yn gartref i dafarn a banc ar wahanol adegau yn ystod y bedwaredd ganrif ar bymtheg. Hyd at 1913, cludwyd y post o'r Fflint, o drên Llundain, gan gerbyd post a dynnwyd â cheffyl, er bod post hefyd yn cyrraedd ar drên dyddiol o'r Rhyl. Yn ystod y rhan helaethaf o'r ganrif hefyd, roedd y Swyddfa Bost yn gartref i gyfnewidfa ffôn y dref a reolwyd â llaw, ymddangosodd y ciosg ffôn cyntaf ar Sgwâr Sant Pedr ym 1933; ond erbyn y 1970au, disodlwyd cyfnewidfeydd o'r fath gan dechnoleg newydd a symudodd y gyfnewidfa ffôn awtomatig i Ffordd y Parc. Yn sgil cyfres o ddeddfau a basiwyd yn y 1980au a'r 90au, newidiwyd enw a natur Swydda'r Post (GPO) ac er 1993 mae swyddfa bost Rhuthun wedi bod mewn dwylo preifat.

Mae Rhuthun wastad wedi ymfalchïo yn ei Brigâd Dân, un o'r cynharaf i'w sefydlu yng Nghymru. Ym 1906, diolch yn bennaf i Gapten y Frigâd, y fferyllydd lleol Theodore Rouw, prynwyd injan dân stêm a symudodd yr Orsaf Dân i adeiladau gerllaw Neuadd y Farchnad ar Stryd y Farchnad. Fodd bynnag, roedd yr injan hon yn parhau i gael ei thynnu â cheffyl a bu'n rhaid aros tan 1926 nes y prynwyd injan dân fodur, ar gost o £350. Nid oedd y peiriant hwn yn foddhaol, fodd bynnag, ac fe'i hystyriwyd yn 'anniogel' ym 1938! Pasiwyd Deddf Brigadau Tân y flwyddyn honno a'i gwnaeth yn orfodol i bob awdurdod lleol ddarparu gwasanaeth tân effeithlon a daeth Cyngor Bwrdeistref Rhuthun yn gyfrifol am y Frigâd Dân ym 1939. Roedd hwn yn ddatblygiad i'w groesawu i'r Brigâd lleol, oherwydd cyn hyn bu'n gwbl ddibynnol ar danysgrifiadau gwirfoddol, digwyddiadau codi arian a thaliadau am ateb galwadau i ddiffodd tanau. Roedd pethau wedi mynd mor fain ar y Frigâd ym 1936, fel y gofynnwyd i aelodau Band Tref Rhuthun gyfrannu unrhyw hen wisgoedd y gallai'r dynion tân eu defnyddio ac ym 1937 bu'n rhaid iddi fenthyg 1,800 troedfedd o bibelli dŵr gan Frigâd Dân Wrecsam! Gofynnwyd am gymorth uned o Frigâd Dân Rhuthun i wasanaethu yn ystod y Cyrchoedd Awyr ym Manceinion ym mis Rhagfyr 1940. Daeth Brigâd Dân Bwrdeistref Rhuthun yn rhan o'r Gwasanaeth Tân Cenedlaethol ar ôl 1941 ac yn gyfrifoldeb y Cyngor Sir ar ôl 1948. Er gwaethaf yr holl newidiadau hyn o ran rheolaeth ac enw, mae Brigâd Dân Rhuthun yn parhau i weithredu'n effeithiol iawn, gydag ymladdwyr tân gwirfoddol rhan amser, o orsaf dân bwrpasol a agorwyd ar Ffordd y Parc ym 1971.

Er bod Cyngor y Dref wedi trafod darparu Trydan yn y dref mor gynnar â 1879, pan benderfynodd roi'r gorau i'r syniad oherwydd y gost, bu'n rhaid aros tan 1914 hyd nes y sefydlwyd cwmni trydan y dref ('the Ruthin Electrical Company'). Roedd yr orsaf gynhyrchu yn yr hen Gapel Wesleaidd ar Stryd y

Felin a chafodd golau ei gyflenwi ar hyd ceblau tanddaearol i ganol y dref, yn y lle cyntaf. Yn raddol, cafodd rhannau eraill o'r dref eu 'goleuo' ac erbyn 1917 roedd gan Ysgol Borthyn oleuadau trydan. Cwmni trydan Rhuthun neu 'RESCo', fel y daeth yn fwy adnabyddus, oedd yn gyfrifol am y goleuadau ysblennydd a osodwyd i addurno'r dref i ddathlu Jiwbilî Arian y Brenin Siôr V ym 1935, gan ddarparu ffynhonnau a bwerwyd gan drydan yn afon Clwyd yng Nghae Ddôl. Achosodd y newid o gerrynt union i gerrynt eiledol rywfaint o ddryswch yng Nghastell Rhuthun a ffatri Ellis, oherwydd roedd y ddau yn defnyddio cerrynt union. Ym 1941, daeth cwmni arfau Lang Pen i hen bwerdy Stryd y Felin, gan sefydlu pencadlys yn y Carchar. Yn sgil gwladoli'r diwydiant trydan rhoddwyd cyflenwad trydan y dref yn nwylo bwrdd trydan Glannau Mersi a Gogledd Cymru (MANWEB), ac yn dilyn preifateiddio ym 1995, daeth Scottish Power i gymryd yr awenau. Un ystadegyn diddorol yw mai 12,000 awr cilowat o drydan a ddefnyddiwyd ym 1915, ond erbyn 1993 roedd tref Rhuthun yn defnyddio tua 8 miliwn o unedau!

Carchar Rhuthun, bloc Pentonville c.1950au

Goleuadau nwy a welwyd ar strydoedd Rhuthun ers canol y bedwaredd ganrif ar bymtheg, ond daeth trydan i ddisodli nwy i'r diben hwn yn y pen draw. Yn sgil gwladoli'r diwydiant nwy ym 1948 ymddangosodd daliwr nwy newydd ar safle'r Gwaith Nwy ar gornel Stryd yr Orsaf a Stryd y Farchnad. Roedd y strwythur 68 troedfedd o uchder hwn yn arwyddnod amlwg yn y dref, ond diflannodd ym 1985, pan gliriwyd safle'r Gwaith Nwy. Yn ddiweddarach, daeth yr hen safle yn gartref i Glinig Plas Meddyg a datblygiad preswyl.

Cyfraith a Threfn

Nid oedd troseddu yn broblem sylweddol yn Rhuthun yn ystod yr ugeinfed ganrif. Ar ddiwedd y ganrif, dywedodd Heddlu Gogledd Cymru fod gan y dref lefel 'cyfartalog' o drosedd am ardal ag un o'r lefelau trosedd isaf yn y Deynas Unedig. Yn y 1920au a'r 30au cofnodwyd amryw o droseddau moduro a hefyd meddwdod, ond dim ond un achos o lofruddiaeth a gofnodwyd yn y fwrdeistref er 1900.

Bu Carchar Rhuthun, wrth gwrs, yn gartref i lawer o droseddwyr o'r tu allan i ardal Rhuthun, er bod y niferoedd wedi lleihau erbyn dechrau'r ganrif. Ym 1903 y cafwyd yr unig achos o ddienyddiad yng Ngharchar Ei Mawrhydi Rhuthun. Cafodd William Hughes, brodor o Ddinbych a oedd yn byw yn Wrecsam, ei ddienyddio am saethu ei wraig yn farw. Pan gafodd ei grogi, denodd y digwyddiad sylw mawr yn y dref ac ymgasglodd tyrfaoedd yn rhesi ar hyd Cunning Green mewn ymgais i weld yr 'olygfa' dros waliau'r Carchar.

Mae'n debyg mai'r digwyddiad mwyaf nodedig ynglŷn â Charchar Rhuthun oedd dihangfa John Jones ('Coch Bach y Bala'), y troseddwr drwg enwog ond lliwgar. Roedd Jones eisoes wedi llwyddo i gerdded allan yn ddigywilydd o Garchar Rhuthun pan gafodd ei garcharu yno ym 1879, ond ei ddihangfa o'r Carchar ym 1913 a daniodd ddychymyg trigolion y dref. Llwyddodd i gloddio twnnel o'i gell a dringo i lawr wal y carchar gan ddefnyddio rhaff a wnaeth o'i ddillad gwely. Cynigiwyd gwobr o £5 i'w ddal a bu ar ffo am sawl diwrnod. Yn y pen draw, daliwyd 'Coch Bach' yn y caeau uwchben Pwllglas. Plediodd myfyriwr, Reginald Jones Bateman o Eyarth, â Jones i ildio ond yn yr ymrafael a ddilynodd, saethwyd 'Coch Bach' yn ei glun gan Jones Bateman. O fewn rhai munudau roedd Jones wedi gwaedu i farwolaeth a chludwyd ei gorff i Inffyrmiri Wyrcws Rhuthun. Penderfynodd cwest i amgylchiadau ei farwolaeth, a barodd am saith awr, fod Bateman yn euog o ddynladdiad – dyfarniad a barodd i'r dorf enfawr a oedd yn disgwyl y tu allan gymeradwyo'n wyllt, oherwydd roedd Jones wedi dod yn dipyn o arwr yn sgil ei ymdrechion beiddgar i ddianc o'r carchar.

Claddwyd 'Coch Bach'ym Mynwent Llanelidan ar 10 Hydref 1913 a dridiau yn ddiweddarach aeth Bateman o flaen ei well ar gyhuddiad o ddynladdiad. Penderfynodd y rheithgor beidio â chyflwyno unrhyw dystiolaeth yn ei erbyn a gollyngwyd y cyhuddiad mewn pum munud. Hanner can mlynedd wedi ei farwolaeth, codwyd carreg fedd goffa i 'Coch Bach', yn dilyn apêl gyhoeddus. Rai blynyddoedd yn ddiweddarach, difrodwyd y garreg fedd â phaent coch, ond ni ddarganfuwyd pwy oedd y drwgweithredwr na beth oedd ei gymhelliad.

Ym 1916, caeodd Carchar Rhuthun. Erbyn hynny dim ond 13 aelod staff a 12 carcharor oedd yn y Carchar. Trosglwyddwyd y staff i Garchar yr Amwythig yn bennaf. Bu'r adeiladau yn wag ac ni chawsant eu defnyddio am rai blynyddoedd hyd 1926, pan benderfynodd Cyngor Sir Ddinbych, ar ôl oedi am rai blynyddoedd, brynu'r adeilad ar bris gostyngol o £2,500. Defnyddiwyd yr adeiladau fel swyddfeydd gan nifer o adrannau'r cyngor a hefyd gan Lyfrgell y Sir, ond arhosodd rhan o'r bloc 'Pentonville' yn wag. Ym 1942, fel y disgrifiwyd mewn man arall yn y bennod hon, symudodd Cwmni Lang Pen yno i gynhyrchu arfau yn ystod y rhyfel. Ym mlynyddoedd olaf y ganrif penderfynwyd ailwampio'r Carchar a'i hybu fel atyniad i dwristiaid. Cwblhawyd y gwaith hwnnw yn ystod blynyddoedd cyntaf y ganrif newydd ac agorwyd y Carchar ar ei newydd wedd ym mis Mai 2002.

Roedd yr Hen Lys ar Sgwâr Sant Pedr hefyd yn destun cryn sylw yn y 1920au. Symudodd siop Aldrich, yr haearnwerthwr, a oedd wedi cadw siop yn y rhan helaethaf o'r adeilad am rai blynyddoedd, i Stryd Clwyd ym 1926 a symudodd Banc y National Provincial i'r adeilad. Er mawr clod i'r Banc, aeth ati i adnewyddu'r adeilad i'w faint a siâp gwreiddiol ac yn ystod y gwaith adnewyddu daeth hen dwll rhaff y grocbren wreiddiol ar ochr ogleddol yr adeilad i'r golwg yn ôl y sôn. Parhaodd Llys Rhuthun, a adeiladwyd yn y ddeunawfed ganrif ar Stryd y Llys, i wasanaethu fel y Brawdlys a'r llys Ynadon hyd y 1970au. Roedd sesiynau'r Brawdlys yn 'ddigwyddiadau' pwysig yng nghanol tref Rhuthun, gan y byddai'r Barnwr, a fyddai fel arfer yn lletya yn Nantclwyd y Dre, yn cyrraedd â rhwysg a rhodres. Clywyd nifer o achosion pwysig yn y Llys, ddwywaith yn ystod y ganrif pasiwyd dedfryd o farwolaeth, ym 1938 ac ym 1950, y ddau achos yn ymwneud â thrigolion Coedpoeth! Trwy gyd-ddigwyddiad, gohiriwyd dienyddiad y ddau lofrudd yn fuan cyn yr oedd disgwyl iddynt grogi. Denodd achos a glywyd yn Rhuthun ym 1960 sylw mawr yn y cyfryngau oherwydd mai 'hen wreigan fach' o'r Rhyl oedd y diffynnydd. Cyhuddwyd Sarah Jane Harvey o dagu ei lletywraig a chuddio ei chorff mewn cwpwrdd â brics am nifer o flynyddoedd. Fe'i cafwyd yn ddieuog o'r cyhuddiad ond yn euog o gael arian– pensiwn yr ymadawedig – trwy ddichell.

Yn sgil Deddf y Llysoedd, a ddaeth i rym ym 1972, disodlwyd y Brawdlysoedd gan Lysoedd y Goron a disodlwyd Rhuthun fel sedd cyfiawnder yn yr ardal gan dref yr Wyddgrug. Symudodd y Llys Ynadon lleol i Ddinbych ym 1974 a bu llys trawiadol Rhuthun yn wag hyd nes i Lyfrgell Rhuthun symud yno ym 1992.

Gwelwyd newidiadau tebyg o ran yr heddlu yng Ngogledd Cymru. Roedd Heddlu Sir Ddinbych, a oedd bellach wedi darfod, wedi symud ei Bencadlys o Wrecsam i Ruthun, i safle'r hen gartref plant yn Heulfre, ar Ffordd yr Wyddgrug, ym 1961. Ym 1967 daeth Heddlu Sir Ddinbych yn rhan o'r hyn a elwid yn wreiddiol yn Heddlu Sir Gwynedd ac yna'n Heddlu Gogledd Cymru ym 1974, a thref Bae Colwyn yn hytrach na Rhuthun a ddewiswyd fel safle pencadlys yr heddlu newydd hwn.

Castell Rhuthun: Diwedd Llinach

Pan esgynodd y Brenin Edward VII i'r orsedd ym 1901, ni chysylltwyd Castell Rhuthun â sgandalau'r gorffennol i'r un graddau, ond roedd y teulu Cornwallis-West yn parhau yn destun siarad.

Er gwaethaf eu 'cysylltiadau da', ymddengys fod anawsterau ariannol yn poeni'r teulu Cornwallis-West. Mae'n bosibl fod Mrs Cornwallis-West, neu 'Patsy' fel y'i gelwid, wedi defnyddio ei chysylltiad â'r darpar Frenin Edward VII i drefnu priodasau 'addas' i'w dwy ferch– priododd Daisy â'r Tywysog Pless a phriododd Shelagh â Dug Westminster ym 1901, dyn a oedd hyd yn oed yn fwy cefnog. Fodd bynnag, pan etifeddodd George ystad ei dad ym 1917, roedd yr etifeddiaeth yn brin iawn o gyfalaf. Bu George yn afradlon iawn â'i arian a'i fentrau busnes, er mawr siom i'w fam.

Bu'n rhaid i Mrs Cornwallis-West ei hun ymdopi â sefyllfa anodd yn ystod y Rhyfel Byd Cyntaf (1914-18). Cafodd berthynas â swyddog ifanc yn y fyddin gan achosi cryn helynt yng nghylchoedd gwleidyddol a milwrol a chryn embaras i'r teulu. Cynhaliwyd gwerthiant cyntaf rhannau o Ystad Castell Rhuthun, a oedd yn deillio o anawsterau ariannol y teulu, yn ystod yr haf 1913. Yn sgil y gwerthiant hwn a'r gwerthiant mwy ym 1919, rhannwyd yr ystad fawr a rhoddwyd cyfle i bobl leol brynu eu heiddo ei hun, gan arwain y ffordd mewn sawl ystyr at greu'r Rhuthun fodern.

Cynhaliwyd y gwerthiant ym 1913 yng Ngwesty'r Castell a chodwyd cyfanswm o £32,000. Y prynwr mwyaf o bell ffordd oedd W.Godfrey Lecomber, a ddaeth yn gymeriad allweddol yn hanes Rhuthun dros y degawd nesaf. Erbyn i'r ail werthiant gael ei gynnal ym 1919, roedd y Cyrnol William Cornwallis-West wedi marw, rai misoedd ar ôl cael ei anafu mewn damwain car difrifol. Chwifiodd y baneri ar hanner mast yn Rhuthun ac yn dilyn ei angladd fawr, fe'i claddwyd ym mynwent Eglwys Sant Pedr. Anrhydeddwyd ei ddymuniad i gael ei gladdu 'yn wynebu Castell Rhuthun', ei gartref am flynyddoedd lawer. Nid yn annisgwyl, bu'n rhaid i'w fab George chwilio am ffyrdd o gael gwared â gweddill ystad Castell Rhuthun. Roedd wedi priodi â Jennie Churchill, mam Winston, ym 1900, priodas ddadleuol a chostus. Cawsant ysgariad ym 1914 ac ychydig dros awr wedi i'r gorchymyn ysgariad gael ei wneud yn absoliwt, roedd George wedi priodi â Stella, Mrs Patrick Campbell, yr actores Shawaidd adnabyddus. Nodweddwyd y briodas honno hefyd gan afradlondeb ac yn fuan iawn roedd George yn wynebu trafferthion ariannol difrifol.

Canlyniad hyn oll oedd gwerthu gweddill ei ystad yn Rhuthun ym 1919. Yn wreiddiol, aeth yr ystad gerbron arwerthiant yn Llundain, ond oherwydd diffyg cynigion, ni chafodd yr ystad ei chynnwys. Wythnos yn ddiweddarach, cynhaliwyd gwerthiant yn Neuadd y Dref, Rhuthun, a chytunwyd i werthu'r ystad fesul darnau bychain. Unwaith yn rhagor, tynnwyd y Castell yn ôl, gan na dderbyniwyd cynnig priodol. Codwyd cyfanswm o £76,470 ac un nodwedd ddiddorol oedd cyflwyno'r Cae Chwarae i bobl y dref, rhodd gan George Cornwallis-West, a dderbyniodd gymeradwyaeth uchel yn y gwerthiant. Roedd ei dad eisoes wedi rhoi Cae Ddôl i'r dref i'w ddefnyddio fel cae chwarae, i nodi Jiwbilî Diemwnt y Frenhines Victoria ym 1897. I bob pwrpas, roedd y gwerthiant hwn yn dynodi diwedd cysylltiad y teulu Cornwallis-West â thref Rhuthun. Symudodd ei fam i'w hystad yn Hampshire a bu farw ym 1920. Bu George fyw tan 1951, pan laddodd ei hun yn dilyn salwch hir.

Bu dyfodol y Castell ei hun yn ansicr am rai blynyddoedd.Yna, ym 1923, symudodd Clinig Duff House, o Banff yn yr Alban, i Gastell Rhuthun, lle arhosodd am tua 40 mlynedd. Erbyn hyn, roedd Lecomber, a brynodd y rhan helaethaf o Ystad y Castell, yn Faer Rhuthun a gwnaeth ei orau i ddarbwyllo pobl y dref y byddai'r clinig preifat yn fanteisiol i Rhuthun, gan ddod â gwaith a chyhoeddusrwydd i'r dref. Symudodd Dr Edmund Spriggs, un o feddygon mwyaf blaenllaw'r cyfnod, o'r Alban i Rhuthun gan ddod ag enw da i'r Clinig a denu llawer o bobl enwog. Yn sgil dyfodiad y Clinig daeth nifer o bobl o'r Alban i'r ardal, rhai ohonynt i gynorthwyo â'r gwaith o ailwampio'r Castell, ar gost o tua £100,000, ac eraill i weithio fel staff meddygol. Mae nifer o'u disgynyddion yn byw yn y dref hyd heddiw ac mae teuluoedd megis y teulu Adam wedi chwarae rhan werthfawr yn hanes y dref. Rhoddodd y Clinig hwb derbyniol iawn i'r farchnad swyddi a busnes lleol; ynghyd ag adeiladu Scott House, cartref y nyrsus.

Arglwydd y castell: William Cornwallis-West 1915

Dick Dunn. Crwydryn, Brenin y Lon

Yn anffodus, pylodd poblogrwydd y Clinig yn y 1950au ac ar 31 Rhagfyr 1962 diswyddwyd tua 70 o staff. Er bod Cyngor Sir Ddinbych wedi ystyried o ddifrif ei brynu fel Pencadlys newydd, yn y pen draw, cafodd yr adeilad ei droi'n westy ym 1963, ac mae'n parhau i fod yn westy hyd heddiw ac yn gyflogwr gwerthfawr yn y dref.

Masnach a Diwydiant

Mewn sawl ffordd, llwyddiant ei marchnadoedd a ffyniant Amaethyddiaeth sydd i gyfrif am amlygrwydd tref Rhuthun yn ne Dyffryn Clwyd. Cyfeiriwyd at ffeiriau'r dref mewn man arall, ond yn ystod yr ugeinfed ganrif bu nifer o newidiadau pwysig ym marchnadoedd da byw y dref. Am ganrifoedd, gwerthwyd anifeiliaid ar strydoedd y dref, ond daeth yr arfer hwn yn annerbyniol, felly agorodd T & W Leathes farchnad ychwanegol i'r un presennol ar Ffordd Wynnstay (y Farchnad Isaf), ar Stryd y Farchnad ym 1904. Eto i gyd, roedd marchnadoedd gwartheg awyr agored yn parhau i gael eu cynnal ar y Sgwâr am rai blynyddoedd wedi adeiladu'r farchnad newydd. Ym 1926, unwyd y ddwy farchnad i ffurfio Arwerthiant Ffermwyr Rhuthun. Roedd hwn yn gyfnod anodd i amaethyddiaeth yn gyffredinol ac ni chafwyd adferiad na llawer o ffyniant i amaethwyr lleol tan ar ôl yr Ail Ryfel Byd. Parhaodd llawer o ffermwyr lleol i yrru eu defaid a gwartheg i'r farchnad ar droed, rhai mor ddiweddar â'r 1950au, mater a oedd yn peri cryn anfodlonrwydd i bobl y dref. Gyda dyfodiad loriau a threlars i gludo da byw, lleddfwyd y broblem hon i raddau. Ar ddiwrnod marchnad, bob dydd Iau a dydd Gwener, roedd y dref yn brysur iawn, a byddai'r siopau a thafarndai yn elwa o ymweliadau'r ffermwyr a'u teuluoedd.

Erbyn degawd olaf y ganrif, roedd niferoedd yr anifeiliaid a werthwyd, ynghyd ag ystyriaethau hylendid, wedi symbylu'r symudiad o'r marchnadoedd i safle mwy ar Ffordd Dinbych, rhwng Glasdir a Lôn Cae Brics. Cynhaliwyd y marchnadoedd olaf ar y safloeoedd yng nghanol y dref ar ddiwedd 1991 ac agorwyd y farchnad newydd ym mis Awst 1992; gyda marchnadoedd yn cael eu cynnal yn y Smithfield Dinbych dros dro. Mae'r safle newydd wedi bod yn llwyddiannus ac wedi cynnal digwyddiadau megis y Sioe Flodau, noson tân gwyllt a'r ffeiriau pleser rheolaidd sy'n ymweld â'r dref. Pan gaewyd Marchnad y Smithfield Dinbych, yn fuan wedi creu marchnad newydd Rhuthun, cadarnhawyd safle Rhuthun fel prif ganolfan amaethyddol Dyffryn Clwyd.

Cafodd y chwyldro yn arferion Siopa, a ddigwyddodd yn genedlaethol, yn enwedig yn negawdau olaf y ganrif, effaith hefyd ar dref Rhuthun. Awgryma cyfarwyddiaduron masnach y blynyddoedd rhwng y rhyfeloedd fod cynifer â dwsin o groseriaid ac ychydig yn llai o gigyddion, pobyddion, siopau melysion a dilledyddion yn y dref. Roedd y siopau bychain hyn, nifer ohonynt wedi'u lleoli mewn adeiladau a fu'n dai preifat flynyddoedd yn gynt, yn lluosogi mewn tref farchnad brysur ac yn denu cwsmeriaid o'r ardal gylchynol. Yn wreiddiol, roedd mwyafrif y siopau hyn yn eiddo i berchnogion lleol, ond yn raddol dechreuodd y siopau cadwyn mawr agor siopau yn y dref. Siop groser y 'Star Supply Stores'oedd un o'r rhai cyntaf i agor, yn Stryd y Castell ym 1912, ac fe'i dilynwyd yn fuan wedyn gan siop E.B. Jones ger Melin y Dref. Agorodd 'Irwins', y siop groser bwrpasol gyntaf yn Rhuthun yn ôl pob sôn, ar safle Tŷ Wynnstay a ddymchwelyd ym 1927, ar gyffordd Ffordd Wynnstay a Stryd y Ffynnon.

Dechreuodd yr archfarchnadoedd cenedlaethol, a fyddai'n cael cymaint o effaith ar batrwm adwerthu Rhuthun, ymddangos yn y 1970au. Agorodd cwmni Kwiksave gangen ar safle'r hen 'Station Motors' ar Ffordd yr Orsaf, ac fe'i dilynwyd yn fuan iawn gan gwmni Tesco a brynodd hen siop Irwin. Pan gaewyd y farchnad, arweiniodd hyn at agor Archfarchnad Lo-Cost (y Co-op heddiw) ar Ffordd yr Orsaf ym 1992. Ni arhosodd Tesco ar Stryd y Ffynnon yn hir iawn; er syndod i lawer yn y dref, agorwyd siop Tesco llawer mwy ar Lôn Parcwr ym 2006. Ers blynyddoedd olaf y ganrif gwelwyd lleihad yn nifer y siopau yng nghanol y dref. Disodlwyd nifer o'r hen siopau gan swyddfeydd neu unedau gwasanaeth, megis asiantwyr tai a chynghorwyr ariannol, siopau elusennol, siopau coffi a nifer syfrdanol o siopau trin gwallt!

Gwerthiant Gwartheg, Sgwâr Sant Pedr c1905

Fel yr awgrymwyd mewn pennod flaenorol, yr unig Ddiwydiant o bwys yn Rhuthun, o'r bedwaredd ganrif ar bymtheg ymlaen, oedd y diwydiant potelu dŵr mwynol. Roedd gan Saxon Gregson Ellis, rheolwr-gyfarwyddwr cwmni Ellis ar ddechrau'r ugeinfed ganrif, gryn enw am fod yn berchennog ffatri blaengar, ac arferai roi diwrnod o wyliau â thal i tua 100 o'i staff yn rheolaidd ac ym 1919 cyflwynodd ddiwrnod gwaith 8 awr o hyd i'r gweithwyr. Nid oedd modd i gwmni Ellis, na'i brif gystadleuydd yn y dref, sef y 'Ruthin Soda Water Company' (neu'r Cambrian fel y'i gelwid ar ôl 1930), ymdopi â'r pwysau masnachol newidiol ac ymhen amser, cafodd y ddau gwmni eu cymryd drosodd gan gwmnïau diod mwy o Ogledd Lloegr. Rhoddodd y ddwy ffatri'r gorau i gynhyrchu dŵr mwynol yn y 1960au, er i'r Cambrian barhau i weithredu fel canolfan ddosbarthu hyd 1990; erbyn hynny roedd ystad dai Maes Ffynnon wedi'i hadeiladu ar safle ffatri Ellis. Cadwyd ffynhonnau artesiaidd y ddwy ffatri ac maent i'w gweld hyd heddiw. Er nad oedd unrhyw ddiwydiannau eraill yn cyflogi niferoedd sylweddol, roedd Cyngor Sir Ddinbych yn cynnig gwaith i nifer o drigolion Rhuthun trwy gydol y ganrif.

Mae'n bosibl mesur ffyniant Rhuthun fel canolfan fasnachol trwy edrych ar brysurdeb gweithgaredd y cwmnïau bancio yn y 1920au. Yn ystod y degawd

Dymchwel Ty Exmewe 1926

hwnnw, sefydlodd tri o'r prif fanciau ganghennau newydd yn y dref. Daeth Banc y National Provincial i adeiladau'r haearnwerthwyr yn yr Hen Lys ym 1926, gan barchu nodweddion yr hen adeilad wrth ei adnewyddu. Daeth yn Fanc y National Westminster ym 1968. Symudodd Banc Barclays o Stryd Clwyd Uchaf i un arall o adeiladau hanesyddol Rhuthun, Tŷ Exmewe, ond dymchwelwyd yr adeilad hynafol hwn a chodwyd copi modern yn ei le. Ar yr un pryd, daeth Banc y Midland i adeilad Harris-Jones y Dilledwyr, ar gyffordd Stryd y Farchnad a'r Sgwâr. Ym 1999, cafodd ei ail-enwi yn Banc yr HSBC.

Un o'r problemau sydd wedi wynebu Rhuthun ar hyd y blynyddoedd yw sut i ddiogelu treftadaeth hanesyddol atyniadol y dref ac, ar yr un pryd, hyrwyddo'r dref fel tref 'gyfoes' sy'n cynnig cyfleoedd gwaith yr un mor atyniadol i'w phobl ifanc. Penderfynwyd annog datblygu unedau Diwydiannol ar hyd Lôn Parcwr yn y 1980au, datblygiad a barhaodd o hynny ymlaen i'r unfed ganrif ar hugain. Roedd yr unedau hyn yn cynnig siopau ac unedau cynhyrchu a swyddfeydd; adeiladwyd ffordd gyswllt newydd sbon, yn cysylltu ochr ddeheuol y dref â Ffordd Dinbych, trwy'r ardal ddiwydiannol newydd hon a'r datblygiad tai mawr yn Glasdir.

Bywyd Cymdeithasol

Parhaodd y gweithgareddau cymdeithasol bywiog a ddatblygodd yn ystod y bedwaredd ganrif ar bymtheg, yn wir, os rhywbeth, gwelwyd twf mewn gweithgareddau o'r fath yn ystod yr ugeinfed ganrif. Ffynnodd gweithgareddau chwaraeon ac erbyn diwedd y ganrif roedd gan y dref gyfleusterau a oedd yn cymharu'n ffafriol iawn, os nad yn well, na threfi o faint cymharol. Parhaodd y traddodiad cerddorol cryf hefyd, gan amlygu ei hyn mewn nifer o ffyrdd ac enillodd y diwylliant Cymraeg a oedd yn prysur ehangu, gydnabyddiaeth genedlaethol wrth i'r ganrif fynd yn ei blaen.

Fel yr awgrymwyd eisoes, roedd bywyd cymdeithasol llawer o ddynion y dref yn troi o amgylch tafarndai niferus Rhuthun.Yn ystod yr ugeinfed ganrif bu lleihad dramatig yn nifer tafarndai'r dref; roedd yno nifer rhyfeddol yng nghanol yr ugeinfed ganrif, ond dim ond dwsin a oedd ar ôl erbyn diwedd yr ugeinfed ganrif. Nid yw'n anodd canfod y rhesymau dros y lleihad hwn. Cyfrannodd cryfder y mudiad dirwest yng Nghymru, law yn llaw â diwygiadau crefyddol achlysurol, at gau naw tafarn yn ystod dau ddegawd cyntaf y ganrif. Erbyn diwedd y ganrif, deuai'r pwysau o gyfeiriad gwahanol. Dylanwadwyd ar arferion yfed gan ddyfodiad yr anadliedydd a'r alcohol rhad a oedd ar gael yn yr archfarchnadoedd. Er mwyn aros ar agor, roedd yn rhaid i dafarndai geisio hyrwyddo ei hunain fel busnesau a oedd yn arbenigo mewn bwyd a darparu ar gyfer y farchnad fwytai. Ar ddechrau'r unfed ganrif ar hugain, caeodd tri o dafarndai hynaf Rhuthun, am byth mae'n debyg, ond roedd y penderfyniad i adnewyddu Gwesty'r Castell yn gwneud iawn am y colledion hyn i raddau.

Roedd y traddodiad cerddorol, y cyfeiriwyd ato mewn pennod flaenorol, yn nodwedd arall o'r ugeinfed ganrif. Sefydlodd côr enwog Harris Jones draddodiad a barhaodd dan arweiniad W.G. Hodgson, pennaeth Ysgol Borthyn, a bu ei gôr yn perfformio'n rheolaidd iawn at ddiwedd y 1920au. Yn ystod degawdau olaf y ganrif, cafodd y traddodiad corawl hwnnw ei gynnal gan Gôr Rhuthun, côr hynod o lwyddiannus a ddaeth i'r brig mewn nifer o eisteddfodau ac a fu'n teithio a pherfformio gyda rhai o sêr y byd opera, megis Bryn Terfel. Roedd gan Rhuthun ei 'sêr' operatig ei hun yn yr ugeinfed ganrif. Roedd Joan Carlyle yn soprano blaenllaw yn y 1950au a'r 1960au yn Covent Garden a bu'n perfformio'n anrhydeddus yn La Scala, Milan. Roedd John Furness Williams yr un mor bwysig. Fe'i ganed mewn amgylchiadau cymharol dlawd ym 1878, yr hynaf o 14 plentyn. Daeth yn brif denor yn Covent Garden ac yn gyfaill i'r enwog Caruso ac yn ôl pob sôn canodd yn angladd Caruso ym 1921, yr unig ganwr o Brydain i wneud hynny. Yn ddiweddarach, dychwelodd i Ruthun a bu farw yn Ysbyty Rhuthun ym 1957.

Band y Dref 1914

Nodwedd arall a oedd yn perthyn i draddodiad cerddorol Rhuthun oedd Band Pres y dref, a fu am flynyddoedd o dan arweiniad y 'Bandfeistr' rhyfeddol, John Edwards o Stryd Mwrog, a oedd yn dad i 21 o blant. Bu farw John Edwards ym 1925 ond llwyddodd gwahanol aelodau'r teulu i gadw'r traddodiad yn fyw hyd at ail hanner y ganrif. Roedd operâu ysgafn hefyd yn boblogaidd ac fe'u perfformiwyd yn rheolaidd yn y 1920au, fel arfer yn Neuadd y Dref. Ym 1974 atgyfodwyd y traddodiad hwn gan Gymdeithas Opera Amatur Rhuthun ac mae'r cwmni'n parhau i berfformio hyd heddiw, fel arfer yn Ysgol Brynhyfryd.

Rhoddwyd hwb i ddiwylliant Cymraeg, a oedd efallai'n llai amlwg yn ystod hanner cyntaf y ganrif, pan gynhaliwyd yr Eisteddfod Genedlaethol ar Gae Ddôl ym 1973, lle cynhaliwyd Eisteddfod yr Urdd ym 1962 ac unwaith eto yn Ysgol Brynhyfryd ym 1992 a 2006. Roedd cangen o Urdd Gobaith Cymru yn weithgar iawn yn ystod y 1950au ac yn cyfarfod yn Ysgoldy Brynhyfryd, Stryd y Rhos, sydd bellach wedi'i ddymchwel, yn ogystal ag yn Ysgol Stryd y Rhos ei hun. Ers ei sefydlu ym 1922, bu gan yr Urdd ganghennau yn y rhan fwyaf o'r ysgolion lleol hefyd, ac maent wedi cystadlu'n llwyddiannus mewn eisteddfodau. Yn yr un modd, rhoddwyd hwb pellach i weithgareddau Cymraeg o bob math yn sgil agor Ysgol Penbarras ym 1984 a chyhoeddi'r papur bro lleol, *Y Bedol*, ym 1977. Nodwedd gyson arall o'r bywyd diwylliannol Cymraeg oedd poblogrwydd bythol dramâu blynyddol Capel Bethania. Roedd y capeli anghydffurfiol Cymraeg yn gadarnleoedd i'r diwylliant Cymraeg yn y dref ac er gwaethaf y lleihad yn nifer y bobl a oedd yn mynychu eglwysi a chapeli ar hyd y ganrif, yn genedlaethol ac yn lleol, ni chaewyd unrhyw eglwysi na chapeli yn y dref, yn wir, agorwyd capel Bedyddwyr newydd ar Ffordd y Parc ym 1934.

Cafodd yr ymgyrchoedd cenedlaethol i hyrwyddo'r Gymraeg eu hadlewyrchu yn Rhuthun wrth i'r iaith Gymraeg ddod yn fwy gweladwy yn y dref yn sgil cyflwyno arwyddion stryd Cymraeg a lansio'r papur bro, Y Bedol. Eto i gyd, mynegwyd cryn bryder am ddirywiad yr iaith yn ystod blynyddoedd cynnar y

Hen Dafarn y Ship c1950au

ganrif bresennol. Datgelodd Cyfrifiad 2001 mai 42 y cant o boblogaeth y dref a oedd yn siarad Cymraeg o'i gymharu â dros 90 y cant ym 1901.

Rhoddwyd sylw amlwg i'r Celfyddydau Gweledol hefyd. Sefydlwyd Cymdeithas Gelf Clwyd yng nghanol y ganrif ac mae'n parhau i gynnal cyfarfodydd, cyrsiau ac arddangosfeydd rheolaidd yn y dref. Rhoddwyd hwb mawr i'r celfyddydau pan agorwyd Canolfan Grefft Rhuthun, ar safle yr hen orsaf reilffordd, ym 1982. Defnyddir y stiwdios gan nifer o grefftwyr, a gall ymwelwyr a phobl leol eu gwylio wrth eu gwaith. Mae'r arlunwyr preswyl a'r arddangosfeydd sy'n ymweld â'r Ganolfan yn galluogi pobl Rhuthun i weld gwaith gan arlunwyr a chynllunwyr blaenllaw.Yn 2008, cafodd y Ganolfan Grefft ei hailadeiladu yn llwyr a'i henwebu ar gyfer Gwobr Cronfa Gelf 2009, ac mae'r dyluniad trawiadol newydd ar restr ffefrynnau ('Design Delights') Comisiwn Dylunio Cymru.

Roedd dawnsio neuadd yn nodwedd rheolaidd o fywyd nos Rhuthun, ac yn boblogaidd dros ben yn y 1930au a'r 1940au. Gosodwyd llawr dawns newydd yn Neuadd y Dref ym 1928, ond roedd chwaeth cerddorol ac oedran y dawnswyr wedi newid erbyn y 1950au, pan fynegodd y Cyngor ei bryder ynglŷn â'r 'helyntion' niferus yn y dawnsfeydd; i'r fath raddau fel y cafodd dawnsfeydd ar nos Sadwrn eu gwahardd yn Neuadd y Dref am nifer o flynyddoedd. Erbyn iddynt gael eu cynnal eto ym 1963, roeddynt yn cael eu galw'n Ddawnsfeydd 'Beat' a daeth nifer o grwpiau amlwg o Lerpwl i berfformio yno ac, yn ddiweddarach, yn yr hen sinema, a ddaeth yn neuadd ddawns am nifer o flynyddoedd. Roedd tad y seren bop o'r 1960au, Wayne Fontana (Glyn Ellis) yn frodor o Ruthun. Yn y 1970au roedd y dref hefyd yn gartref i deulu Elton John a chyn-wraig a mab John Lennon o'r Beatles. Pan gafodd Lennon ei lofruddio ym 1980, tyrrodd aelodau o'r 'paparazzi' i'r dref, yn y gobaith o dynnu llun Cynthia Lennon, a oedd yn cadw bwyty yn y dref ar y pryd.

Aeth y ffeiriau, a fu am ganrifoedd yn nodwedd amlwg yng nghanol tref Rhuthun yn llai poblogaidd. Roedd diwrnod ffair, sef dydd Mawrth cyntaf y mis, pan osodwyd stondinau ar Sgwâr Sant Pedr, ymron â dod i ben erbyn diwedd y ganrif a diflannodd y stondinau yn llwyr erbyn blynyddoedd cyntaf y ganrif bresennol. Ym 1976 gwnaed ymgais i ailgreu 'naws' y dref ganoloesol pan gyflwynwyd 'Dydd Mercher Canoloesol', pan fyddai masnachwyr a pherfformwyr yn gwerthu crefftau ac yn cynnig adloniant bob dydd Mercher yn ystod yr haf ac ymunodd nifer o bobl y dref yn yr hwyl gan wisgo dillad canoloesol.Yn yr un modd, er y 1960au, cynhelir Gwleddau Canoloesol yng Nghastell Rhuthun, lle gall y gwesteion a'r twristiad fwynhau adloniant gan berfformwyr lleol.

Digwyddiad poblogaidd a phwysig yng nghalendr Rhuthun ar hyd y rhan helaethaf o'r ganrif oedd y Sioe Flodau, a gynhelid ar Gae Ddôl y dydd Iau olaf ym mis Awst. Yn dilyn rhai problemau yn y 1980au, rhoddwyd bywyd newydd i'r sioe pan symudodd i safle'r Farchnad Amaethyddol newydd ar Ffordd Dinbych, ond yn ddiweddar, mae ei dyfodol yn ymddangos yn ansicr unwaith eto. Cynhaliwyd digwyddiad poblogaidd arall ym 1994, pan drefnwyd Gŵyl Rhuthun am y tro cyntaf. Cynhelir yr ŵyl hon, sy'n ddigwyddiad cerddorol yn bennaf, yng nghanol y dref yn ystod penwythnos yn yr haf ac mae'n denu ymwelwyr o ardal eang. Ymhlith y rheini sy'n ymweld â'r ŵyl yn rheolaidd mae perfformwyr a chynrychiolwyr o dref Briec de l'Odet yn Llydaw, tref sydd wedi'i gefeillio â Rhuthun er 1993.

Am tua deugain mlynedd, yn ystod canol y ganrif, y Sinema oedd canolfan adloniant fwyaf poblogaidd Rhuthun. Er bod sinemâu symudol wedi ymweld â'r dref mor gynnar â 1914 a sioeau 'sinematograffig' wedi'u cynnal yn Neuadd y Dref yn dilyn y Rhyfel Byd Cyntaf, bu'n rhaid aros tan 1924 hyd nes yr agorodd y sinema pwrpasol newydd, 'The Picture House', ar Stryd y Ffynnon. Daeth ymweliad â'r sinema ymron yn weithred orfodol i bobl y dref ac eraill ac roedd y perfformiadau prynhawn Sadwrn i blant yn ddathliadau swnllyd o ffilmiau cowbois a chomedïau. Fodd bynnag, erbyn diwedd y 1950au roedd nifer y rhai a oedd yn mynychu'r sinema wedi dechrau lleihau, yn bennaf oherwydd y twf ym mhoblogrwydd setiau teledu ac, yn ddiweddarach, peiriannau fideo. Caeodd 'The Picture House'ym 1963 ac er gwaethaf sawl ymgais i'w ail-agor, caeodd y drysau am y tro olaf ym 1964. Yn ei dro, bu'r adeilad yn neuadd ddawns, siop ac, yn fwy diweddar, yn fwyty, ond ar hyn o bryd fe'i defnyddir fel ystafell arwerthu hen bethau.

I dref o'i maint, roedd gan Rhuthun gyfleusterau a chyfleoedd chwaraeon da yn ystod yr ugeinfed ganrif. O flynyddoedd cynnar y ganrif pan roddodd y teulu Cornwallis-West y Cae Chwarae i bobl y dref, i flynyddoedd olaf y ganrif, pan ddarparwyd Canolfan Hamdden yn cynnwys yr holl offer, gan Gyngor Sir Ddinbych, mae chwaraeon wedi bod yn nodwedd amlwg ym mywyd y dref. Er nad yw union ddyddiad sefydlu Clwb Pêl-droed Rhuthun yn hysbys, mae'n debyg iddo gael ei ffurfio yn y 1870au a dyma'r mwyaf poblogaidd o blith yr holl chwaraeon a drefnwyd yn y dref. Yn dilyn oes aur y 1880au, ymddengys fod pêl-droed wedi bod braidd yn anhrefnus erbyn degawdau cyntaf y ganrif. Newidiwyd enw'r Clwb sawl gwaith a bu'n anweithgar am gyfnodau, ac ymhlith problemau eraill, nid oedd ganddo gae parhaol. Er bod y Cae Chwarae gerllaw Cae Llo (Canol y Dre yn ddiweddarach) wedi'i gyflwyno'n rhodd i'r dref yng Ngwerthiant Castell Rhuthun ym 1919, nid oedd yn gwbl addas a bu'n rhaid aros tan y 1950au pan gafwyd cartref parhaol i gynnal gweithgareddau Pêl-droed, Criced a Hoci yn y dref, ar y Caeau Chwarae Coffa, gerllaw Cae Seren.

Cyn hynny, am flynyddoedd lawer, Cae Gwynach (rhwng Ffordd Wrecsam a Ffordd Corwen) oedd prif gae cartref clybiau pêl-droed y dref ac yno y chwaraewyd y gêm enwog yn erbyn Clwb Pêl-droed Barnsley ym 1921. Un nodwedd o'r gêm oedd ymddangosiad unig 'seren' pêl-droed Cymru, Billy Meredith, gynt o Manchester City a Manchester United, fel 'gwestai' i dîm Rhuthun. O'r 1950au ymlaen, roedd gwell trefn yn y Clwb a llwyddodd i ennill y gynghrair a'r gwpan o fewn fframwaith Cymdeithas Bêl-droed Cymru. Erbyn diwedd y ganrif roedd y Clwb yn rhedeg naw tîm bob penwythnos, chwech ohonynt i blant, ac yn darparu gwasanaeth gwerthfawr i'r dref.

Roedd dyfodiad Rygbi i dref Rhuthun yn y 1920au yn deillio i raddau helaeth o'r penderfyniad i chwarae rygbi yn hytrach na phêl-droed yn Ysgol Rhuthun, rai blynyddoedd yn gynt. Rhoddodd W.G. Lecomber, un o gymwynaswyr mawr y dref, gae i'r Clwb Rygbi newydd yn Brynhyfryd – cae a rannwyd am rai blynyddoedd â'r Clwb Criced – a derbyniodd y Clwb lawer o gefnogaeth gan brifathro Ysgol Rhuthun, E.W. Lovegrove. Yn anffodus, daeth y Clwb Rygbi i ben ym 1934 oherwydd 'problemau ariannol' a 'diffyg cryfder o ran chwaraewyr'. Ailffurfiwyd y Clwb Rygbi ym 1960, ond ni fu ganddo gae parhaol tan 1969 pan sicrhaodd safle ar Gae Ddôl a'r un flwyddyn daeth yn aelod llawn o Undeb Rygbi Cymru. Ym 1990, ymunodd Rhuthun â Chynghrair cenedlaethol Heineken, a bu'n rhan o'r gynghrair honno am wyth mlynedd. Adeiladwyd clwb newydd ym 1991, a darparwyd llifoleuadau yn ddiweddarach gan gwmni Redrow Construction, ac erbyn diwedd y ganrif, fel yn achos pêl-droed, roedd rygbi yn cynnig cyfleoedd chwaraeon ac ymarfer corff i lawer o bobl ifanc yr ardal.

Er nad oeddynt mor boblogaidd a Phêl-droed a Rygbi, roedd Criced a Thennis yn ffynnu hefyd yn ystod yr ugeinfed ganrif. Sefydlwyd clwb criced yn y dref ym 1895, ond dioddefodd yn ystod hanner cyntaf y ganrif oherwydd diffyg cae parhaol addas. Ar wahanol adegau, chwaraewyd criced ar yr un Cae Chwarae ag Ysgol Brynhyfryd ac Ysgol Rhuthun.Ym 1948, ymunodd Clwb Criced Rhuthun â chlwb Nantclwyd gan chwarae yn Neuadd Nantclwyd hyd ddiwedd y 1950au, pan ddefnyddiwyd y cae presennol yn y Caeau Chwarae Coffa am y tro cyntaf. Ym 1975, adeiladwyd clwb newydd ar gyfer y Clwb Criced a'r Clwb Pêl-droed. Chwaraewyd tennis ar wahanol adegau, ym Maes Dolwen, Stryd y Castell, Castell Rhuthun ei hun, a Bryn Goodman, hyd nes yr adeiladwyd y cyrtiau presennol yn Llanfwrog. Chwaraewyd Bowls ar hyd y ganrif, ar y lawnt fowlio y tu ôl i Stryd y Castell, ac o 1922 ymlaen, ar ben Bryn Goodman a bellach yn Llanfwrog.

Yn yr un modd, dioddefodd Hoci oherwydd diffyg cartref parhaol. Ar wahanol adegau, bu'r clwb, a oedd yn aml yn cynnwys tîm cymysg, yn rhannu cae â'r clwb criced. Yn ystod y 1970au, daeth clwb y dynion i ben ac wrth i'r gêm yn genedlaethol gael ei chwarae fwyfwy ar wyneb artiffisial, bu'n rhaid i'r tîm merched llwyddiannus iawn chwarae eu gemau cartref yn Ninbych. Mae datblygiad y Ganolfan Hamdden yn Ysgol Brynhyfryd wedi rhoi cyfleoedd newydd o ran iechyd a ffitrwydd i'r dref, yn ogystal â chae aml-bwrpas, bob tywydd. Ar yr un pryd, yn sgil agor Canolfan Gymunedol Llanfwrog ym 2007 ehangwyd y cyfleoedd i gynnal gweithgareddau chwaraeon yn y dref.

Ar hyd y rhan fwyaf o'r ganrif roedd gan Rhuthun ddau Glwb Golff. Sefydlwyd y clwb ym Mhwllglas ym 1905 ac roedd wedi dod mor boblogaidd erbyn 1911 fel y cyflwynwyd cynllun i adeiladu gorsaf reilffordd ym Mhwllglas i hwyluso'r daith o Rhuthun i'r cwrs. Derbyniodd y Clwb Golff gefnogaeth hael, yn ariannol ac o ran aelodaeth, ar ôl i Glinig Castell Rhuthun agor. Yn wreiddiol, roedd yr adeilad clwb presennol yn rhodd gan un o'r cleifion. Lleolid ail glwb golff y dref yng Nghae Coch ar Ffordd Dinbych rhwng Rhuthun a Rhewl, ar y caeau sy'n cael eu ffermio heddiw gan ffermydd Ty'n y Caeau a Golf Links, enw cwbl addas. Nid oedd y clwb hwn mor llwyddiannus â chlwb Pwllglas a daeth i ben ym 1962, ond ni fu'n weithredol ers yr Ail Ryfel Byd.

Darparwyd yr offer chwarae cyntaf i blant yng Nghae Ddôl gan Gyngor y Dref ym 1952, a darparwyd offer tebyg yn y Cae Chwarae ym 1953. Yn ddiweddarach, gosodwyd siglenni ac offer tebyg ar y rhan fwyaf o ystadau tai'r dref.

Trwy gydol yr ugeinfed ganrif, felly, cynhaliwyd amrywiaeth eang o weithgareddau diwylliannol, chwaraeon ac adloniant yn nhref Rhuthun gan atgyfnerthu ei statws fel canolfan gymdeithasol yn gwasanaethu de Dyffryn Clwyd.

Rhuthun yn Ystod Y Rhyfeloedd

Mae cyfraniad Rhuthun i ymdrechion y ddau ryfel byd wedi'i gofnodi'n fwyaf trawiadol ar y gofgolofn ryfel wenithfaen yn Ffordd Wynnstay. Cysegrwyd y gofgolofn ar 5 Rhagfyr 1925, ac mae'n rhestru 101 o enwau o'r Rhyfel Byd Cyntaf – 71 ar y golofn ei hun a 30 ar ddau banel yn y cefn; mae nifer o unigolion eraill, a fu farw o'u clwyfau ar ôl y dyddiad terfyn ar gyfer cynnwys enwau, yn parhau heb eu cydnabod. Ychwanegwyd enwau 29 unigolyn arall a fu farw yn yr Ail Ryfel Byd ym 1953 ar ddau banel arall, a osodwyd gwenithfaen tebyg, ar gefn y gofgolofn bresennol. Yn fwy diweddar, ychwanegwyd enw arall–sef yr Is-ringyll J. Russell Carlyle, a laddwyd yn Rhyfel y Malfinas ym 1982.

Ni cheir cofeb ffurfiol i'r dynion o Ruthun a laddwyd mewn gwrthdaro arall yn gynharach yn y ganrif, sef Rhyfel De Affrica (1899-1902), ond gwasanaethodd nifer o filwyr parhaol a gwirfoddolwyr yno. Ar 31 Mai 1902, pan gyhoeddwyd bod y rhyfel wedi dod i ben, cafwyd diwrnod o wyliau cyhoeddus a rai dyddiau yn ddiweddarach, rhoddwyd derbyniad dinesig i bum gwirfoddolwr a oedd wedi dychwelyd adref.

Y Rhyfel Byd Cyntaf. Aeth pobl Rhuthun i ryfel ym mis Awst 1914 â chryn frwdfrydedd. Yn wahanol i rannau eraill o Ogledd Cymru anghydffurfiol, Ryddfrydol, lle gwelwyd cryn anfodlonrwydd i gofrestru, hyd nes y daeth Lloyd George i gefnogi'r achos, ymgasglodd tyrfaoedd cyffrous ar Sgwâr Sant Pedr i glywed a chymeradwyo areithiau gwladgarol gan y Maer ac eraill. Dechreuwyd ar y gwaith recriwtio milwrol ar unwaith ac ymrestrodd nifer sylweddol o gyn-filwyr a Gwirfoddolwyr Tiriogaethol (4ydd Bataliwn, y Ffiwsilwyr Brenhinol Cymreig). Erbyn mis Medi 1914, adroddodd y *Denbighshire Free Press* fod 106 o ddynion wedi ymrestru.

Dathliadau heddwch 1919

Y cyntaf o'r ardal i farw ar faes y gad oedd yr Is-gapten G.V. Naylor-Leyland o Neuadd Nantclwyd, ar 3 Hydref. Dros y pedair blynedd nesaf, cafodd enwau nifer o ddynion lleol eraill eu hychwanegu i'r rhestr drist honno wrth i nifer mawr o filwyr a alwyd i'r fyddin ymuno â'r gwirfoddolwyr cynnar o 1916 ymlaen.Y dyn cyntaf o Rhuthun i farw oedd y Preifat John Cadwallader Jones o Stryd Mwrog, a laddwyd yn Ypres ar 7 Tachwedd 1914. Collodd Stryd Mwrog nifer anghyffredin o ddynion; efallai oherwydd yr arfer a gâi ei annog gan yr awdurdodau i grwpiau o gydweithwyr neu gymdogion ymrestru a'i gilydd yn y Bataliynau Ffrindiau neu'r 'Pals Battalions' fel y'u gelwid.

Yn Rhuthun ei hun, arhosodd bywyd yn gymharol debyg i'r hyn a fu yn ystod blynyddoedd y rhyfel. Derbyniodd pobl y dref, fel mewn mannau eraill, yr holl gyfyngiadau a rheoliadau a orfodwyd arnynt gan y llywodraeth a'r anrhefn difrifol a achoswyd yn sgil colli cynifer o weithwyr a cheffylau fferm, gan fod y Fyddin angen nifer sylweddol ohonynt. Fe wnaethant hefyd gyfrannu'n hael i nifer o elusennau rhyfel ac anfon y 'cysuron' arferol i'w dynion yn Ffrainc. Erbyn 1917 roedd y dref wedi tanysgrifio i £67,000 o Fenthyciadau Rhyfel. Rhoddwyd lloches i dros 20 o ffoaduriaid o Wlad Belg hefyd a chodwyd ysbyty'r Groes Goch ar safle'r ysbyty cymunedol presennol i dderbyn rhai cannoedd o aelodau clwyfedig o'r lluoedd yn ystod y rhyfel.Yn ddiweddarach, trosglwyddwyd yr ysbyty i'r dref. Yn ogystal, sefydlwyd gwersyll Carcharorion Rhyfel bychan yn Neuadd Bathafarn gerllaw, lle carcharwyd tua hanner cant o Almaenwyr rhwng mis Gorffennaf 1916 a mis Hydref 1920.

Pan gyhoeddwyd y Cadoediad ar 11 Tachwedd 1918, daeth y tyrfaoedd allan unwaith yn rhagor ar sgwâr y dref lle cawsant eu cyfarch gan y Maer, W. Godfrey Lecomber, a oedd wedi colli ei fab yn y rhyfel. Canwyd clychau Eglwys Sant Pedr a gorymdeithiwyd o Neuadd y Dref i'r Eglwys a Chapel Pendref, lle cynhaliwyd gwasanaethau diolchgarwch. Ni chafodd yr heddwch ei ddathlu'n swyddogol, yn genedlaethol, tan y flwyddyn ganlynol. Cynhaliwyd diwrnod o ddathliadau yn Rhuthun, yn cynnwys y paredau arferol a rhostiwyd ŷch ar Sgwâr Sant Pedr, cyn i rocedi gael eu tanio ar gopa Moel Famau.

Yn raddol, dychwelodd y milwyr clwyfedig a'r rheini a ryddhawyd o'r fyddin i'r dref, ond cawsant dderbyniad llawer mwy amwys na'r ffarwel balch pan aethant i ryfel. Daeth rhai pobl i ystyried cyn-filwyr â chlwyfau difrifol, a'r rheini a oedd yn dioddef effeithiau hirdymor 'siel-syfrdandod', yn embaras i'w cuddio yn Wyrcws Rhuthun neu'u hanfon i Ysbyty Llangwyfan ac Ysbyty Meddwl Gogledd Cymru yn Ninbych.

Fel mewn mannau eraill ym Mhrydain yn dilyn y Rhyfel, dychwelodd y pum cant neu ragor o gyn-filwyr i dref Rhuthun i ddarganfod bod llawer o'r swyddi wedi'u llenwi gan bobl nad oeddynt wedi bod yn rhyfela neu gan ferched. Ni dderbyniodd y clwyfedigion na'r gweddwon gymorth ariannol digonol. Cyfrannodd profiad creulon y rhyfel hefyd at ymddygiad gwrthgymdeithasol ymhlith cyn-filwyr; cofnodwyd cynnydd sylweddol yn nifer yr achosion o feddwdod, trais a lladrata o'u cymharu â'r blynyddoedd cyn y rhyfel. Un cyn-filwr lleol adnabyddus oedd Dick Dunn, a ddychwelodd o'r rhyfel i fyw fel 'crwydryn' a gweithiwr amaethyddol achlysurol, yn bennaf yn ardal Bontuchel a Chyffylliog. Roedd yn aml i'w weld yn eistedd ar y seddau yn Sgwâr Sant Pedr, hyd ei farwolaeth ym 1961. Talwyd am ei garreg fedd ym mynwent Llanrhudd gan danysgrifiadau cyhoeddus.

Bu Rhuthun yn ffodus i osgoi'r gwaethaf o'r trychineb arall a ddilynodd y rhyfel, sef y pandemig ffliw ('y Ffliw Sbaenaidd') a ddaeth i'r amlwg ym mis Hydref 1918. Bu'n rhaid cau'r ysgolion cynradd am dair wythnos, ond er i nifer gael eu taro'n wael, yn Stryd Mwrog yn enwedig, dim ond pedair marwolaeth, ym mis Tachwedd, a achoswyd gan yr haint.

Roedd ymateb y cyhoedd a'r wasg i ddechrau'r Ail Ryfel Byd, ar 1 Medi 1939, yn gwbl wahanol. Efallai oherwydd profiadau'r rhyfel blaenorol, ni wnaeth y papur newydd lleol y *Denbighshire Free Press* gyfeirio'n uniongyrchol at y rhyfel ac ni cheir hanes am unrhyw grynhoad neu gyfarfod cyhoeddus. Aeth pobl o gwmpas eu pethau fel arfer, gan danysgrifio yn hael unwaith yn rhagor i elusennau rhyfel a chynlluniau cynilo'r llywodraeth. Codwyd £583,000 ar gyfer pedair apêl yn unig, a chodwyd arian yn ogystal i dalu am adeiladu gosgorddlong, H.M.S. Pink, a lansiwyd ym 1942. Mae darlun o'r llong a phlac coffa i'w gweld yn swyddfa clerc y dref a Neuadd y Farchnad. Cyrhaeddodd tua mil o noddedigion neu 'ifaciwis' o Lerpwl i gael lloches yng nghartrefi'r ardal, ond oherwydd dryswch a phryder am gyflwr iechyd ac ymddygiad rhai plant, dychwelodd llawer ohonynt adref.

Yn wahanol i 1914, pan ddosbarthwyd rhybuddion am gyrchoedd awyr heb unrhyw ddisgwyliad gwirioneddol y byddai Zeppelin yn ymosod ar yr ardal, y tro hwn roedd llawer mwy o gyfiawnhad dros fod ofn y cyrchoedd awyr. Dosbarthwyd masgiau nwy; gweithredwyd trefniadau blacowt yn llym a sefydlwyd unedau o'r Gwarchodlu Cartref, yr ARP ('Air Raid Precautions') a Chorfflu'r Gwyliadwyr ('Observer Corps'); ynghyd â magnelfa chwiloleuadau ar ochr Dinbych i'r dref. Yn y pen draw, ni ymosodwyd ar Ruthun o'r awyr, yn wahanol i rannau eraill o Sir Ddinbych, yn benodol ardal Wrecsam. Datgelodd adroddiad manwl ym 1944 mai'r agosaf y cyrhaeddodd y Luftwaffe oedd yr ychydig fomiau a ollyngwyd uwchben Rhewl a Graigadwywynt gan achosi mân ddifrod yn unig; heblaw am ladd dafad yng Nghraigadwywynt.

Cyfrannodd Rhuthun at y rhyfel hefyd trwy drosi rhan o'r hen garchar ar Stryd Clwyd a'r ffatri potelu dŵr ar Ffordd y Parc, ynghyd â'r hen orsaf bŵer yn Stryd y Felin, yn ffatrioedd arfau. Symudodd cwmni Lang Pen o Lerpwl i Rhuthun gan roi'r gorau i gynhyrchu ysgrifbinnau er mwyn cynhyrchu arfau a darnau ar gyfer teclynnau awyrennau ym 1942. Cyflogid tua cant o bobl o'r ardal yn y gweithfeydd hyn, menywod yn bennaf, ond ni wireddwyd y gobeithion y byddai'r gwaith cynhyrchu ysgrifbinnau yn aros yn yr ardal ar ddiwedd y rhyfel.

Fel rhan o'r paratoadau Eingl-Americanaidd ar gyfer dyfodiad milwyr lluoedd arfog yr Unol Daleithiau ym Mhrydain, yn dilyn penderfyniad America i ymuno â'r rhyfel, rhoddwyd rhaglen enfawr ar waith i adeiladu meysydd awyr, depos a gwersylloedd lletya, dan y ffug enw 'Bolero', ym 1942-43, a dewiswyd Rhuthun fel safle un o'r gwersylloedd hyn ar Ffordd y Parc (mae'r enw wedi parhau hyd heddiw). Fodd bynnag, nid yw'n ymddangos i'r gwersyll gael ei ddefnyddio gan filwyr Americanaidd oherwydd cafodd yr adeiladau eu dynodi'n ddiweddarach at ddefnydd Byddin y Tir a'r Pwyllgor Rhyfel Amaethyddol ('War Ag'). Fodd bynnag, mewn adroddiad gan Ymddiriedolaeth Archaeolegol Clwyd-Powys ym mis Ionawr 2006, disgrifwyd yr adeiladau fel 'Barics Ffordd y Parc' a adeiladwyd ym 1943 i letya gweithwyr y gwersyll Carcharorion Rhyfel Eidalaidd a ddisgrifir isod.

Roedd y ffaith bod gan America ddiddordeb yn Rhuthun fel canolfan dros dro ar gyfer ei milwyr yn amlwg o'r cynllun i letya cannoedd o filwyr Americanaidd dros nos yn y dref ar ddechrau 1943. Yn ffortunus iawn, ni weithredwyd y cynllun hwn gan fod hanner pobl y dref yn anfodlon cynnig llety iddynt, gan ofni'r anghydfod y gallent eu achosi.

Cafodd y Rhyfel effaith ar dref Rhuthun mewn ffordd arall. O 1941 ymlaen codwyd llawer o wersylloedd carcharorion rhyfel pwrpasol ar draws Prydain i ddal nifer fawr o garcharorion rhyfel Eidalaidd. Adeiladwyd Gwersyll Pool Park (Gwersyll Rhif 38) ar ddechrau 1942, tua pedair milltir i'r gorllewin o Rhuthun. Prin iawn yw'r olion o'r gwersyll heddiw, ac eithrio adfeilion rhai adeiladau brics, ond roedd y gwersyll yn ddigon mawr i ddal hyd at fil o garcharorion rhyfel ac roedd yn cynnwys gwarchodwyr a ffensys weiren bigog. Roedd y gwersyll yn llawer mwy na'r pentrefi cyfagos, ac roedd ganddo ei waith carthffosiaeth ei hun, cyflenwad trydan, cyfleusterau chwaraeon a sinema; a hynny ar adeg pan oedd cyfleusterau o'r fath yn brin yn yr ardal.

Ar ôl i'r Eidal gael ei gorchfygu a newid ochr yn y rhyfel ym mis Medi 1943, rhyddhawyd y carcharorion rhyfel hyn yn raddol. O ganlyniad, daeth Almaenwyr i ddisodli'r Eidalwyr yn yr hyn a elwid bellach yn Wersylloedd Llafur ym 1944. Cafodd y carcharorion hyn hefyd eu hanfon adref yn raddol dros y tair mlynedd nesaf. Cafodd yr Almaenwyr a'r Eidalwyr eu cyflogi y tu allan i'r gwersyll fel gweithwyr amaethyddol neu goedwigaeth; ac roedd llawer ohonynt yn lletya ar y ffermydd, yn hytrach na dychwelyd adref i'r gwersyll bob nos. Roedd Gwersyll Pool Park yn wersyll canolog a oedd yn prosesu carcharorion rhyfel a oedd newydd gyrraedd ac yn dosbarthu llawer ohonynt i ryw wyth gwersyll 'atodol' mewn rhannau eraill o Sir Ddinbych, neu i ffermydd. Roedd disgwyl i wersylloedd hefyd fod yn llefydd ar gyfer ail-addysgu carcharorion, yn enwedig cydymdeimlwyr Natsïaidd disyfyd, felly cynhelid rhaglen reolaidd o ddarlithoedd, rhai ohonynt gan bobl leol amlwg, a grwpiau trafod.

Cafodd y carcharorion rhyfel, yn ôl eu cyfaddefiad eu hun, eu trin yn dda yn Pool Park a hefyd, gan y boblogaeth leol, i'r graddau fel yr arhosodd sawl dwsin o Eidalwyr ac Almaenwyr yn ardal Rhuthun ar ôl i'r gwersyll gau yng nghanol 1948. Priododd rhai ohonynt â merched lleol ac mae eu disgynyddion wedi aros yn yr ardal hyd heddiw. Hyd at 1950, parhaodd Gwersyll Pool Park fel hostel i bobl a ddadleolwyd yn sgil y rhyfel yn Ewrop, yn bennaf brodorion o'r Wcráin. Yna, cafodd yr adeiladau eu dymchwel a dychwelwyd y safle i'r perchnogion.

Daeth yr Ail Ryfel Byd yn Ewrop i ben am un munud wedi hanner nos, ddydd Mawrth, 8 Mai 1945. Unwaith yn rhagor, daeth pobl y dref i ddathlu'r achlysur ar Sgwâr Sant Pedr ac i glywed y cyhoeddiad ar uchelseinyddion a osodwyd ar fargodion Banc y National Provincial. Fel yn achos y rhyfel blaenorol, cynhaliwyd dathliadau ffurfiol y mis Mai canlynol, pan welwyd dathliadau torfol tebyg i'r rheini a gafwyd ym 1919 ar Sgwâr Sant Pedr a mannau eraill.

Llywodraeth Leol

Nid yw Neuadd y Dref, y gosodwyd ei charreg sylfaen ym 1863 fel cartref i'r Cyngor Bwrdeistrefol, bellach yn eiddo i Gyngor y Dref, na hyd yn oed i Gyngor Sir Ddinbych, a fu'n defnyddio'r adeilad am gyfnod i gynnal cyfarfodydd. Mae nifer o farchnadoedd ffyniannus yn parhau i ddefnyddio'r neuadd farchnad gyfagos yn rheolaidd, ond symudodd yr Orsaf Dân i adeilad newydd yn Ffordd y Parc ym 1971, a defnyddir y rhan honno o'r adeilad bellach gan Gyngor ar Bopeth. Yn 2004-5, pan oedd adeilad y Cyngor Sir, a godwyd yn wreiddiol ym 1908/9, yn cael ei hailddylunio, cafodd ei osod ar brydles, ynghyd ag adeilad y Cyngor Sir, i gwmni'r Operon Group am 25 mlynedd, fel rhan o ofynion cynllun Menter Cyllid Preifat.

I ddechrau, cynhaliwyd cyfarfodydd y Cyngor Sir yn Neuadd y Sir, sef y Llyfrgell bellach, ac yn sgil pwysau gan William Cornwallis-West enillodd Rhuthun ei statws fel Tref Sirol, statws a wrthwynebwyd yn chwyrn gan Wrecsam a Dinbych yn ystod degawd cyntaf y ganrif. Yn yr ysgrif goffa i T.J. Roberts yn y *Denbighshire Free Press* dywedir iddo chwarae rhan allweddol yn y gwaith o sicrhau'r safle er mwyn codi'r swyddfeydd newydd ac i godi'r arian i'w brynu. Dyluniwyd yr adeiladau gan Bensaer y Sir ar y pryd, sef Walter D. Wiles, ac fe'u codwyd ym 1908-9, ar gost cytundeb o £6,500. Roedd drws y prif fynedfa ar yr adeg honno, fel ar hyn o bryd, ar gornel Stryd y Farchnad a Ffordd Wynnstay ac arweiniai at gyntedd wythonglog 16 troedfedd ar ei draws â'r prif risiau y tu hwnt iddo. Roedd y grisiau a'r cyntedd yn cynnwys paneli o dderw Awstriaidd a cholofnau gwenithfaen gloyw. Roedd yr adeilad ei hun yn cynnwys wyneb calchfaen naddedig o Chwarel Eyarth â naddiadau o garreg Runcorn. Ar bob ochr i'r prif fynedfa ceid colofnau gwenithfaen perl emrallt 22 troedfedd o uchder, roedd y grisiau o garreg 'Idle' a'r to wedi'i orchuddio â llechi gwyrdd. Daeth y garreg

W. Godfrey Lecomber gyda Tywysog Cymru

goch ar gyfer y gwaith cerrig o chwareli Runcorn, sef yr un garreg a ddefnyddiwyd ar gyfer Eglwys Gadeiriol Lerpwl.

Yn ystod yr ugeinfed ganrif gwelwyd nifer o newidiadau yn nhrefn llywodraeth leol. Roedd gan Rhuthun Gyngor Bwrdeistrefol, a oedd yn cynnwys maer, pedwar henadur, a etholwyd o blith aelodau'r cyngor, a deuddeg cynghorydd, y byddai pedwar ohonynt yn ymddeol pob blwyddyn ond a oedd yn agored i gael eu hail-ethol. Swyddogaeth yr henadur oedd llywio trafodaethau'r Cyngor. Dyfarnwyd y teitl hwn, gan aelodau'r Cyngor eu hunain, i aelodau a oedd wedi gwasanaethu am gyfnod hir ac y gwerthfawrogid eu barn. Oherwydd bod y drefn yn cael ei hystyried yn anddemocrataidd, diddymwyd safle'r henaduriaid gan Ddeddf Llywodraeth Leol 1972.

Cyflwynwyd anrhydedd 'Rhyddfraint y Bwrdeisdref' ar nifer o henaduriaid yn ystod y ganrif. Yr un mwyaf adnabyddys oedd William Godfrey Lecomber, a gafodd y fraint yn 1921. Gŵr ychel ei barch, daeth i Rhuthun fel dyn busnes cyfoethog o Fanceinion ac fe'i etholwyd yn faer yn ei gyfarfod cyntaf ar y Cyngor ym 1917. Prynodd sawl adeilad pwysig yn ystod gwerthiannau Ystad y Castell ym 1913 a 1919. Roedd y rhain yn cynnwys yr hen Lys, Tŷ Exmewe, Fferm Caerfallen, darnau o dir a busnesau llai. Yn ddiweddarch, adeiladodd Fferm Cantaba. Roedd yn ŵr hael, a oedd wedi dioddef ergyd bersonol deuluol yn ystod y rhyfel; talodd am watshis aur i bob milwr yn Rhuthun a oedd wedi ennill medal, yn ogystal â holl gostau'r Dathliadau Rhostio Ŷch i nodi'r fuddugoliaeth.

Hyd 1918, dynion dros 21 oed yn unig oedd â'r hawl i bleidleisio mewn etholiadau ym Mhrydain, ac nid tan y flwyddyn honno y rhoddwyd yr hawl i fenywod dros 30 oed bleidleisio. Dan anogaeth y maer ar y pryd, W.G. Lecomber, rhoddodd Anna Rowlands, prifathrawes Ysgol Sir y Merched yn Rhuthun, ei henw ymlaen fel ymgeisydd i'r Cyngor Bwrdeistrefol. Roedd disgwyl iddi gael ei hethol gyda mwyafrif mawr, ond nid felly y bu. Nid oedd yr etholwyr yn barod am gynghorydd benywaidd eto. Fodd bynnag, ni fu'n rhaid iddi aros yn hir oherwydd ym mis Tachwedd 1920, llwyddodd yn ei hymdrech. Ni safodd am ail-etholiad ym 1923. Yn ddiweddarach, daeth Roberta Elizabeth Beech, sef yr enw cyntaf ar gofrestr disgyblion yr Ysgol Sir, yn faeres gyntaf y Fwrdeistref.

Ym mis Ebrill 1974, diddymwyd y Fwrdeistref a daeth yn rhan o Gyngor Dosbarth Glyndŵr â phencadlys yn Rhuthun, ac yn un o ddosbarthiadau sir newydd Clwyd, a oedd â phencadlys yn Yr Wyddgrug. Collodd Rhuthun ei statws fel tref sirol. Bu ad-drefnu pellach ym 1996, pan ddiddymwyd Cyngor Sir

Clwyd a daeth Rhuthun yn rhan o Sir Ddinbych newydd â phencadlys unwaith eto ar Ffordd Wynnstay.

Bellach mae gan Gyngor y Dref, a ystyrir yn Gyngor Cymuned, bymtheg aelod a chadeirydd a elwir yn Faer; cynhelir y cyfarfodydd yn Siambr y Cyngor Sir. Pwerau cyfyngedig iawn sydd gan y cyngor hwn. Un o'i brif swyddogaethau yw goruchwylio ceisiadau cynllunio a materion yn ymwneud â phriffyrdd. Nid yw tai cyngor bellach yn gyfrifoldeb i Gyngor y Dref, ond mae cynigion i ddatganoli materion megis toiledau cyhoeddus a thorri gwair i'r Cyngor o'r Cyngor Sir.

Effeithiwyd ar gynrychiolaeth seneddol Rhuthun gan newidiadau tebyg. Diddymwyd etholaeth Bwrdeistrefi Dinbych ym 1918, ac fe'i disodlwyd gan etholaethau newydd Dinbych a Wrecsam, y ddwy yn rhannu dwy etholaeth wledig Sir Ddinbych, a ddiddymwyd hefyd. Ad-enillodd yr Anrhydeddus George Thomas Kenyon sedd y Bwrdeistrefi ar ran y Ceidwadwyr yn etholiad cyffredinol 1900, ond collodd i'r Rhyddfrydwr, Allen Clement Edwards, ym 1906. Collodd Edwards y sedd, yn ei dro, i'r Ceidwadwr yr Anrhydeddus William Ormsby-Gore (dyrchafwyd ef i Dŷ'r Arglwyddi fel Arglwydd Harlech ym 1938), a chadwodd y sedd hyd nes y cafodd ei diddymu. O dan wahanol enwau a ffiniau, daliodd y Rhyddfrydwyr eu gafael yn y sedd hyd 1959. Ers hynny, mae'r sedd wedi newid dwylo rhwng y Blaid Lafur a'r Ceidwadwyr. Er 1997, mae Rhuthun wedi bod yn rhan o etholaeth seneddol Gorllewin Clwyd ac mae hefyd yn rhan o etholaeth Cynulliad Cenedlaethol Gorllewin Clwyd, sydd ar hyn o bryd yn nwylo'r Ceidwadwyr.

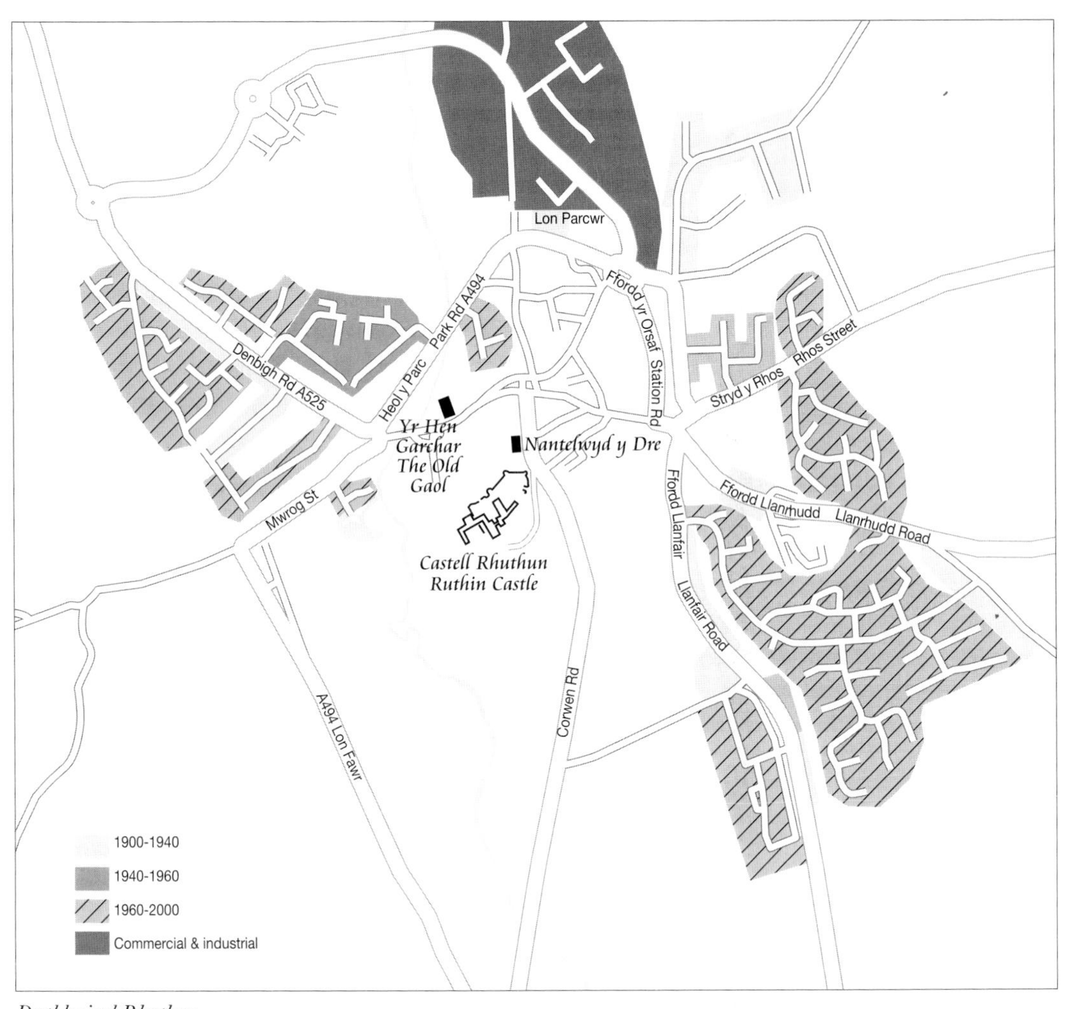

Datblygiad Rhuthun